Heidense vreugde

Hafid Bouazza

Heidense vreugde

Gepeins en gezang

2011 Prometheus Amsterdam

© 2011 Hafid Bouazza
Omslagontwerp Femke Tomberg
Foto auteur Eline Klein
www.uitgeverijprometheus.nl
ISBN 978 90 446 1760 3

Inhoudsopgave

Inleiding

Een nomadisch bestaan en een onzorgvuldige omgang met pc's en ander elektronisch schrijfgerei hebben ervoor gezorgd dat ik niet kan bogen op een digitaal archief van mijn werk. Daarnaast houd ik de rappe ontwikkelingen op technisch gebied niet altijd bij en toen men allang met USB-sticks om hals of broekband liep, was ik nog niet bekomen van de schrik van een tekstverwerker *zonder gleuf voor diskettes* (de *floppy discs* waren al een relikwie uit oertijden, zelfs voor mij).

Uiteraard zijn artikels uit archieven van de verschillende dag- en weekbladen te halen, maar dat is het hem nu juist: de gedrukte versie is doorgaans ingekort en doorgaans niet naar tevredenheid, dan wel geredigeerd, terwijl een archief mij de stukken had kunnen geven zoals ik ze bedacht (zie de illustratie) en opschreef, vol en warm van mijn cerebraal leven, knisperend als zwezerik. Er zijn natuurlijk uitzonderingen waarbij ik betrokken werd *tot de laatste punt* in de redactie en er zijn zelfs voorbeelden van redacteurs die hun werk zo goed deden dat ik zelf niet méér hoefde te doen dan het te herlezen en af te sluiten met een ferme punt van mijn goedkeurende kin – ik heb ze daarvoor altijd geprezen en bedankt.

Dit is niet de klacht van de literaire saletjonker die vindt dat elke zin van hem met twee gekomde handen dient opgetild te worden en op fluweel onder gouden licht bezichtigd (en bewonderd). Maar schrijven heeft alles met structuur te maken en het aantal woorden bepaalt de structuur van wat men schrijven gaat (zie dezelfde illustratie). En zomaar knippen en snijden in een zorgvuldig gestructureerd stuk, kan een pofbroek opleveren waar men een kamerjas uitgestippeld had. De dichter droomt, denkt en doedelt al arbeidend (idem dito), maar de grafische wetten voor paginaopmaak zijn onverbiddelijk. Gelukkig had ik nog enige originelen en heb ik die opgenomen in plaats van de gedrukte versies. Bij andere artikelen heb ik zo goed en zo kwaad als het ging uit mijn geheugen de ontbrekende gedeelten opgediept en ze herenigd met hun magen van alinea's en in sommige gevallen uitgebreid met nieuwelingen van huidige inzichten in de vorm van voetnoten. We blijven namelijk groeien en al groeiende herlezen wij en lezen veel nieuws, en de geest breidt zich uit.

Al vele jaren geleden had ik het plan opgevat om mijn essays te bundelen en wel in een eigen vorm. Wat de criteria waren voor opname (in dwangbuis of in galakostuum, dat laat ik in het midden)? Er was maar één criterium: mijn intuïtie, mijn plezier in het herlezen van het stuk en het werken eraan. Ik hoef niet bescheiden noch arrogant te doen, ik zou alleen mijzelf ermee hebben dingen te publiceren die ik beneden peil vind.

Al toen ik als jongeling lange stukken over allerlei onderwerpen begon te publiceren, werd ik beticht van het pronken met en etaleren van kennis. Ik zou niet weten wie van zijn etalage een staalkaart van zijn onwetendheid wil maken, ik heb persoonlijke vrijheid hoog zitten en zal niemand tegenhouden. Mijn innige liefde voor en verwondering om dit of dat werk met de lezer delen is een bevredigende bezigheid en de brieven die ik ontving van lezers bevestigden dit voor mij. Het is geen sektarisch genoegen, want dat zou een beperking van de vreugde zijn; het is juist een vreugde die groter blijkt dan de intieme vreugde tussen bureau en vingers. Zij laat zich niet onderwerpen aan regels of canoniek; niet dogmatiseren, zij is daarom een – inderdaad.

Hafid Bouazza 2011

Margriet van Heesch

Dhu Rummah

Een eindeloze suizelende steppe die ouderloos maakt
En waarvan de mijlpalen door de mirage werden verscheurd

Alsof de bergtoppen er getulband werden
Door grove filozel en labberende popeline

Heb ik doorkruist met voortvarende moedige knapen
Op mehari's die trillend snellen in hun verre reizen: –

Zij laten de gevaren van waar zij waren achter zich
Met diepgezonken ogen en een pas die galop en draf vermengt

Mager als hun neusringen: ingeplooid de flanken
Tot aan de boezems en tot aan de ruggenwervels

Zoals versleten mantels uit Jemen ingeplooid worden –
In de zandvelden waar geen enkel mijlteken is

Werpen zij elke misgeboorte verkleefd in een hemd
Levend van ademhik maar dood van leden

Onbehaard van brauwen door de vroege val:
Uit de gesloten ringen werd het bevrijd

Voordat de baartijd van veulens voltooid was
Door de lange nachtvaart en het getrek van buikriemen

In elke einderloze wildernis schijnend van de mirage
In welks nimmer beregende doolvelden je kunt horen

Nu eens aan de rechterhand dan aan de linkerkant
Twee stemsoorten van de chimaera's murpelingen

En een verre steenschap met een gewassen gekroost water
Heb ik bereikt voor de vluchten van zandhoenders

En voor de dronk van de schichtige grijze wolf
En voor het gekras van de vroege hinkelraaf

Dhu Rummah (696-735)

I

RIJK DER ZINNEN

De *Absintdrinker*

Teder zwaai ik de zienlijke wereld weg.
Veraf hoor ik een geraas, ver maar toch zo dichtbij,
Veraf en zo vreemd, een stem klinkt in mijn oor,
En is het mijn eigen stem? de woorden die ik zeg
Vallen vreemd, als een droom, over de dag heen;
En de vale zonneschijn is een droom. Hoe helder,
Zo nieuw als de wereld is voor minnaars ogen, lijken
De mannen en vrouwen die gaan hun eigen weg!

De wereld is zeer fraai. Al de uren zijn
Verstrengeld in een dans van louter vergetelheid.
Ik leef in vrede met God en mens. O glijd weg,
Korrels van de zandloper die ik niet tel, val
Kalm neer: ik voel nauwelijks jullie zachte streling,
Gewiegd op dit dromerige en onverschillige tij.

Aux Deux Magots,
Boulevard St. Germain,
Parijs, 5 juni, 1890

Arthur Symons (1865-1945)

Monument in vlak landschap

OVERSCHREEUWD door het WK, overjubeld door uitzinnige massa's ging het nieuws bijna aan de aandacht voorbij – en misschien niet alleen aan míjn aandacht. Want, ziet u, het WNT is voltooid, het monument voor de Nederlandse taal is afgemaakt.

Begrijpt u?

Nogmaals: het Woordenboek der Nederlandse Taal, beter bekend onder de roepnaam WNT, is na meer dan een eeuw (om precies te zijn: 116 jaar) eerbiedwaardige en noeste arbeid voltooid. Het betreft hier het grootste woordenboek ooit samengesteld; het is zelfs groter dan de voortreffelijke Oxford English Dictionary (beter bekend bij de ingewijden onder zijn acroniem OED).

Dit is een ontzagwekkende prestatie, een paar eeuwen Nederlandse taal – van de Middeleeuwen tot de twintigste eeuw – geboekstaafd, elk woord ooit opgeschreven komt erin voor, in al zijn vormen en bijvormen. Ik weet niet of, maar ik hoop dat, andere mensen mijn dronken vreugde delen – en tezamen met die vreugde de nuchtere droefheid, om de lauwe ontvangst die dit meesterwerk ten deel viel.

Natuurlijk, natuurlijk – haast ik mij om te zeggen –, wij hielden ons bezig met andere, ongetwijfeld belangrijkere dingen: het WK bijvoorbeeld (overigens, merk de liefde voor afkortingen op!) en, interessanter nog, de beweegredenen van Kluivert om zijn Belgische tegenstander een elleboogstoot te geven en, vooral, wat had die Belg nou gezegd om Kluiverts woede op te wekken?

Nu koester ik geen enkele illusie over Nederlanders en hun cultureel gevoel – ik bedoel hun eigen cultuur, niet dat hybride verschijnsel dat multiculturaliteit wordt genoemd en waarbij cultuur tot gastronomische en sartoriale gebruiken wordt gereduceerd: shoarma- en pizzawalmen, bestekloos eten, en schattige klederdracht. De karikatuur van interesse. De chimaera van tolerantie.

Multiculturaliteit is alleen interessant als ze tot een monocultuur leidt. Ik heb het gevoel dat multiculti (Ja ja, ik ben bij de tijd) voor te veel staat, niet voor de versmelting van verschillende denkwijzen (meer nog dan leefwijzen), maar voor de afbakening en ontwrichting van die verschillende ledematen die samen een gezonde anatomie zouden moeten vormen.

Ik heb mij altijd verbaasd over een bepaalde schamperheid die veel Nederlanders tentoonspreiden als het gaat om de eigen verrichtingen – een minachtend geproest en onverschillig schouderophalen, die gesublimeerd worden in de nationale hysterie rondom voetbal en gelogenstraft wanneer – in zeldzame situaties – niet het hoofd spreekt, maar het hart.

En daarbij – laten we dat vooral niet vergeten – is er een hang naar huiselijkheid: de verering van de normale mens (als zoiets al zou bestaan) en diens beslommeringen en besluimeringen. De triomf van het Elckerlyckgevoel. Doe normaal, dan... nee, ik zal deze zin niet afmaken. Ik heb ook mijn trots.

En een monumentaal werk als het WNT is natuurlijk niet huiselijk en wat heb je eraan om vergeelde woorden op te zoeken? En daarbij en vooral zou het geheel voorbijgaan aan de culturele invloeden die Nederland nu ondergaat en waar wij zo gek op zijn.

Dat vroeger elk nieuw deel voorpaginanieuws was? Ach, onbegrijpelijk. Nee, laten we ons vooral druk maken om de haring die tegenwoordig gesneden wordt gegeten en niet in zijn geheel, bij de staart vastgepakt, met de mond van de eter op dezelfde manier geopend als het arme visje snakte toen het gevangen werd.

En daar – daar is de kiezel in mijn schoen! Die kromme redeneringen. Dat enthousiasme van tóén is niet onbegrijpelijk, maar de onverschilligheid van vandáág! Want hier is het Nederlands voor geestelijke consumptie, niet gesneden, maar in zijn volle glorie. Reden te meer, lijkt mij, om te jubelen en juichen om behoud, niet om vernietiging.

En over polyculturaliteit gesproken: wist u dat het woord 'piekeren' via het Maleise *pikir* uit het Arabische *fikir* komt? En dat 'opkalefateren' ook zijn oorsprong vindt in het Arabisch? *Qalfata* betekent 'breeuwen' (van schepen).

'Bastaard' komt van 'pakzadel' (bast) en betekent dus: kind van het pakzadel (en dus niet van het echtelijk bed) omdat reizigers de gewoonte hadden in herbergen op hun pakzadel te slapen en niet altijd in eenzaamheid.

En wat staat er bij *smarotsen*: tafelschuimen – tafelschuimen! Wat een prachtig beeld voor een pannenlikker, een schranser. In analogie kun je maken: boekschuimer, hoerenschuimer, enzovoort. En over tafelschuimen gesproken: iemand merkte op dat je tevergeefs het woord 'zappen' in het WNT zult zoeken omdat het er niet in staat. Nee, natuurlijk niet!

Alsof je een woordenboek koopt om er de woorden in op te zoeken die je wél kent! En ter geruststelling: er komen nog drie extra delen: misschien dat dat vreselijke woord er dan wel in staat – wie weet, maar dat is een mooie gelegenheid om er een degelijk Nederlands woord voor te verzinnen. Waarom niet tv-schuimen? Of tv-struinen? Of mooier nog en literair verantwoord, want in navolging van een groot schrijver: tv-roulette spelen?

Hoezee voor de koppelmogelijkheden van de Nederlandse taal. En er moet ook dringend een woord komen voor privacy, niet omdat ik een purist ben, maar omdat het Nederlands van die verrukkelijke, humoristische samenstellingen kent: bijvoorbeeld gerstenat, smartwater (voor tranen).

Het is niet genoeg om in kroegen tegen toeristen te pochen over gezelligheid, een woord dat geen enkele andere taal zou kennen – niet omdat het een particuliere sensatie van de Nederlanders is, maar omdat zij zelf niet goed weten waar 'gezellig' voor staat. Zoals 'lekker' (dat Vondel in *Gijsbrecht van Aemstel* overigens nog in de betekenis van 'kieskeurig' gebruikt).

Alles kan wel gezellig zijn, en lekker, behalve het wnt dan misschien, want dat is ontzagwekkend en wij kijken niet graag op, maar naar beneden: waarom denkt u dat er van Nederland – een land dat vanaf de hoogste toren al op foto te vangen is – nog een miniatuur bestaat, in Madurodam, de nachtmerrie van mijn schooltijd? Het kan niet klein genoeg zijn. Holland op zijn smalst. Vandaar die voorliefde voor verkleinwoorden en afkortingen.

Andere juweeltjes: roezemoezen is een bijvorm – door klinkerverschuiving – van ruismuizen, een veel beeldender, of auditief beeldend woord: het ruisen en ritselen van muizen in onbestemde hoeken. Zie ook het door Karel van de Woestijne geïntroduceerde woord 'torve', van het Latijnse torvus. Het staat allemaal in het wnt.

Het wnt ondervangt een groot mankement van de steeds schralere Dikke Van Dale, namelijk de etymologische verklaringen, die een lust zijn om te lezen, al was het alleen maar om te ontdekken hoe ogenschijnlijk verschillende talen een incestueuze samenhang hebben. Daar – verbroedering van verschillende culturen en talen: niet de Chinees om de hoek, maar de wereld binnen handbereik.

Zo ziet u maar weer: de taal loopt vooruit op demografische bewustwording.

Als wij bereid zijn het origineel van *Het bureau* van Voskuil op te zoeken (ah! Dat is de kapstok! Kijk, en hier zat Anton die plankton is geworden. Wauw!), waarom dan niet rondwandelen in de geschiedenis van de Nederlandse taal? Waarom niet kijken waar de oorsprong van onze woorden ligt?

Een rondgang door de werkelijkheid van een fictie verdiept ons begrip van en waardering voor Voskuils werk niet, maar een tocht door het WNT maakt ons bewust van het ruismuizen van eeuwenlange geschiedenis in onze dagelijkse communicaties. Elk woord is een spookhuis van verandering en gedaanteverwisseling. Daar binnentreden is een bewustzijnverruimende ervaring waar niets – maar dan ook niets – tegenop kan.

Zonder koestering van de taal zijn wij verloren. En het WNT is een burcht van koesterend bewustzijn in een vlak landschap van onachtzame alledaagsheid.

Vrede en wrede huwen zich in klanken

Sprekend over het Woordenboek der Nederlandse Taal en over de betovering van taalbesef liet ik de term bewustzijnverruimend vallen. En over De Quincey dat hij de opiumroes, dat wil zeggen een intensivering van het verbeeldingsvermogen, niet zozeer probeerde te omschrijven als wel te vangen in stijl, in taalgebruik – syntactische rekoefeningen, citaten en de juxtapositie van ernstige archaïsmen en humoristische neologismen.

Het effect dat taal op de geest kan hebben is bedwelmend, stimulerend, ja zelfs narcotisch. Het is voor mij daarom altijd moeilijk om een liefde voor deze of gene schrijver te rationaliseren – die zielenvreugde, die doordringt tot moeilijk begaanbare regionen van het gemoed, lijkt het meest op de vervoering die wordt opgewekt door bepaalde roesmiddelen; maar er is een belangrijk esthetisch verschil dat ik niet eenvoudig kan verwoorden.

In zijn academische studie *Leugens & Vermaak* merkt René van Stipriaan – tot mijn grote vreugde – op: 'De waardering van vermaak vond zijn literaire grond in een veronderstelde heilzame werking die het woord op de menselijke geest kon uitoefenen.'

Woorden als recreatie, als verdrijving van melancholie. In weemoedige stemmingen kan ik stuiten op een enkel goedgekozen bijvoeglijk naamwoord en mijn voorhoofd klaart verrukt op. Zoals bij Pieter Boskma: 'De violette winter.' Niet de witte, grijze, zilveren, berijpte winter, maar de violette met alle connotaties van koublozende wangen, de paarse aders onder de witte huid, de lila schaduwen op sneeuw en het iriserende wolkenlicht van dien. Over heilzaam gesproken!

Bij zinnen of gehele passages wordt het al moeilijker de ontroering te verklaren. Nescio's misleidende eenvoud leidt tot een warme droefenis, een besef van broze sterfelijkheid, ondanks de soms bittere humor: 'Tweemaal schudde de God van Nederland zijn eerbiedwaardig hoofd en tweemaal schoven z'n eerbiedwaardige grauwe bakkebaarden heen en weer over z'n vest.'

Is het de herhaling, het parallellisme? Of misschien dat eerbiedwaardige, dat bij 'hoofd' misschien nog serieus te nemen is, maar lichtelijk bizar wordt bij 'bakkebaarden'? Maar als het tweede eerbiedwaardige bizar klinkt, dan is dat ook een waarschuwing het eerste niet al te ernstig op te vatten? Of is het dat 'schoven', alsof die grauwe bakkebaarden aan het vest waren blijven kleven, van ouderdom en eerbiedwaardigheid? Let op de assonantie in de volgende zin uit *Bartleby* van Herman Melville:

I do not speak it in vanity, but simply record the fact, that I was not unemployed in my profession by the late John Jacob Astor; a name which, I admit, I love to repeat, for it hath a rounded and orbicular sound to it, and rings like unto bullion. I will freely add, that I was not insensible to the late John Jacob Astor's good opinion.

Dit is taal proeven.

In Edgar Allan Poes 'The Bells' is de vervoering wel te verklaren: het gedicht met zijn onomatopoëtische klanken en herhalingen doet een hypnotiserend beroep op ons gehoor, totdat onze oren nazinderen van bells, bells, bells, bells. Maar Gezelle past in 'Gierzwaluwen' de onomatopee toe voor visuele doeleinden: de violette zomeravond van onze verbeelding wordt verscheurd door de scherpe vleugels en staarten van: 'Zie, zie, zie, / zie! zie! zie! / zie!! zie!! zie!! / zie!!!' – let ook op de uitroeptekens.

Bij Gossaert komen geluid en landschappelijke eenheid tot uitdrukking in synesthesie: 'Verre, oever tot oever, scheidde ons / 't Zilte zwin en het zwalpende tij; / Wie door den storm en den stroom geleidde ons?'

Jacques Prévert verklankt de regen (*the hissing snakes of rain*: Jim Morrison) overgetelijk:

Il pleuvait sans cesse sur Brest ce jour-là
Et tu marchais souriante
Épanoie ravie ruisselante
Sous la pluie

Stralend, vervoerd, overkabbelend...

Taal begeeft zich dan op het gebied van muziek, wier invloed op de geest nog steeds onverklaard is. Schrijvers als James Joyce en Anthony Burgess hebben die overeenkomsten van muziek en woord benadrukt en wilden ze vermengen. Het resultaat was virtuoos, maar niet muzikaal. Structurele overwinningen maar evocatieve mislukkingen. Hoeveel muziek en woord ook gemeen hebben, de verschillen zijn belangrijker en groter. Taal mist de simultaniteit en de contrapunctische ruimtelijkheid van muziek. 'Mielodorous' (Joyce) betekent zowel 'onwelriekend' (malodorous), 'melodieus' als 'geurend naar honing' (mielos): dit is een 'portmanteau' (een uitvinding van Lewis Carroll) en zou je kunnen beschouwen als een akkoord. Een poging tot contrapunt tref je aan in zijn 'the abnihilisation of the etym': vernietiging houdt tegelijkertijd (ab nihilo) de herschepping van een betekenis uit het niets in. Zulke experimenten bewijzen vooral dat muzikale principes niet de literaire zijn.

Een enkele keer is Burgess erin geslaagd iets van muziek in een zin te bereiken: 'She breathed on him (though a young lady should not eat, because of the known redolence of onions, onions) onions.' Die herhalingen op het einde – en dat zonder de syntaxis te vervormen! – zijn als drie herhaalde noten, een korte coda.

De taal heeft melodieuze, synesthetische en metaforische kwaliteiten die op verschillende manieren kunnen worden benut, zonder te grijpen naar andere kunstdisciplinaire middelen. Niet om virtuoos vertoon, maar om via 'het hanteren van metaforen, paradoxen, antithesen en tal van andere tropologische stijlfiguren tot diepere, voorbij de eenvoudige waarneming reikende, inzichten te komen' (René van Stipriaan). Dit sluit uiteraard de communicatieve aspecten van de taal niet uit, maar staat in dienst van de mededeling zelf. Lucebert zegt:

'ik tracht op poëtische wijze / dat wil zeggen / eenvouds verlichte waters / de ruimte van het volledig leven / tot uitdrukking te brengen'.

En hij dichtte: 'kinderen buiten verminken de stilte / o beminnelijk litteken'. Behalve 'buiten' en 'o' is elk woord een rimpel in verlichte waters, verbonden door assonantie, in een vermeend veilige rust, gelogenstraft door dat 'verminken' en 'litteken' – vrede en wrede huwen zich in klank en worden één in dat 'o'. En tegenover de herhaling van '-in' staat een enkel 'buiten'. Een wereld van pijn in een handvol woorden.

Naast zulke intieme gemoedsberoeringen zijn er de hartverscheurende zinnen als landschappen. Nabokovs boeken zijn de enige die mij tot tranen hebben bewogen, en bijzonderlijk *Lolita*. Humberts krokodillentranen onttrekken aan mij Niobetranen. 'Wat is jouw favoriete zin?' hoorde Alfred Apple jr. een student tegen de andere zeggen na het lezen van dat boek. Ik zou zeggen deze:

My very photogenic mother died in a freak accident (picnic, lightning) when I was three, and, save for a pocket of warmth in the darkest past, nothing of her subsists within the hollows and dells of memory, over which, if you can still stand my style (I'm writing under observation), the sun of my infancy had set: surely, you all know those redolent remnants of day sus-

pended, with the midges, about some hedge in bloom or suddenly entered and traversed by the rambler, at the bottom of a hill, in the summer dusk; a furry warmth, golden midges.

Een zin die ons alle hoeken van de verbeelding laat zien. We beginnen met de dood van een moeder en eindigen met wat gouden muggen. We beginnen met de driejarige Humbert Humbert en stappen parenthetisch even naar zijn heden. De metafoor van het geheugen als een landschap van dalen en dellen gaat een eigen leven leiden, evenals de zon van de kindertijd: het schemeren van de herinnering aan zijn moeder is een schouwspel op zich, een zonsondergang die met de laatste warmte een dag afsluit, een seizoen, een levensperk – en een alinea.

De 'pocket of warmth' wordt de 'furry warmth' van een zomerdag: het eerste suggereert de zon (vandaar 'the sun of my infancy') en opeens staat de zin in licht, samen met zijn 'darkest past', die al even oplichtte met de bliksem die zijn moeder velde. Let in verband hiermee op het woord 'freak', dat hier niet alleen 'bizar' betekent, maar ook (minder bekend) 'iets bevlekken, of met lijnen doortrekken'. Zo worden ook de resten van de dag doorbroken door een wandelaar. Humbert anticipeert hiermee op zijn reizen, die hij zigzaggend door Amerika zal maken.

Dat 'furry' is ook opmerkelijk: bont suggereert behalve warmte ook kou en winter, zodat dit bijvoeglijk naamwoord een impliciet oxymoron is.

Het weinige wat hij zich nog van zijn moeder herinnert probeert Humbert hier zo lang mogelijk te rekken en als hij die zak van warmte opent ontketent hij een kleine diaspora van de zintuigen. Deze zin is een wonder van metafoor en metamorfose, van mededeling en vorm.

Beauty and pity – dit was de epitome voor Nabokov van kunst en de kunst van vervoering. En het duurt even voordat mijn zinnen weer bijeen zijn, zich losrukken uit de bloeiende heg en beschaduwde valleien van de bijna-anakoloet en als ze zich weer op hun plaats scharen dan blozen ze, hijgend van de bonte warmte, grijnzend in een heerlijke roes, knipperend van verwondering en tranen – of het moet zijn dat een gouden mug opspringend van de pagina mijn ooghoek heeft geraakt.

Koester het detail

Met de begrippen schoonheid en mededogen kom je het dichtst bij een definitie van 'kunst'. Dat legde Vladimir Nabokov in zijn colleges zijn studenten uit. Nabokovs lezingen over Tsjechov zijn nu in het Nederlands vertaald.

Van 1948 tot 1958 gaf Vladimir Nabokov (1899-1977) colleges Russische en Engelse literatuur aan de Amerikaanse Cornell University. Na het succes – en schandaal – van *Lolita* kon hij van de royalty's en van zijn pen leven. Hij verhuisde naar Montreux in Zwitserland. De teksten van zijn colleges had hij voor een groot deel al in 1940 geschreven, lang voordat hij aan zijn academische carrière begon. Tien jaar later vatte hij het plan op om die honderd lezingen, tweeduizend pagina's, te polijsten en te publiceren. Maar toen hij in april 1972 zijn aantekeningen herlas, vond hij ze chaotisch en slordig en noteerde dat ze nooit gepubliceerd mochten worden. De lezingen zijn echter postuum uitgegeven, in drie delen: 'Lectures on Literature', 'Lectures on Russian Literature' (beide 1981) en 'Lectures on Don Quixote' (1983). Gelukkig voor ons hadden de erven Nabokov, zijn vrouw Véra en zoon Dmitri, die aantekening over het hoofd gezien. De lectures zijn een genot om te lezen. En het is een reden tot feestvreugde dat het eigenzinnige vertalersduo Robert-Jan Henkes en Erik Bindervoet, dat ons al eerder verblijdde met een omzetting van *Finnegans Wake*, nu een begin heeft gemaakt met een Nederlandse vertaling. De nabokoviaanse regenboog, compleet met kruiken goud aan beide uiteinden, verdient het om zich immer boven het literair landschap te blijven uitstrekken. Hij is een extatische en genereuze schrijver, met een weergaloos gevoel voor humor.

Toch is het te begrijpen dat Nabokov afzag van publicatie. De stijl van zijn lezingen is rudimentair. Voor de man die schreef: 'Stijl is alles wat ik heb', moet het een gruwel zijn te weten dat de lezer zijn verhandelingen in de huidige vorm onder ogen krijgt. En om het nog erger te maken bevatten de lectures zoals ze in het Engels zijn bezorgd door Fredson Bowers volgens Nabokovs biograaf Brian Boyd veel omissies, foute lezingen, overbodige 'verbeteringen' en zelfs *sheer editorial inventions*. Een amusant voorbeeld van een foute lezing is te vinden in 'Lectures on Don Quixote'. Op pagina 13 staat een zin die Nabokovs esthetiek verwoordt: *the nameless thrill of art is certainly closer to the manly shudder of awe, or the moist smile of feminine comparison*... Vrouwelijke vergelijking? Wat zou hij hiermee bedoelen? De facsimile van Nabokovs handschrift op de volgende pagina biedt uitkomst: daar staat duidelijk *feminine compassion*.

Het wachten is natuurlijk op een editie van Boyd zelf, maar die is druk bezig met een boek over Shakespeare, een biografie van de filosoof Karl Popper en het verzamelen van een schier oneindig notenapparaat voor *Ada*, dat barokke hoogtepunt van Nabokovs oeuvre. Wel, komaan, Boyd, opschieten.

De Kunst van het Lezen – die titel kozen Robert-Jan Henkes en Erik Bindervoet voor hun vertaling van de eerste lezingen uit de reeks colleges die Nabokov gaf over de Russische literatuur. In dit deel behandelt hij twee verhalen en een toneelstuk van Tsjechov. Delen over Gogol, Dostojevski, Toergenjev en Tolstoi volgen nog, evenals lezingen over filistinisme en de kunst van het vertalen.

Lezen is behalve een recreatieve ook een creatieve bezigheid. Volgens Nabokov moet de lezer aan vier voorwaarden voldoen: hij (of zij natuurlijk) moet verbeelding hebben, een geheugen, een woordenboek en enig kunstzinnig gevoel.

Dat de lezer en schrijver over een geheugen moeten beschikken, ligt voor de hand, maar Nabokov doelde vooral op een geheugen voor details. 'Koester het detail,' hield hij zijn gehoor voor. Details waren álles in zijn literaire universum. Een bekend onderdeel in zijn examens was de opgave aan zijn studenten het behang in Anna Karenina's slaapkamer te beschrijven – een detail dat achteloos wordt genoemd in het gelijknamige boek, tijdens een koortsdelirium van de tragische heldin.

Verbeelding stelt de lezer en schrijver onder andere in staat empathie te voelen voor persoonlijkheden die van hem verschillen, zich te verplaatsen naar ongeziene oorden en de schering en inslag van tijd en ruimte te overbruggen. Bij Tsjechov draait het allemaal om ontroering, een ontroering die de schrijver met de meest eenvoudige middelen weet op te roepen. Zo wijst Nabokov op het tafereel uit het verhaal 'De dame met het hondje' nadat de hoofdpersoon Goerov voor het eerst met de dame de liefde heeft bedreven: 'Vervolgens worden in haar hotelkamer haar onhandigheid en tedere hoekigheid fijnzinnig kenbaar gemaakt. Ze zijn minnaars geworden. Met haar lange haar aan beide kanten van haar gezicht neerhangend zit ze nu in de terneergeslagen pose van een zondares op een oud schilderij. Er ligt een watermeloen op tafel. Goerov snijdt er een schijf af en begint op zijn gemak te eten. Dit realistische accent is opnieuw een typische Tsjechov-kunstgreep.' Nabokov zou ook genoten hebben van het detail in de honderddrieënveertigste nacht (van de duizend-en-een), waarin een hasjeter in een badhuis in zijn visioenen door pages en bedienden naar een alkoof wordt gebracht gevuld met wierook, vruchten en ruikers en waar een 'meloen voor hem wordt aangesneden'.

De nadruk op de ontroering is opvallend bij Nabokov, die werd en wordt aangevallen op een gebrek aan menselijke tederheid in zijn werk, op zijn minachting voor zijn personages en zijn sadistisch genoegen in het tergen van de lezer. Lezers die juist een hartverscheurende barmhartigheid en medelijden met de onderdrukte in zijn werk menen te bespeuren, stuiten niet zelden op onbegrip. Zo stuitte John Updikes stelling dat Nabokovs werk juist doortrokken was van menselijke warmte op ongeloof bij Joost Zwagerman, die in *Pornotheek Arcadië* uitriep: 'Mijn kop eraf als iemand hierin Nabokov herkent.' Sindsdien sta ik klaar met een zilveren schaal, Joost. Want Nabokov, de geniale vernieuwer, de decadente stilist, is uiteindelijk een conventionele moralist.

Nabokov schreef vaak vanuit het gezichtspunt van het monster, de begaafde, potente, kleurrijke, anarchistische dorpeling; de zuivere hartenklop werd daar bijna geheel door overschaduwd. Bijna, zeg ik, want door die duisternis kon het detail feller schijnen. Hij hield van details die 'omringd werden door een halo van irrelevantie', maar binnen de bonte, infernale schaduwen die zijn werk rijk is, blijken die details totaal niet overbodig. Denk aan Lolita's 'snikken in de nacht – elke nacht, elke nacht – op het moment dat ik slaap veinsde', zoals Humbert Humbert schrijft.

Nieuwsgierigheid was voor Nabokov non-conformisme in zijn zuiverste vorm. Bij de lezer wordt nieuwsgierigheid kennis wanneer hij het woordenboek heeft geraadpleegd. 'Als men zegt dat ik een slechte dichter ben, dan glimlach ik. Als men zegt dat ik een slechte wetenschapper ben, dan reik ik naar mijn dikste woordenboek.' Nabokov stond op accuratesse van woordgebruik en beschrijving. Hij was een lepidopterist (bestudeerde de genitaliën van vlinders!), wiens werk de laatste tijd in een aantal publicaties op waarde wordt geschat. Hij had het er vaak over dat de lezer en de schrijver de precisie van de dichter moesten bezitten, en de hartstocht van de wetenschapper. Voor *Transparent Things* (1972) schreef hij vergeefs spoorwegbedrijven aan om het woord te achterhalen voor het materiaal waarvan de rolschermen in treinen worden gemaakt. Zijn grondige afkeer van de 'Weense kwakzalver' Sigmund Freud was gebaseerd op zijn afschuw jegens generalisaties.

Ten slotte is er het kunstzinnige gevoel. Dat is niet de som der voorgaande voorwaarden, maar een talent dat de schrijver al dan niet heeft en ontwikkelt en dat de lezer kan ontwikkelen aan de hand van lezen. Dit lijkt op een cirkelredenering, maar dat is het niet, het is accumulatief, of zo men wil, een spiraal, symbool van groei en oneindigheid. Het is de tragiek en de glorie van de mens dat hij, sterfelijk als hij is, tot een onsterfelijke sensitiviteit in staat is: 'De gruwel een oneindigheid aan sensaties en gedachten te ontwikkelen binnen een eindig bestaan.' Nabokov verwijst niet naar de onsterfelijkheid van het hiernamaals, of naar wedergeboorte of reïncarnatie, 'het is niet dat we een al te wilde droom dromen: / het probleem is dat we het niet onwaarschijnlijk genoeg / laten lijken.' Zonder bewustzijn is er ook geen wedergeboorte: 'Ik ben bereid een bloempje te worden / of een dikke vlieg, maar nooit te vergeten.' *Pale Fire* (1962) is zijn meest metafysische boek, een eschatologisch onderzoek. Nabokov gaf in verschillende verhalen blijk van een grondige kennis van het spiritisme, dat hij ook bespotte in bijvoorbeeld de novelle *The Eye* (1964). Die kennis lijkt verband te houden met de dood van zijn vader, die stierf toen hij een politicus afschermde voor wie de fatale kogel bestemd was. Hij was ervan overtuigd dat zijn vaders geest bij hem was. Gefascineerd als hij was door het menselijk bewustzijn, kon hij niet geloven dat het bewustzijn kon sterven. Pnin, in het gelijknamig boek, gelooft in een 'democratie van geesten' en hij gelooft ook zeker voor zijn schepper. Vooral Nabokovs onderzoek naar de mimicry van vlinders had hem ervan overtuigd dat er een orde, een systeem, een ontwerp achter de wereld schuilging. Met het vlindernet in de hand, een zeldzame soort in zijn handpalm, voelde hij vaak de neiging dank te uiten *to whom it may concern*. Tot wat voor hoogten zijn artistieke bewustzijn ook kon stijgen, dat proces verliep uiteindelijk via conventionele treden.

Als schrijver beschouwde hij zich als een ondeelbare monist, al het werk vloeit voort uit een entiteit, namelijk de schrijver zelf. Het is, denk ik, dit inzicht dat hem tevens een eenheid in de orde der dingen deed vermoeden, maar intuïtief voelde hij aan dat die eenheid bestaat in een overlapping. Daarom plaatste hij de zetel van het esthetisch genot, het orgaan waarmee de lezer leest, ergens tussen de schouderbladen, boven het hart en onder het brein.

'*Beauty and pity, that is the closest we can get to a definition of art,*' sprak hij tot zijn studenten. Nabokov is vaak beschouwd als een cerebrale en mathematische schrijver, maar met zijn nadruk op medeleven gaf hij zijn esthetiek een hart.

Toch vindt medeleven zijn oorsprong in het brein. En het proces dat lezen heet kan eveneens tot empathie leiden. Worden we niet tot tranen toe geroerd bij het lezen van sommige passages uit de literatuur? Mij overkomt dat bijvoorbeeld bij het einde van *Lolita*. De voorbeelden die Nabokov geeft in een college over Tsjechov zijn ook toepasselijk. Hij ontleedt een bepaalde passage van de Russische schrijver in technische zin, maar hij kan uiteraard de emotionele uitwerking ervan niet verklaren. Lezen is, zo bezien, niets anders dan een concentratie van het levensproces van dat oneindig geschakeerde, complexe en gevarieerde organisme dat mens heet.

Dat het woord een heilzaam effect heeft op de mens moge duidelijk zijn, veel therapeuten zullen daar bewijs voor kunnen aandragen. Maar hoe dat woord precies op de verschillende hersengebieden inspeelt, kan tot nog toe slechts bij benadering worden verklaard. In dat onverklaarde oord bewegen zich de schrijver én de lezer. Lezen is een levensnoodzaak. Nabokov is daarbij een gids zonder weerga.

De vertaling komt op het juiste moment. In een tijd waarin leukigheid als een despoot regeert, is het goed om de woorden van Harold Bloom weer in herinnering te brengen, namelijk dat literatuur 'moeilijk plezier' verschaft. Kunst, volgens Nabokov, was altijd moeilijk. Net als het leven zelf.

Zij was een kind

Het eponiem Lolita wordt in de volksmond al te vaak gebezigd voor elk puberaal bottend meisje dat seksueel aantrekkelijk is. Verwoede lezers van het boek weten echter dat de zaken ondanks de magie van Humbert Humbert en dankzij de kunst van zijn schepper Vladimir Nabokov ingewikkelder liggen.

Wanneer Humbert Lolita voor het eerst, halfnaakt, 'op een mat in een poel van zon' ziet, denkt hij ('en toen, zonder enige waarschuwing, zwol een blauwe zeegolf onder mijn hart') een incarnatie van zijn jonge lief aan de Rivièra te hebben gevonden. Dat jonge en jong gestorven lief heette Annabel Leigh en beiden waren toen nog dertien lentes jong. Haar naam is een toespeling op 'Annabel Lee' van E.A. Poe: '*She* was a child and *I* was a child'. Deze herontdekking en herkenning van een verloren meisje heeft alles van een sprookje: 'En alsof ik het kindermeisje uit een sprookje was van een kleine prinses (verloren, ontvoerd, gevonden in zigeunervodden waardoorheen haar naaktheid naar de koning en zijn honden glimlachte), herkende ik de minuscule donkerbruine moedervlek op haar zijde.'

Wat Humbert ons probeert te doen geloven, is dat zijn obsessie voor de twaalfjarige Lolita een freudiaans terugverlangen is naar de jonge Annabel, dat zíj het was die hem met het gif voedde van *nympholepsy* of *pederosis*, een door Nabokov zelf samengesteld woord dat letterlijk 'ziekelijke meisjesliefde' betekent (of 'nimfijnen *orewoete*', om Hadewijchs woord voor brandend verlangen, driftige liefde te gebruiken) maar wie Nabokovs afkeer van 'de Weense kwakzalver' kent, zal direct weten dat hij hier de lezer voor de gek houdt. Met psychiaters en therapeuten wordt de spot gedreven; zoals hij zegt: er is slechts een spatie verschil tussen *therapist* en *the rapist*. Sterker nog: wanneer Humbert met Lolita een strand bezoekt, een *sentimental journey* naar het verleden, voelt hij voor de eerste en de enige keer geen begeerte voor haar: zij windt hem evenveel op als een geit, zoals hij het nogal grof uitdrukt.

En daarbij spreekt Humbert zichzelf tegen. Wanneer hij het woord *nymphet*, nimfijn, introduceert, schrijft hij het volgende: 'Tussen de leeftijdsgrenzen van negen en veertien, komen er meisjes voor die, voor bepaalde behekste reizigers, twee keer of vele malen ouder zijn dan zij, hun ware aard onthullen die niet menselijk is, maar nimfisch (dat wil zeggen, demonisch); en ik stel voor deze uitverkoren wezens aan te wijzen als "nimfijnen". Eigenlijk zou ik willen dat de lezer "negen" en "veertien" zou zien als de grenzen – de spiegelende stranden en rozige rotsen – van een betoverd eiland, waar deze nimfijnen van mij zich ophouden en dat omringd is door een wijde, mistige zee.' Een eiland, want onbespied door maatschappelijke normen.

Om deze bijzondere wezens te herkennen heeft de reiziger een speciale gave nodig: 'Je moet een kunstenaar zijn en een waanzinnige, een schepsel van een oneindige melancholie, met een bubbel van heet gif in je lendenen en een superwellustige vlam die permanent in je gevoelige ruggengraat gloeit om onmiddellijk, via onbeschrijflijke tekens [...] de dodelijke demon tussen de gezonde kinderen te ontwaren.'

Weg is de incarnatie van Annabel in *Lolita*. Hier is een pedofiel aan het woord die ons uiteenzet hoe aan de hand van details nimfijnen te onderscheiden zijn, niet hoe hij zijn Rivièra-liefde in die meisjes steeds terugvindt. De obsessieve blik waarmee Humbert elke millimeter van Lolita's huid, elke beweging, geur, gestippelde oksels beschrijft, kan de lezer ervan overtuigen dat we hier met een waarlijk demonisch meisje te maken hebben, dat uit een betoverde wereld afkomstig lijkt. Bezie de bekende zitbankscène, waarin Lolita met haar benen op Humberts schoot hem tot het langste orgasme drijft dat 'mens of monster ooit heeft gekend'. Hij zegt: 'Lolita was veilig gesolipsiseerd.' Dit neologisme impliceert dat Lolita buiten de wil van Humbert geen eigen bewustzijn meer heeft.

Maar de aandachtige lezer zal zien wat een *tour de force* Nabokov uithaalt. Ondanks alle hartenklop stoppende lyriek en magisch evocatieve beelden, blijft er geen twijfel over bestaan dat we hier te maken hebben met een kind, een normaal meisje van twaalf, met 'bleek-grijze lege ogen, vijf asymmetrische sproeten op haar mopsneus', 'met kastanjebruin haar' en 'lippen zo rood als afgelikt rood snoep, de onderste mooi mollig'; een meisje 'met een tedere dromerige kinderlijkheid en een soort van griezelige vulgariteit'. Een pubermeisje met haar nukken en grillen en voorliefde voor tienerblaadjes.

Een ontroerend detail komt voor wanneer hij haar in een hotel, na haar een slaappil te hebben gegeven, in haar slaap probeert te bezitten. Dingen lopen echter anders en wanneer zij wakker wordt en hem om water vraagt, veegt zij, na gedronken te hebben, 'met een kinderlijk gebaar dat meer charme in zich droeg dan welke vleselijke streling dan ook', haar lippen tegen zijn schouder en valt weer in slaap 'met het neutraal klagelijk gemompel van een kind dat zijn natuurlijke rust vraagt'.

Maar het pièce de résistance is het moment waarop zij en Humbert ruzie krijgen: 'Vanaf dat moment hield ik mijn stem niet meer in en we schreeuwden verder tegen elkaar en ze zei ondrukbare dingen. Ze zei dat ze me haatte. Ze zette monsterlijke gezichten naar mij op, blies haar wangen op en maakte duivelse, ploppende geluiden... En al die tijd staarde ze me aan met die onvergetelijke ogen, waarin koele woede en hete tranen worstelden.'

Ziehier de onmacht van een weeskind, dat zich elke nacht in slaap weent, en haar woede in grimassen uit.

Lolita sterft op haar zeventiende tijdens de bevalling, voor eeuwig bezongen zoals een vrouw nooit bezongen is, laat staan een meisje. Want *zij* was een kind, en ironisch genoeg is het dankzij de monsterlijke begoochelingen van Humbert dat zij voor ons het kind zal blijven dat hij niet in haar wilde en kon zien.

Meer dan fragmenten

Nadat Dmitri Nabokov bekend had gemaakt het manuscript van de on-voltooide laatste roman van zijn vader te gaan publiceren, vroeg de redac-tie van een Australisch radioprogramma hem of hij iets over de inhoud kon zeggen; hij antwoordde schriftelijk: 'Ik weet meer dan wat ik met woorden kan uitdrukken en het weinige dat ik uitdruk had niet uitge-drukt kunnen worden, als ik niet meer had geweten.'

Een opmerkelijke reactie, omdat het hier gaat om een letterlijk citaat van Vladimir Nabokov: dit is wat hij in een interview uit 1964 als ant-woord gaf op de vraag of hij in God geloofde. Metafysica is nooit ver weg bij het extraliterair beschouwen van *The Original of Laura*, de roman in fragmenten, met de opvallende ondertitel (*Dying is Fun*). Niet alleen gaf Dmitri aan dat zijn vaders stem had meegeholpen in zijn besluit ('Waar-om niet? En je verdient er nog wat aan.'), maar na *Lolita* (1955) had Na-bokovs werk al een meer metafysische en eschatologische inslag gekre-gen.

Zelf schreef de jonge Nabokov aan zijn moeder dat hij ervan overtuigd was dat zijn vermoorde vader immer en overal bij hem was; hij legde ook een grote interesse aan de dag voor spirituele seances en zoals blijkt uit de novelle *The Eye* en het korte verhaal 'The Vane Sisters' was zijn kennis diepgaand, hoewel het onderwerp spottend behandeld werd. Hij was geen conventionele gelovige, ondanks de engelen en Bijbelfiguren die zijn vroege poëzie en verhalen bevolken. In *Pnin* (1957) schreef hij dat hij ge-loofde 'in een democratie van geesten'. En wat gewoonlijk een ziel wordt genoemd, vormde voor hem het menselijk bewustzijn: hij kon niet gelo-ven dat dit bewustzijn kon uitsterven, het moest wel voort blijven leven.

Pale Fire behandelt de mogelijkheid van een hiernamaals en de geest van een meisje dat zelfmoord pleegt, omdat ze op een blind date wordt af-gewezen (ze is lelijk), waart door het gedicht, dat een gedeelte van het boek beslaat, en het krankzinnige commentaar, het andere deel. In *Trans-parent Things* (1972) blijkt de verteller een gestorven schrijver te zijn, R., die zich bevindt tussen een schare van geesten. De melancholie en Clair-obscur van deze onderschatte roman vormden een verandering in Nabokovs stijl. Deze werd wat peziger en hoewel de bekende sensualiteit nog aanwezig was, was zij wat uitgebeend. Schrijvers als Martin Amis zouden zeggen dat de betovering weg was: de blauwe golf die op elke pagina van zijn vorige boeken onder het hart opwelde en in een iriserende uitspatting in de geest brak, welde nog maar sporadisch op.

Maar wat als de schrijver van *Lolita* en *Ada* (1969) steeds maar dezelfde magiër was gebleven? Was dan niet een vermoeidheid opgetreden? Liep de magie dan niet gevaar op tot goochelarij te verworden?

Nabokov betrad andere gebieden, andere, schemerende oorden; hij veranderde en verouderde als kunstenaar en waar het cliché wil dat ouderdom mildheid met zich meebracht, is dit niet het geval bij Nabokov. *The Original of Laura* is het meest wanhopige en onverbiddelijke wat ik van hem gelezen heb. Maar wat verwacht je van een boek waarin ontrouw, de dood, de walging over het eigen lichaam, onbezitbare schoonheid en onbeantwoorde liefde de onderwerpen zijn die je eruit kunt sprokkelen?

De verandering was al te merken bij de merkwaardige roman *Look at the Harlequins* (1974), zijn nu voorlaatste boek. Brian Boyd, de biograaf van Nabokov, noemde de stijl ervan teleurstellend onelegant en zelfs pietluttig. De dandy had zijn zwiersjaaltjes afgelegd en de paradijsvogel zijn veren. Maar dit boek was geschreven uit frustratie en woede om de biografie van Andrew Field, waaraan Nabokov zijn medewerking had verleend, totdat hij met de biograaf ruzie kreeg. Daarnaast lijkt het boek, een drogbiografie van een mindere Vladimir (de hoofdpersoon heet Vadimir), in haast geschreven. Er was duidelijk iets geknakt bij de meester.

En dan nu *TOOL* (voor intimi). De vraag of het manuscript al dan niet uitgegeven had moeten worden, lijkt me nu niet van belang. Wie zich teleurgesteld toont, moet ook wel dankbaar zijn voor publicatie, anders was er geen ruimte voor teleurstelling geweest (en leedvermaak om een stervend genie). Zo iemand is Martin Amis, maar te stellen, zoals hij doet, dat het boek geen roman in fragmenten is, maar 'een lang kort verhaal dat ernaar streeft een novelle te zijn' is verre van kritisch eerlijk. Het is onmogelijk te zeggen hoeveel we van het boek hebben, hoe lang Nabokov er nog aan gewerkt zou hebben. Het verhaal wat er nu uit te distilleren valt is dat van Flora, een ravissante en koele, overspelige vrouw die getrouwd is met de corpulente, briljante neuroloog Dr. Philip Wild, die een manier probeert te bewerkstelligen om zich beetje bij beetje weg te vagen, door verbeeldingskracht te komen tot zelfontbinding.

De walging over zijn lijf komt tot uiting in een zin als deze:

I loathe my belly, that trunkful of bowels, which I have to carry around, and everything connected with it – the wrong food, heartburn, constipation's load, or else indigestion with a first instalment of hot filth pouring out of me in a public toilet three minutes before a punctual engagement.

Wie bekend is met *Pale Fire* zal hier denken aan arme Gradus die met 'een vloeibare hel in zijn buik' zijn moordplannen bijna doorgespoeld ziet in verschillende toiletten. Het geklaag over onbetrouwbare ingewanden en de ongemakken van ouderdom komt ook voor in *Ada*, op het einde, dat een uitspraak van Nabokov zelf uit een interview over zijn ouderdom weergalmt. En de kleine voeten van Dr. Philip Wild doen denken aan die van Pnin. En Flora zal ongetwijfeld herinneringen oproepen aan Lolita en Ada. Dit wil niet zeggen dat Nabokov dit zelf doet, het is wat de verbeelding van de lezer rest in de vele ruimtes tussen de fragmenten. En hoe zit het met Hubert H. Hubert die ook zijn opwachting maakt? *Natura abhorret vacuum*. En de lezer ook.

En dan Laura uit de titel, dat is Flora zoals ze voorkomt in de roman à clef ('waarvan de clef verloren is'), *My Laura* (*My Pnin* was een afgewezen titel van dit boek) of gewoon *Laura*. Gaat het hier om één boek of twee? En is Dr. Philip Wild de schrijver? In sommige passages lijkt dit het geval, hij is de ik-verteller, maar dan zouden er dus twee boeken moeten zijn, want zelf komt hij in een/de roman voor als Dr. Philidor Sauvage. We zullen het nooit weten en de lezer kan erom knarsetanden of – zoals ik – er iets bijzonder aantrekkelijks aan vinden. Dit was natuurlijk onvoorzien, maar wat de neuroloog tracht te bereiken, namelijk zelfdesintegratie, bereikt het boek wel en dat is een wrang gevoel voor humor van de dood die niet wilde talmen.

Opmerkelijk aan Flora is dat zij, ondanks haar koele sensualiteit en onverschilligheid jegens haar man, toch zo gulzig vreemdgaat. Ze heeft de ivoren huid en broze schouders van Ada, maar de kilte en seksuele distantie van Armande uit *Transparent Things* (Flora en haar man vrijen in hetzelfde standje als Armande en haar man Hugh Person). De wanhoop die zij veroorzaakt, niet alleen bij haar man, maar zelfs bij de jongen met wie ze voor het eerst seksueel verkeert, is bijzonder pijnlijk. Het hartenzeer van de liefde is het maagzuur van Wild. En zoals in *King Queen Knave*, en het korte verhaal 'Solus Rex', ook hier een fraaie beschrijving van het mannelijk geslacht:

She observed with quiet interest the difficulty Jules had of drawing a junior-size sheath over an organ that looked abnormally stout and at full erec-

tion had a head turned somewhat askew as if wary of receiving a backhand slap at the decisive moment.

Vadimir Vadmirovich in *Look at the Harlequins* beseft dat hij een soort schaduwleven leidt van een andere, betere schrijver; Flora en Wild zijn materiaal voor een sleutelroman: hier is denk ik een lijn die deze roman verder zou hebben uitgewerkt. En wat betreft de stijl: de vlezigheid is weg, de eerste pagina's zijn zo trefzeker en het ritme zo onverbiddelijk dat de lezer niet anders kan dan toegeven dat Nabokovs stijl zich verder aan het ontwikkelen was. Hier lezen we geen woorden waar de dood overheen blaast, maar een meester die een nog grotere greep kreeg op zijn instrument (ondanks de aandoenlijke schrijffouten her en der). Weg zijn de regenbogen, maar de zon blaakt als immer.

En wat een unicum is bij een auteur die zo aristocratisch en hooghartig kon overkomen: ik heb Nabokov nog nooit zo intiem meegemaakt.

Meester van de spiegelhal

This little book of mine, zo noemde Vladimir Nabokov zijn roman *Pale Fire* (1962), *Bleek vuur*, in het Nederlands, naar een regel van Shakespeare uit *Timon of Athens*.

Nabokov had nooit last van bescheidenheid, dus zijn uitspraak kwam niet voort uit ootmoed – de omschrijving is technisch bedoeld: het is geen dik boek. Toch is het het meest complexe werk dat hij geschreven heeft en het heeft veel literaire controverse opgeroepen – anders dan *Lolita* (1955) dat in de eerste plaats een morele tweespalt creëerde.

Bleek vuur bestaat uit een motto, een voorwoord, een gedicht, commentaar op dat gedicht en een index. Voorwoord, commentaar en index zijn geschreven door professor Charles Kinbote, een vluchteling; het gedicht is van de hand van de grijze dichter John Shade, het bestaat uit vier gezangen en telt precies negenhonderdnegenennegentig regels. In het gedicht, dat hij voltooit op dezelfde dag dat hij vermoord zal worden door een ontsnapte gek die hem aanziet voor de rechter die hem tot het gekkenhuis heeft veroordeeld, bezingt Shade zijn urbane leven met zijn vrouw, bepeinst hij het mysterie van een leven na de dood (*The Grand Potatoe*, zoals hij het noemt, een verbastering van *le grand peut-être* van Rabelais, het hiernamaals als het grote misschien) en staat stil – de spil van het hele gedicht – bij de zelfmoord van zijn lelijke dochter Hazel Shade, die zichzelf in een ijzig meer verdrinkt, na te zijn afgewezen door een date. Dit gedeelte van het boek is geschreven in een tour de force van literaire synchroniciteit: het zappen (Russische roulette spelen met de tv, zoals Nabokov het omschrijft) van de Shade en zijn vrouw Sybil om hun bezorgdheid weg te nemen, loopt gelijk op met de stappen van Hazel naar een zelfmoord.

> Het was een nacht van dooi, een nacht van waaien,
> Met grote opwinding in de lucht. Een zwarte lente
> Stond net om de hoek te huiveren
> In het natte sterrenlicht en op de natte grond.

Het meer lag in de mist, zijn ijs half verdronken.
Een vertroebelde gedaante stapte van de rietrijke oever
In een krakend, verzwelgend moeras en zonk.

Het is de zelfmoord van Hazel die aan de basis ligt van des dichters eschatologische overpeinzingen. Hij is ervan overtuigd dat de geest van zijn dochter (die zelf ook al geobsedeerd was door klopgeesten en ouija-nonsens) nog ergens aanwezig is, rondom hem, bij hen thuis, en dit thema van het overleven na de dood wordt al in de eerste, klassiek geworden regels van het gedicht verbeeld:

Ik was de schaduw van de zijdestaart geveld
Door het valse azuur in de vensterruit;
Ik was een vlek van asgrijze dons – en ik
Leefde voort, vloog door, in de weerspiegelde lucht.

De zijdestaart ziet de reflectie van de hemel in het raam als een voortzetting van diezelfde hemel – en dat wordt hem en zijn vlucht fataal. Merk ook op dat Shade tevens 'schaduw' betekent. Behalve een treurdicht op zijn dochter Hazel en een filosofische bespiegeling, is het gedicht tevens een lofzang op zijn vrouw Sybil en op hun huwelijksgeluk.

We zijn veertig jaar getrouwd. Tenminste
Vierduizend keren is jouw kussen geplooid
Door onze twee hoofden.
(...)
Ik houd van je als je op het gazon staat
Om naar iets te turen in een boom: 'Het is weg.
Het was zo klein. Misschien komt het terug' (dit alles
Gesproken met een fluistering zachter dan een kus).

Wat is het dat Sybil in de boom hoort? Een teken van naleven van hun geliefde en afgedankte dochter? Of is het misschien voyeuristische Kinbote die zijn geliefde buurman en geliefde dichter bespiedt, terwijl hij aan het werk is aan zijn gedicht, waarvoor hij denkt de inspiratie en bouwstenen te hebben verzorgd. Want Charles Kinbote, daar komen we al snel achter, is niemand meer dan Charles Xavier Vseslav, Charles II, beter bekend als Charles de Geliefde, laatste koning van Zembla. Hij leefde in de veronderstelling dat Shades gedicht zou handelen over zijn vlucht van Zembla naar Amerika, over zijn glorieuze verleden in het land dat ook Uranograd werd genoemd, omdat homoseksualiteit er de norm was. Het moet gezegd worden: homoseksualiteit en waanzin gaan wel vaker samen bij Nabokov, die een homoseksuele broer had, Segey, die omkwam in de concentratiekampen. Hij zag uranisme als een afwijking, om niet te zeggen een ziekte.

Tot zijn grote horreur blijkt Shade niets te hebben gebruikt van alle betoverende verhalen die Kinbote hem vertelde, met kokette knipogen naar zijn eigen werkelijke identiteit ("'Ah," zei Shade, "ik denk dat ik je geheim al lang geleden geraden heb.'") en naar zijn geliefde en verloren land, *inenubilable* Zembla, land van reflecties. In Zembla wordt een taal gesproken, verzonnen door Nabokov, die 'de taal van de spiegel' wordt genoemd.

Spiegels spelen bij Nabokov altijd een belangrijke rol, maar geen boek van hem iriseert en schittert zo als *Bleek vuur*. Zie bovenstaande beginregels van het gedicht, zie de zelfmoord van Hazel in een ontdooiend vriesmeer en zo zijn er veel meer verwijzingen naar spiegels: in Zembla vindt in een glasfabriek een explosie plaats, Zembla kent een geniale spiegelmaker met de naam Sudarg, die bedreven is in het vervaardigen van *tintarrons*, 'een kostbaar glas van een diep blauwe tint, gemaakt in Bokay, een middeleeuwse plaats in de bergen van Zembla'. Dat Sudarg van Bokay de weerspiegeling is van de naam Jacob Gradus, de moordenaar die door de rebelse organisatie De Schaduwen – die de koning Charles van zijn troon stoot – naar Amerika wordt gestuurd om de gevluchte koning te vermoorden, is slechts een glinstering van een boek als een spiegelpaleis. Kinbote komen we ook in spiegelbeeld tegen als V. Botkin, een Amerikaanse academicus van Russische origine: maar wie is een spiegelbeeld van wie?

Tijdens zijn vlucht uit Zembla is Charles geheel in het rood gekleed en hij schrikt van zijn weerspiegeling in een plas voor een cascade, een duidelijke toespeling op *Through the Looking-Glass* van Lewis Carroll, waarin de rode koning figureert als de dromer van de wereld waarin Alice terechtkomt (hoewel de ultieme dromer natuurlijk Carroll zelf is, maar dit terzijde). Zijn angst om ingehaald te worden door zijn belagers wordt in een even adembenemend als komische passage beschreven: 'maar hij voelde die dikke vingers van het noodlot maar slechts sporadisch tijdens zijn vlucht; hij voelde ze hem betasten (als die van een grimmige oude herder die zijn dochters maagdelijkheid controleert)…'

Aanvankelijk is de discrepantie tussen het commentaar, dat grotendeels het leven van koning Charles behandelt naar aanleiding van een enkel woord in het gedicht, en het gedicht zelf bijzonder humoristisch. Bij herlezing komen er steeds meer overeenkomsten bovendrijven. Als Kinbote niemand minder is dan Botkin, dan vallen zijn confibulaties over zijn afkomst te begrijpen uit de ellendige eenzaamheid van de balling die een verleden en land achter zich heeft moeten laten. Een land dat tot een wonder wordt in het geheugen van de ontwortelde of misplaatste – in alles het tegendeel van het huidige toevluchtsoord, vandaar dat Zembla een land van homoseksualiteit is tegenover de bijna gezapige (gezapig in de ogen van Kinbote/Botkin) heteroseksualiteit.

Of Kinbote lijdt aan paranoia.

Zembla is het land van reflecties en het gedicht van Shade begint met een hoorn des overvloeds aan verschillende spiegelingen:

En van binnenshuis kon ik mijzelf dupliceren,
Mijn lamp, een appel op een schaal:
Als ik de nacht ontgordijnde, liet ik donker glas
Al het meubilair buiten hangen boven het gras
En hoe verrukkelijk was het als een val van sneeuw
Mijn blik op het gazon bedekte en zo hoog reikte
Om stoel en bed nauwkeurig te laten staan
Op die sneeuw, buiten in dat kristallen land!

'Het kristallen land', als dat Zembla niet is. Misschien ziet Kinbote meer in het gedicht dan wij, die niet in royaal purper geboren zijn. Maar er is een andere frappante overeenkomst: de vader van Kinbote, koning Alfin de Vage, sterft wanneer hij in zijn vliegtuig (een van zijn hartstochten) tegen de ramen van een gebouw vliegt. Ik weet het, ik weet het: de actualiteit ligt hier om de hoek, maar belangrijk is de parallel met de zijdestaart die zich te pletter vliegt tegen het gereflecteerde azuur.

Een andere toespeling op het verloren land van Kinbote treffen we in canto vier als Shade beschrijft hoe hij zich scheert:

En terwijl het scheermesje met geschraap en geknars
Over het land van mijn wang reist
… [en nu] beploeg ik
Oude Zembla's velden waar mijn grijze stoppel groeit
En slaven gaan hooien tussen mijn mond en neus.

Hier wordt goud gesuggereerd maar alleen grijs, wit en zwart beschreven. 'Oude Zembla's velden' zijn het scheerschuim, want Zembla is ook een land van spiegelend ijs en iriserende sneeuw en de slaven zijn zijn stoppels, donkerder dan het schuim en daarom zwart als slaven. Maar gensters van Zembla zijn nog elders zichtbaar in het gedicht:

Alles wat in het veld van mijn zicht lag –
Een binnenhuistafereel, hickorybalden, de rilde
Stiletto's van een bevroren druppelpegel –

Wat ik heb vertaald als 'druppelpegel' is in het origineel *stillicide*, een woord dat, zoals Kinbote schrijft in zijn commentaar, ook 'stiltemoord' zou kunnen betekenen. Doelend op het rijm met *regicide*, koningsmoord, want hij schrikt er niet voor terug om zelfverzonnen varianten aan Shade toe te schrijven om maar zijn eigen verhaal te kunnen vertellen.

Kinbote, bespot om zijn seksuele geaardheid onder collega's, lijdend aan halitose, misschien zelfs aan hallucinaties en zeker aan achtervolgingswaan – want de kogels waren niet voor hem bestemd, maar voor Shade – is een tragikomische figuur: er gaapt een afgrijselijke eenzaamheid in zijn gemoed. Dat hij zegt gelijkenissen te vertonen met Hazel klopt ook: na voltooiing van de index zal hij, die in zijn commentaar al een bespiegeling hield over zelfmoord, zelfmoord plegen. Maar in een werk dat handelt over de mogelijkheid van het voortbestaan van het bewustzijn na de dood, het idee van reïncarnatie, zal hij weer terugkomen: 'Misschien duik ik weer op, op een andere campus, als een oude, gelukkige, heteroseksuele Rus, een schrijver in ballingschap, zonder roem, zonder toekomst, zonder publiek, zonder niets behalve zijn kunst.'

Het is niet moeilijk in deze beschrijving Vladimir Nabokov te zien.

Alle metafysica terzijde, draait het boek vooral om de tragische kracht van de verbeelding. De eschatologische poëtische excursies van Shade in de onderwereld zijn hetzelfde als de sentimentele reizen van Kinbote naar zijn land van weleer, naar de schimmen van zijn geheugen. Er ligt een schaduw over *Bleek vuur*, de schaduw van de onderwereld en een dik pak sneeuw. Maar zowel in de schaduw als in de sneeuw barsten de kleuren als atomen. De heraldische kleuren van het boek zijn azuur, rood, groen en wit – een schierregenboog. Zij zijn de kleuren van de atalanta, de vlinder waarmee Shade zijn mooie vrouw (Hazel lijkt op haar vader) vergelijkt en waarin Hazel lijkt te reïncarneren – alsnog gewonnen schoonheid. Al bij de oude Grieken was de vlinder het symbool van de ziel.

De patronen en structuren die Shade (en Nabokov) zo verrukken in het leven, de combinatie van kleur, schaduw en lichtval, vormen voor

Kinbote een pathologische aandoening: betrekkingswaan. En als een gruwelijke eenzaamheid ten grondslag ligt aan paranoia, dan is paranoia precies wat *stillicide* zou moeten betekenen: stiltemoord. De menselijke verbeelding is rusteloos en schept beelden en geluiden waar een doodse stilte heerst, die het schreien van een verrot hart overstemt.

Dat is, denk ik, de functie van alle spiegelingen en spiegels: reflecties houden ook een uiteenval in. Kinbote lijdt aan een versplintering van identiteit en alle regenbogen van zijn verbeelding kunnen zijn scherven niet bij elkaar voegen.

Nabokov in de bioscoop

Dat een boek van Vladimir Nabokov wordt verfilmd, stemt mij altijd gelukkig, ongeacht het resultaat. Het zijn er heel wat: *Laughter in the Dark* door Tony Richardson (dit jaar opnieuw verfilmd); *Despair* door Rainer Werner Fassbinder; *Lolita* door Stanley Kubrick en recentelijk opnieuw verfilmd door Adrian Lyne; en nu *The Defence* onder de titel *The Luzhin Defence* door Marleen Gorris ('onze eigen', zou je eigenlijk daarbij moeten zeggen, zoals we dat doen bij Paul Verhoeven en Bernard Haitink, want ver maakt blijkbaar bemind). Dat er plannen zijn geweest voor een musical van *Lolita* is hier ook het vermelden waard.

In *The Luzhin Defence* van Marleen Gorris speelt John Torturro de schaakmeester Aleksandr Loezjin, die in een Noord-Italiaans hotel arriveert om de belangrijkste partij van zijn leven te spelen. Dat hij wereldvreemd is merken we onmiddellijk: hij vergeet uit de trein te stappen terwijl een fanfare op zijn komst wacht. Onophoudelijk is hij verdiept in het oplossen van schaakproblemen. De Russische Natalia, die in hetzelfde hotel logeert, weet zijn aandacht te trekken, maar al weet zij uiteindelijk zijn victorie te bewerkstelligen, zelfs haar liefde kan hem niet van zijn obsessie (de perfecte verdediging) en een zeker einde afhouden.

Nabokov schreef zelf het scenario voor *Lolita* van Kubrick en zag slechts rafels en brokken ervan terug in de uiteindelijke film. Niet voor niets publiceerde hij later *Lolita; a screenplay*, hij wilde laten zien wat hij voor ogen had. Dat de eerste *Lolita* nog wel eens voor een klassieker wordt versleten, heeft niks met de film te maken, maar alles met de huidige status van de regisseur – en het zwart-wit van de film. Kubrick zelf noemde de film zijn enige mislukking ('als ik had geweten hoe streng de censuur zou zijn,' gaf hij toe, 'dan had ik de film waarschijnlijk nooit gemaakt') en het boek te goed om verfilmd te worden.

In november 1964 correspondeerde Alfred Hitchcock, een bewonderaar, met Nabokov over plannen voor een samenwerking voor een film. Helaas kwam er niks van terecht. Nabokov verwerkte de ideeën die hij Hitchcock voorlegde later in *Ada*.

Laat ik vooropstellen dat ik geen puritein ben die met het boek op schoot in de flikkerende zaal zit te waken over de onaantastbaarheid van het geschreven woord van de meester. Ik ben mij bewust van het verschil in expressie tussen het statische woord en het bewegend beeld. Toch denk ik dat Nabokov zeer geschikt is voor de overgang van papier naar celluloid. Niet alleen omdat zijn werk zo rijk is aan beelden. Het detail is bij hem in goede, koesterende handen. Hij had een dwalende blik. Critici vielen bijvoorbeeld over de bij die zich verlustigt aan een druppel honing in Ada. Een overbodig detail, piepten ze in koor, een teken van *self-indulgence*. Maar het was Nabokov juist om die overbodigheid te doen. Zulke details, die hij ook vond in de schilderijen van Jeroen Bosch, moesten volgens hem altijd omringd zijn door een 'nimbus van irrelevantie'. In een film zou die bij algauw iets symbolisch krijgen, zoals de vliegen in de verfilming van *Madame Bovary* door Aleksandr Sokoerov (voor het vervliegen van de tijd, of de aanwezigheid van het kwaad, namelijk de heer van de vliegen: Beëlzebub). Maar Nabokov verfoeide – terecht – de doodlopende steegjes van de symboliek. *Symbols shmymbols!*

In een film zou een camera het oog van de schrijver moeten worden, willen zulke details goed tot hun recht komen. Ik denk aan de scène in *Casino* van Martin Scorsese, waarin Robert De Niro zijn bruid Sharon Stone van een heimelijk, betraand telefoongesprek komt halen; samen lopen ze weg en plotseling zien we nog even hoe hij haar witte handschoenen oppakt. Het is een heerlijke visuele verfrissing, dit staartje van de scène – alsof de camera de acteur op de schouder tikt: meneer, u vergeet nog wat.

Daarnaast verwijst Nabokov zelf zo vaak naar film. Soms neemt hij de rol van regisseur op zich en geeft zijn personages aanwijzingen: 'Denk alstublieft aan de kaakspieren!' – of hij te rade gaat bij Harvey Keitel in al zijn films: een teken van ingehouden spanning of een teveel aan cocaïne.

Hij maakt gebruik van filmische technieken in al zijn proza. Lolita, die in slow motion naar de koffer vol geschenken loopt. Of deze scène uit *De verdediging*, een staaltje van vloeiende literaire montage. Hoofdpersoon Loezjin bezoekt gedurende één dag de tandarts, de fotograaf en hij krijgt zijn paspoort:

Loezjin werd gefotografeerd voor zijn paspoort en de fotograaf pakte hem bij de kin, draaide zijn gezicht wat opzij, vroeg hem zijn mond wijd open te doen en boorde onder scherp gezoem in zijn tand. Het zoemen hield op, de tandarts zocht iets op een glazen schap, vond het, zette stempels in Loezjins paspoort en schreef met bliksemsnelle penbewegingen. 'Alstublieft,' zei hij en overhandigde hem een document waarop twee rijen tanden waren getekend en twee tanden met inkt waren aangekruist.

Het moet een genot zijn voor een acteur om een van zijn van brute levenslust of waanzin bruisende personages te spelen. Anders dan de stijf gestreken James Mason bij Kubrick was Jeremy Irons, met zijn getourmenteerde blik en neurotische tikjes, goed gecast in de tweede filmversie van *Lolita* (1997). Maar het probleem is dat we in het boek rondstruinen in de anarchistische, ijdele en monsterlijk humoristische geest van Humbert Humbert, terwijl we in een film van een afstand naar hem kijken. Voor *Lolita* moet de regisseur ook een anarchistisch, ijdel monster willen zijn en Adrian Lyne is, ondanks de sterke momenten in de film, meer de regisseur van de doodernstige soft focus.

Het robuuste cynisme en de sybaritische wellust van Humberts rivaal Quilty moeten we ook al missen, terwijl juist zijn monoloog, de enige fysieke manifestatie van dit personage, de rest van het verhaal als een grimmige schim beschaduwt. Hij is een slechterik van shakespeariaanse dimensies, een drugsverslaafde: 'gebruik herculanita nooit met rum,' adviseert hij met verstand van zaken – herculanita is een krachtige soort heroïne en deze drug en alcohol verdragen elkaar, volgens kenners, inderdaad niet. En zijn kleurige dood ('een uitbarsting van koninklijk purper') zou een regisseur als Brian De Palma waardig zijn geweest.

De confrontatie van Humbert Humbert met Quilty had van een andere orde kunnen zijn, iets als de ontmoeting tussen Mickey Rourke en Robert De Niro in *Angel Heart* van Alan Parker: in rake beelden wordt De Niro neergezet – eerst de hand die met een wandelstok speelt, later pas het gezicht en het ongemak van Rourke. De belichting is doemvol en de evenwichtige, trage montage bijna ondraaglijk.

John Turturro, toch een geïnspireerd acteur, komt in *The Luzhin Defence* van Marleen Gorris niet verder dan verdwaasd voor zich uit kijken. Hij geeft Loezjin een misplaatst pathos. Corpulent, schuchter, amechtig, verloren, gaat hij zijn bestaan als een schaakspel beschouwen, met het leven als tegenstander. Ik moest denken aan een aflevering van de televisieserie *Columbo*, die draaide om twee schakers, van wie er een uiteraard wordt vermoord. In de beginsequentie zien we een nachtmerrie waarin de dromende schaker opgejaagd wordt tussen gigantische schaakstukken, die onder hoongelach van zijn tegenstander op hem neervallen. Zulke hyperbolen moet ook een regisseur van een Nabokov-film aandurven, want Loezjin is niet geobsedeerd door schaken, hij is eraan verslaafd en

het herstel van zijn zenuwinzinking heeft alle kenmerken van een ontwenningskuur.

Marleen Gorris laat het bij een schaakspel op het gazon met levensgro-
te stukken en de toeschouwer moet het voor de rest zelf doen. Maar niet
geklaagd, we worden graag betrokken bij een film.

In bijna alle romans van Nabokov prijken, boven op de kantelen van
intense lyriek, gargouilles, kobolden uit een bizarre, schimmige wereld.
De hyperbool regeert er, de nar is er onze gids. Wie zijn boeken wil verfilmen zou thuis moeten zijn in de verschillende genres, net als de schrijver zelf: in de horror, de thriller, de klucht, de tragedie en de komedie.
Edgar Allen Poe keert herhaaldelijk terug in het werk van Nabokov ('the
ghoul-haunted woodland of Weir'), evenals sprookjes en de detective
(*Het Ware Leven van Sebastian Knight*). *Lolita* is, onder andere, een superieure parodie op de whodunnit: in dit geval weten we bij aanvang van het
verhaal dat er een moord is gepleegd; we kennen de dader (Humbert
Humbert), maar we weten niet wie het slachtoffer is, waarna verschillende gegadigden de revue passeren.

Nabokovs biograaf Brian Boyd heeft gezegd dat hij als de mogelijkheid
zich zou voordoen graag bereid zou zijn enkele van diens boeken (onder
andere *Ada*, waarvoor al bij leven van de schrijver filmplannen waren) tot
scenario te bewerken. Wie niet, zou ik zeggen. In een brief noemt Hitchcock Nabokov een 'storyteller' en er is genoeg actie in veel van zijn boeken.
Het tweede deel van *Lolita* zou de basis kunnen zijn voor een onvervalste
roadmovie, met de juiste parodistische inslag (*'We had been everywhere. We
had really seen nothing.'*), zoals *Wild at Heart* van David Lynch.

Ik zoek voor Nabokov een regisseur die dezelfde erotische, zelfs pornografische manier van observeren heeft als de schrijver. Het spel van de
schaduw van bladeren op de koelkast in de ochtend, de schram op de benen van het nimfijntje als een stippellijn van gestolde robijnen, het profiel
dat in zonlicht gouden dons vertoont als de bolster van een amandel.
Maar hoe zet je de zinswendingen, de woordspelingen ('I miss America –
even Miss America'), de stijlfiguren, de vergelijkingen, de metaforen om
in beelden?

In de laatste verfilming van *Lolita* heeft de regisseur een poging daar-
toe gedaan. Op het moment dat Humbert Humbert ijs uit het vriesvak
haalt, lezen we in de roman dat 'de koelkast kwaadaardig gromde, toen ik
zijn ijzige hart weghaalde'. In de film zien we de kou uit de koelkast slaan
en horen we even een laag gebrom.

Een cineast zou alle mogelijkheden die het medium hem ter beschikking stelt moeten benutten en uitbuiten. En gevoel voor humor hebben.

Een regisseur zoals Martin Scorsese, die de meester is van de verrassende blik en de acrobatische camera, die bij hem soms een volwaardig filmpersonage wordt. Zijn camerabewegingen hebben iets van een opgewonden, om niet te zeggen opgefokte danser voor aanvang van de voorstelling, maar ook van de verrassende zinswendingen van Nabokov.

Denk aan de scène in Scorseses *Taxi Driver*, als de hoofdpersoon zich komt aanmelden voor werk als taxichauffeur. Hij overhandigt de betreffende ambtenaar de ingevulde formulieren. Plotseling zien we, vanuit vogelperspectief, de uitgestrekte arm met de papieren, terwijl de camera een beweging maakt tegen de beweging van de arm in.* Het is een zeer kort shot, maar van een intense vervreemding en schoonheid. Shot is een goed woord: de kijker voelt even de gloed van wat filmisch gezien het dichtst bij een drugsbeleving komt, net zoals Nabokovs stijl het literair equivalent is van sensueel plezier.

---

* Dit was een vergissing van mij. Het gaat om de scène met Cybill Shepherd. Ik laat dit geheugenfalen echter staan.

Zalmsprong in zwarte poel

In 1939, twee jaar voor zijn dood, publiceerde James Joyce *Finnegans Wake*. De grootste moeilijkheid bij dit boek van een maniakale genie is de taal waarin het geschreven is. In het boek wordt deze omschreven als 'idioglossary', de stam is ontegenzeggelijk Engels, maar de omrankende klimop bestaat uit alle andere talen, van het Arabisch tot het Zweeds, levend of dood. Zulke vermomde taal, maar dan in in onschuldige vorm, kennen we van de Jabberwocky (het koeterwaals) uit *Through the Looking-Glass* van Lewis Carrol. Het volgt het systeem van de portmanteau, verschillende woorden die samengevoegd een neologisme vormen, maar het polyglotte karakter van *Finnegans Wake* maakt het lezen bijzonder moeilijk en drijft de lezer meer dan eens tot wanhoop. Een 'logopandokist' is letterlijk een 'woordherbergier', iemand die woorden uit alle talen en van alle soorten gebruikt; *Finnegans Wake* is geschreven volgens het principe van de logopandocie.

En net op het moment dat de lezer denkt met een waanzinnige te maken te hebben, of zelf waanzinnig te worden, komt de schrijver met passages van 'hemelse intonaties' (Nabokov) of met aanmoedigingen: 'Welnu, geduld; en onthou dat geduld de schoonste zaak is, en dat wij eerst en boven al het andere moeten zien te vermijden ongeduldig te worden of het te zijn.' Dit boek vereist 'de ideale lezer die lijdt aan een ideale insomnie'.

De herlezer graait in de droomschemer van dit boek van duisternis op zoek naar houvast, vaste grond tussen alle contrapunten en resonanties, maar de herherlezer begrijpt dat resonantie alles is in dit boek. En de resonanties zijn zowel linguïstisch als literair, mythologisch, folkloristisch. Het boek barst van verbasteringen van bakerrijmpjes, anagrammen, historische data en gebeurtenissen, citaten uit heilige boeken, reclameleuzen ('Fit Dunlop and Be Sátisfied'), krantenberichten, tekenfilm (Popeye en God: 'I yam what I yam'), radio- en televisieprogramma's (er komt een tv-quiz voor waarin de kandidaat twaalf vragen moet beantwoorden), om van de verwijzingen naar werken en titels uit de wereldliteratuur maar te zwijgen.

En daarbij zijn de verwijzingen niet oppervlakkig. De vele verwijzingen naar de Koran en Mohammed verraden een intieme kennis: '*But the horn, the drinking, the day of dread are not now. A bone, a pebble, a ramskin...*' zinspeelt zowel op de islamitische eschatologie (de bazuin van de engel Israfil 'de Ontbieder' zoals Joyce hem op blz. 49 noemt, die de doden opwekt, de wijn die in het paradijs toegestaan is en 'de dag van de angst' is wat in het Nederlands de dag des toorns wordt genoemd) als op de stenen en het ramsvel zijn de voorwerpen waarop Mohammeds openbaringen door zijn volgelingen werden opgeschreven.

De taal is hier geen struikelblok, maar bezie het volgende voorbeeld uit het begin: *Sir Tristram, violer d'amores... had rearrived to wielderfight his penisolate war.* In 'Tristram' herkennen we natuurlijk Tristan van Isolde, die met een schiereiland, een pen en een penis in 'penisolate' verscholen zit: de oorlog om Isolde is tevens een seksuele, niet alleen een literaire. 'Violer d'amores' duidt op het liefdesthema, bezongen door minstrelen op het strijkinstrument viola d'amore, maar ook op de schending van Tristan: Isolde was voor koning Mark bestemd. 'Rearrived' en 'wielderfight' (van het Duitse 'wiederfechten') waarschuwen ons (niet voor het eerst en niet voor het laatst) dat we hier niet beginnen, maar hervatten. En inderdaad, *Finnegans Wake* heeft een cyclische vorm. Er is nog een andere Tristram waarnaar verwezen wordt, namelijk Sir Almeric Tristram, eerste graaf van en bouwer van het kasteel op Howth, een schiereilandje (penisolate) ten noorden van Dublin Bay. Niet alleen woorden, maar ook personen vloeien in elkaar over. En zo voort en zo verder, 628 pagina's lang.

Waar een conventionele schrijver meer dan een pagina nodig zou hebben om al deze identificaties en connotaties uiteen te zetten, doet Joyce dat met een woord. Ons leesorgaan is hier net zo visueel als auditief en waar de tekst al te onbegrijpelijk lijkt, kan soms hardop lezen de tekst doen ontbloesemen. Lezen is hier ontcijferen en ontraadselen en het liefst zo veel mogelijk lagen, en graag tegelijkertijd. De lezer moet bereid zijn pagina's door te ploegen, zonder alles te begrijpen, de klanken proevend, zoekend naar de vele leidmotieven. De Tristan waarnaar Joyce verwijst, is de Tristan van Wagners opera: '... was iz? Iseut?' op blz. 4 verwijst naar de eerste woorden van Tristan in de opera ('Was ist? Isolde?') en 'Meldundleize' op blz. 18 naar de eerste regels van de 'Liebestod': 'Mild und leise wie er lächelt...', hetgeen later verbasterd wordt tot de naam Mildew Lisa.

De toespelingen en metamorfosen zijn toepasselijk. Net zoals Wagners opera heeft *Finnegans Wake* een complexe textuur van myriaden thema's en motieven die uitputtend worden herhaald en ontwikkeld. Het lezen van dit boek heeft veel weg van het luisteren naar muziek: letters zijn noten, woorden akkoorden, het geheel symfonisch. En de verbasteringen zijn van belang in een boek dat, volgens Joyce' eigen zeggen, een droom verbeeldt. Een droom? Zeg maar gerust een delirium. En een delirium is het oord van Proteus, de zeegod die alle vormen kon aannemen. Zo veranderen twee wassersvrouwen in het misschien wel mooiste hoofdstuk van het boek bij het vallen van de nacht in een steen en een olm. En Shaun wordt plotseling een vat. Helaas ben ik vergeten te tellen hoeveel varianten de humoristische Joyce gebruikt voor het woord 'amen'.

En dit boek is, bewonderenswaardig genoeg, voor het eerst in het Nederlands vertaald door Erik Bindervoet en Robbert-Jan Henkes.

Finnegans Wake is verdeeld in vier delen, gebaseerd op de denkbeelden van Giambattista Vico (1668-1744), die in zijn boek *De Principes van de Nieuwe Wetenschap* zijn theorie uiteenzette van de geschiedenis als een cyclus ('vicieuze cirkel' is een term die wij aan zijn naam te danken hebben). Deze cyclus bestaat uit vier stadia (een paradox waarvan Joyce dankbaar gebruikmaakt). Eerst is er het tijdperk van de goden, waarin mensen in grotten leven, waarnaar ze zijn verdreven door Gods donder; deze donder wordt gezien als de oorsprong van de taal. Daarna komt er het tijdperk van de helden, gekenmerkt door klassenstrijd. Na dit tijdperk komt de tijd van de mensen zelf, veroorzaakt door de democratiserende werking van de revoluties. Ten slotte is er de tussenperiode, de *ricorso* (wederopstanding), die het derde tijdperk verbindt met het eerste. Daarom begint het boek in media res en sluit de laatste zin van het boek naadloos aan bij de eerste, waarin wordt verwezen naar Vico: 'rivierein, langs de Eva en Adam, van zwier van strand naar bocht van baai, brengt ons via een commodius vicus van recirculatie terug...'

De verwijzingen naar Vico en zijn cirkel, dat moge duidelijk zijn, zijn talrijk.

De Eva en Adam is een kerk aan de rivier de Liffey in Dublin en ook de naam van een kroeg aldaar, maar verwijst natuurlijk tegelijk naar onze voorouders. *Finnegans Wake* zou omschreven kunnen worden als een variant op het scheppingsverhaal en de zondeval. Het leven – en het boek – begint met die val. Die val wordt weergegeven door een honderdletterig woord dat de donder van God moet voorstellen. Al op de eerste pagina komen we er een tegen die bestaat uit verschillende woorden voor donder. Dit woord komt tien keer voor in het boek, maar verbeeldt elke keer ook weer iets anders. Een keer geeft het een hoestbui weer van een van de personages (het woord bestaat in dit geval uit verschillende woorden voor hoesten) en een andere keer is het het geluid waarmee de vader de deur van de kamer van zijn kinderen dichtsmijt (de vertalers hebben hier een variantlezing 'Bang!', de donderwoorden blijven onvertaald) en tegelijkertijd natuurlijk ook het sluiten van de paradijspoorten.

Ik geloof dat Joyce hierin onder andere schatplichtig is aan zijn illustere voorganger Rabelais. In boek 4:15 van Gargantua en Pantagruel gebruikt deze schrijver hetzelfde systeem om klappen en schoppen weer te geven. 'Het was hun niet genoeg, mijn arme oog zo gruwelijk te morramboezevezengoezekokemorguatazakbakgevezinemaffresseren...' (vert. J.A. Sandfort).

Beide schrijvers zijn taal-bacchanten.

Een keer (blz. 424) bestaat het donderwoord echter uit 101 woorden en ironisch genoeg gebeurt dat op het moment dat het woord voor het laatst voorkomt en wanneer het in het boek geïdentificeerd wordt: 'Wederom de honderdletterige naam, laatste woord van volmaakte taal.' Dit duidt niet alleen op een hernieuwing, maar is tevens de meest subtiele verwijzing naar de 1001 nacht, waarnaar zo vaak verwezen wordt: een ander oneindig boek, een ander boek van de nacht. Sterker nog: over de val van Finnegan – en alles wat in die val resoneert, van Humpty Dumpty tot de zwarte steen van Mekka – is overgeleverd in duizend-en-een verhalen 'bij mekkaar opverteld' (een extra, ingenieuze verwijzing naar Mekka, die in het origineel niet voorkomt).

De val van Adam en Eva wordt weergalmd in andere gevallen (zelfs in de meteoriet die in Mekka viel en tegenwoordig de 'zwarte steen' wordt genoemd, zie blz. 5). Het symbolische jaartal van het boek is 1132 en '32 feet per sec' is, zoals we weten uit *Ulysses* wanneer Leopold Bloom iets in de Liffey gooit, de snelheid van een vallend voorwerp. Maar de luidste echo is natuurlijk in de eponieme held van het boek, Finnegan. 'Finnegan's Wake' (met apostrof!) is een Iers volkslied over ene Tim Finnegan, een bouwvakker en drinkebroer, die dronken van de trap valt en, naar het schijnt, sterft. Zijn familie en vrienden houden een wake bij zijn lijk, maar al snel breekt er een gevecht uit en wanneer er whisky op het lijk valt, staat Finnegan wonderbaarlijk op: '*And Timothy, jumping up from bed, / Sez, "Whirl your liquor around like blazes- / Souls to the devil! D'ye think I'm dead?*' (Er is ook nog de mythologische FinnMaCool, maar die laten we buiten beschouwing.) Deze laatste zin uit de ballade komt in verschillende vermommingen langs in het boek (bijvoorbeeld op blz. 74: '*Animadiabolum, mene credidisti mortuum?*'). Na zijn val ligt deze reus uitgestrekt over Dublin (de naam betekent 'zwarte poel'), waarbij Howth Kasteel zijn gekroonde hoofd is, Phoenix Park de schaamstreek (later een harig achterste) en zijn voeten bij het dorpje Chapelizod aan de rivier Liffey. Hij is het landschap van Dublin en omstreken en hij vangt radiosignalen op uit de ether. In het derde hoofdstuk van deel twee, het moeilijkste van het hele boek, wordt een soort gargantueske radio beschreven, een *'tolvtubular high fidelty daildialler... with supershielded umbrella antennas'* ('tolvutubulaire hoogst fidele stemmerkiezer... met superafgeschermde parapluantennes'), maar radio, televisie, theater en film versmelten in dit boek. Joyce' aandacht voor televisie is opvallend voor een tijdperk waarin het ding nog geen gemeengoed was: 'Televisie,' schrijft hij, 'verslaat telefonie in broedersbrouille.'

Dood en leven worden natuurlijk ook weergegeven in het woord 'wake' dat zowel 'wake' betekent als 'een oproep tot ontwaken'. Ik kom hier nog op terug.

Ook in dit boek leeft Finnegan weer op (blz. 24, bij het horen van het woord *usqueadbaugham*, Anglo-Iers voor whisky), maar de twaalf mensen, aanwezig bij zijn wake, manen hem aan vooral te blijven liggen, want hij is 'een god op pension' en – zie Vico – het is tijd voor het tweede tijdperk, er is een held op komst.

En inderdaad komt de held van het verhaal, samen met zijn familie: een man en zijn vrouw, zijn tweelingzonen en een dochtertje. Hun namen veranderen constant, maar de twee zoons heten Shem en Shaun, de dochter Isobel. Bij de vader en moeder moeten we vooral de initialen onthouden: resp. HCE (in de vertaling, uit noodzaak, HKI), een man van Scandinavische komaf, en ALP. Deze vrouw, van Slavische afkomst, staat vooral bekend onder de naam Anna Livia Plurabelle, waarin we de Liffey herkennen en inderdaad: zij is de rivier, immer stromend, van zee naar zee.

Een van de eerste namen die de man krijgt is Haroun Childric Eggeberth ('Haroen Kilderik Iggeberth'). Haroen is toepasselijk, want dit duidt op de kalief Haroen ar-Rashied, die vermomd de nachtelijke straten van Bagdad afstruint in de vertellingen van 1001 nacht: 'stambuling haround' schrijft Joyce, strompelen + Istanbul + ambuleren + rond + Haroen. Humphrey Chimpden Earwicker (zoals hij elders heet) is een parade van maskers; een andere keer heet hij Persse O'Reilly ('earwick', oorwurm, is *perce-oreille* in het Frans).

Die initialen kunnen overal verstopt zijn en ze vormen een belangrijk motief in het boek. Ik zou zeggen een muzikaal motief, want HCE zijn muzieknoten (in het Duits is de B een H). In zijn tiende symfonie gebruikt Dimitri Schostakovitsch zijn initialen (D-Es-C-B[H]) als motief in het scherzo. Deze man stottert en heeft een bult (waarmee hij gelieerd is aan de bochel uit de 1001 nacht die ook een schijndood sterft): beide zijn ook tekenen van een schuldgevoel en we komen er al snel achter wat dat is en dan is de indrukwekkende beschrijving van zijn aankomst met aanhang duidelijk: 'homphig is zijn portie der showders op hem verzenken zo'n grootvervaller issie, met een pokmens in de pekel en drie leuze nete klankers, twee twillige krekels en een lilli peucelle.' De 'pokmens' is zijn vrouw ALP (in het origineel wordt ze ook nog als vuurvlieg omschreven) en de krekels en peucelle (het Franse 'vlo' en 'maagd') resp. zonen en dochters. Waarom worden ze als insecten beschreven? Omdat HCE een incestueus verlangen voelt naar zijn dochter. Incest in droomsymboliek wordt natuurlijk een insect. Dit bloedschandelijk verlangen en de liefde voor jonge meisjes zijn belangrijke thema's in het boek. HCE *'bedreamt him stil and solely of those lililiths undeveiled'* ('bedroomde zich stil en uitsluitelijk van die lililiths des spels'): let op de schuldige stotter en op de toespeling op Lilith. Ergens anders heet het dat hij 'papa pals' wilde zijn.

En waarom die stotter? Er zijn veel verwijzingen naar Alice Liddel, het meisje voor wie Lewis Carroll zijn twee meesterwerken schreef. De volle naam van het meisje was Alice Pleasance Liddel, dezelfde initialen als Anna Livia Plurabelle, en Charles Lutwidge Dodgson (alias Lewis Carroll) was ook een stotteraar. Hij stelde zich altijd voor als 'Dodo-Dodgson' en op pagina 531 van FW vinden we 'do dodo doughdy'. Wanneer er gestotterd wordt in de tekst dan weten we dat HCE's kwellende zonde weer opspeelt.

Maar is er wel sprake van incest? Dat is een belangrijke vraag in het boek. Want Isobel (Issy, Iseult en nog meer varianten) is een afsplitsing van ALP en als ALP staat voor Eva, dan moet seks met Eva voor Adam iets incestueus hebben gehad, want is zij niet uit hem geboren? Waar HCE mee worstelt is het belang van incest om te overleven, niet om nageslacht te kweken, maar om te regenereren. Er vindt inderdaad een vleselijke verbintenis plaats tussen HCE en Isobel, maar dan in de gedaanten van Tristan en Isolde en op het schip dat Isolde naar koning Mark moest brengen, terwijl de vier evangelisten Mattheüs, Lukas, Johannes en Mark, die overal in het boek opduiken, in de vorm van zeevogels en golven toekijken, in hun kielzog. En kielzog is 'wake' in het Engels. Dit kwartet, samengebald in 'Mamalujo', komt later terug als de vier poten van een ezel die een hoofdstuk van zijn droom vertelt, en zelfs als vier bedstijlen die een seksuele daad gadeslaan.

Seks is een kwestie van een verbroken verbond, zowel tussen mens en God (boom der kennis) als tussen Tristan en koning Mark, voor wie Isolde bestemd was. Mark, de impotenteling, wordt in dit boek gehoond en hij is zowel God als HCE (Adam) die zich vervangen ziet door zijn twee zonen Shem en Shaun (o.a. Kain en Abel). En de seks in dit geval is toepasselijk oraal (het eten van de verboden vrucht): 'ze [de vier zeevogels of golven] konden iets als een lisp horen lapsen [ALP vermomd], dat was haar knecht van de waarheden z'n tang [tong] die uit haar kapelledosie [Chapelisod, een dorpje aan de Liffey, 'de kapel van Isolde'] dongdingde...'

Anna Livia Plurabelle is de rivier, 'al haar rillokken schuddend' en met tramkaarten in haar haar ('tramtokens' door de begeesterde vertalers omgezet in 'vaarschijnen', naar het Duitse Fahrschein); het eeuwigstromend water, het Ewig-Weibliche van Goethe en een van haar motieven is dan ook de O, waarin overigens ook nog het Franse 'eau' doorklinkt. Zij begint het boek ('rivierein') en eindigt het boek met een prachtige monoloog. HCE stottert en ALP lispelt. Deze 'lisp' wordt begrijpelijkerwijs een waar geslis en gehis als Isobel, in ongekend sensuele taal, aan het woord is: '*I call her Sossy because she's sosiety for me and she says sossy while I say sassy...*' Aantrekkelijke Isobel, 'woeste woudogen en vanillevlashaar', de eeuwige verleidster, herbergt een slang, dé slang, in zich. Isobel is omringd door zeven meisjes, die de zeven kleuren van de regenboog vertegenwoordigen, maar soms 28 in getal worden (februari, geboortemaand van Joyce), waarbij Issy dan de 'leapgirl' is, het schrikkelmeisje, maar soms 'leafgirl', blad- of Liffeymeisje. ALP draagt deze dochters in een zak op haar rug, nadat zij in het begin de kleuren van de 'reigenbrauw' verzamelt: de regenboog was het verbond tussen God en Noach en wordt geassocieerd met de eerste alcohol (Gen. 9:21: '...en was dronken'); dat Joyce spreekt over 'Guinesses' is meer dan een humoristische woordspeling. Als Nuvoletta is Isobel een wolk, een associatie van 'nubile' en 'nebula'. Op het einde wordt duidelijk waarom.

ALP heeft honderdelf kinderen – ze heet ook Kreupel-met-Kinderen – aan wie ze geschenken uitdeelt (restanten van haar getergde man, HCE, de 'valder', val + vader) als een ware Santa Claus en deze vrijgevigheid wordt geassocieerd met Prometheus, de vuurgever, wanneer hij, in het lesmateriaal van haar zonen en dochter, omschreven wordt als Santa Claus. Een andere belangrijke overeenkomst tussen Isobel en ALP is dat beiden vaak tegen hun spiegelbeeld praten: 'the darling murrayed her mirror' ('t sloesje... haar spiegel bezwamperde'). Want ALP kan zichzelf natuurlijk niet zien.

HCE's liefde voor jonge meisjes heeft hem in de problemen gebracht. Hij wordt betrapt in Phoenix Park met twee jonge meisjes en zijn broek op zijn enkels. De misdaad blijft lang obscuur, maar toch wordt hij veroordeeld, in de gevangenis gezet (waar hij beschimpt wordt door een Amerikaanse gedetineerde) en daarna in een kist gelegd en in het water gegooid. Zijn begrafenis wekt opstanden en onrust op: dit is de tweede fase van Vico's cirkel. Hij zal later wel terugkeren, in zijn kroeg die tegelijk een schip is en hij een Noorse schipper/kleermaker. God is natuurlijk de eerste kleermaker omdat hij Adam en Eva gewaden gaf om hun schaamte te bedekken. ALP schrijft een manifest (een 'mamafesto') waarin ze het voor haar man opneemt; dit document, een palimpsest bevlekt met thee, wordt onder een vuilnishoop vandaan gehaald door een van hen. Dit document krijgen we pas aan het einde te lezen.

De twee zonen van Shem en Shaun, in onophoudelijke broedertwist verwikkeld, zijn de twee afsplitsingen van HCE, van voor de val en na de val. Shem wordt geïdentificeerd met James Joyce, de Adam die zich van God en zijn verplichtingen heeft afgekeerd: in een bijzonder heftige tirade van Shaun tegen Shem gewaagt eerstgenoemde van een boek dat Shem ('Shames voice'= James Joyce) schreef, een 'nodeloos unlyssbare Blauwe Boek van Eccles', dat is namelijk *Ulysses* ('unlyssbare'!) dat oorspronkelijk met een blauw omslag verscheen en de Blooms wonen in dat boek in Eccles straat nr. 7 (dit huis werd trouwens in 1905 betrokken door ene Finneran!). En verder bereidt hij het schrijven van FW voor door inkt te maken uit uitwerpselen en urine.

Shaun is postbode, Shem de schrijver. Shaun verorbert copieuze en appetijtelijke maaltijden, Shem geeft de voorkeur aan ingeblikte zalm (Liffey betekent 'zalmsprong'). Shaun is een steen en Shem een olm: 'De olm die kruent in z'n kruin vertelde het de steen die stuent bij slaag.' Zij worden verenigd in Tristan (tree + stone). De olm staat natuurlijk voor vruchtbaarheid, creativiteit. En ALP, de rivier Liffey, wordt ook wel eens de 'Leafy' (blad) genoemd. Beiden hebben een lichte stotter van hun vader geërfd alsmede een verlangen naar hun zusje. Maar Shem is, anders dan de gladde Shaun (of Jaun of Yawn), niet geliefd bij de meisjes. Als zij, onder de namen Glugg en Chuff, resp. duivel en engel, met de meisjes aan het spelen zijn (een betoverend en ontroerend hoofdstuk), kan Glugg (Shem) het raadsel dat hij krijgt niet oplossen en wordt gehoond. Dan gaat hij maar masturberen (als Jerry plast hij ook in zijn broek). Want had hij het raadsel opgelost, dan had hij 'insect' gepleegd met zijn zusje.

Zoals de antropoloog Jean-Claude Levi Strauss heeft aangetoond is er een verband tussen het oplossen van raadsels en het plegen van incest in de mythologie. Oedipus pleegt incest pas nadat hij het enigma van de sfinx heeft opgelost en hetzelfde patroon kwam hij tegen in een mythe van de Algonquinindianen.

Onvermoeibaar en vermoeiend wordt de broedertwist in duizelingwekkende varianten gepresenteerd, met als betoverend hoogtepunt de fabel van de 'Ondt en Gracehoper' ('de Kwaaie Zier en Grâcehoper' – de mier en sprinkhaan), een passage die zoemt en zingt van de insecten, compleet met Dantes onweerstaanbare *zanzare*.

Dit zijn de belangrijkste figuren uit het boek en de situaties worden tot vermoeiens toe uitputtend herhaald in elk hoofdstuk. Joyce toont een monsterlijk vernuft in zijn variaties op een thema. Het is frustrerend slechts enkele edelstenen uit de roversgrot van Joyce' verbeelding te moeten presenteren; elk voorbeeld genereert myriaden andere. Zo is er bijvoorbeeld de weduwe Kate Strong, de schoonmaakster van de kroeg waarin een afsplitsing van HCE cum suis werkt en woont en wiens verschijning elke keer wordt begeleid met 'Tip'. Eerst leidt zij ons rond in een museum ('museyroom') waarin fragmenten uit Ierlands geschiedenis tentoongesteld staan om daarna in een vogel te veranderen. De hen die het 'mamafesto' vindt wordt ook door dit geluid begeleid. Veel later blijkt zij het raam te zijn ('widow/window') waartegen een boomtak tikt: tiptip!

De verbeelding van Joyce is iets van een wereldwonder.

Wat is de uitkomst van het mamafesto van ALP, waarom eigenlijk het hele boek draait? Wat is er gebeurd in Phoenix Park, dat later het harige zitvlak van HCE (nu Mr. Porter genaamd en uitbater van de kroeg, ongetwijfeld de Eva en Adam uit de beginzin) blijkt te zijn? Dit 'epistola' is geschreven in zeven kleuren inkt (regenboog) en bedekt met theevlekken. De passage waarin het document beschreven wordt, kan zelfs gelezen worden als een handleiding over FW zelf. Sterker nog: de sigla die er staan zijn dezelfde als waarmee HCE en ALP in het boek zelf worden aangeduid (i.e. een Δ voor de vrouw en een omgekeerde ɰ voor de man). De gedachte dringt zich op dat het mamafesto misschien wel het boek ís. Haar versie van de gebeurtenissen in het park is de rode draad van het boek. Haar brief is gericht aan 'Dumpderrie' – niet alleen Dublin, maar de hele wereld – en aan 'Achtbare' – dat moet wel God zijn – die zij bedankt voor 'deze geheime werkingen van de naturen (ontzettend bedankt, bidden wij nederig)', namelijk de vleselijke daad die zij ontdekten in het park. 'Zwaddertjes onder het gras, niet betreden!' maant zij de soldaten die haar en HCE in het park beloerden. Maar de seks die wij aanschouwen tussen de twee, nu in de gedaanten van Porter en Anny, in een samensmelting tussen theater en film, is behalve hilarisch – het wordt omschreven als een cricketwedstrijd –, tevens met condoom, 'Dud 1132', een 'cheque, van een wasecht ongedekt roze' – vroeger waren condooms, na wassing, herbruikbaar. Man en vrouw verwisselen zelfs van geslacht: 'Humbo' heeft een 'kekkle' ('kettle' is *slang* voor vagina) en Anunshka een 'wickle' ('wick' voor penis). En er is geen ejaculatie: 'De thee heb je nooit natgemaakt!' Hier worden de theevlekken op het document en de vele toespelingen op thee duidelijk: het is 's levens zaad.

Of is de hele zondeval veroorzaakt door niks anders dan het tonen van geslachtsdelen, zoals gesuggereerd wordt als de tweeling de erectie van hun vader ziet? Dit doet denken aan de zonen van Noach, Ham en Sem en Japheth (samengevoegd tot Jhem en Shen aan het begin), die hem naakt aanschouwden. Dit wordt versterkt door het terugkerend verhaal van soldaat Buckley die tijdens de Krimoorlog, een Russische generaal die zich aan het ontlasten was, niet wilde neerschieten voordat hij klaar was. Zoals Rabelais heeft Joyce een obsessie voor de lagere mechanismen van het lichaam.

Hoe het ook zij: ALP kiest voor haar man, zij neemt zijn zonde over, 'de man van standvast gered door zijn gemalde mientje'; zij verenigt de onverenigbare Shem en Shaun; in haar mamafesto verloor Shem 'wat glans en Shaun verkreeg wat schande'. Er is geen tegenstelling tussen man en vrouw, de vrouw 'staat voor of tautologisch naast de gemaal'. De chemische formule H_2CE_3die ergens opduikt, omvat waterstof en cesium, een brandstof: in de alchemie zijn water en vuur resp. vrouwelijk en mannelijk.

En wanneer in het laatste deel de zon opkomt en de gebrandschilderde ramen van de kerk Eva en Adam oplichten, in een passage vol met Sanskriet, Japans en Chinees (met de zon komt het Oosten de taal binnen), stroomt zij naar haar vader de zee, om zich in zijn armen te werpen, en na opnieuw een wolk te zijn geworden, 'allaniuvia', weer water te worden. 'Nuvoletta' Isobel is dus niet een afsplitsing, maar vertegenwoordigt een *stadium* van ALP. HCE kan zich niet regenereren door gemeenschap met zijn jonge meisje, zijn plaats wordt ingenomen door zijn zoons: op een gegeven moment ligt Shaun als Yawn over het landschap uitgestrekt, een zwakke versie van de reus Finnegan in het begin. Voor ALP is incest noodzakelijk om verder te stromen. ALP is de cirkel die het boek is. Zij vertegenwoordigt de ricorso, de resurrectie.

'Mijn bladeren zijn van me weggedreven. Allemaal. Maar één houdt zich nog vast', rimpelt zij op de laatste pagina, doelend op het laatste blad van het boek. De bladeren uit de olm in de Liffey gevallen vormen de bladeren van het boek. Zo bezien houdt het boek op een droom te zijn en is het het lispelend gekabbel van de rivier en het zwatelen en suizelen van de olm. Over het mamafesto wordt gezegd: 'Wind liet het. Golf droeg het. Riet schreef het.' – een rake omschrijving van *Finnegans Wake*. 'Want wij, wij hebben ons laken op haar stenen gebracht waar wij ons hart in haar bomen hebben gehangen; en wij lissen, op haar bibben, aan de waters van babalang.'

Finnegans Wake is, met behulp van 'Shems voice', de vrouwelijke visie op de Genesis. Zoals *De Goddelijke Komedie* en *Orlando Furioso* is *Finnegans Wake* een magistrale lofzang op het Ewig-Weibliche.

En sinds wanneer overziet men in dromen zijn gehele leven? Dit schijnt te gebeuren wanneer wij sterven. Het boek is het verhaal dat de dronken Finnegan, zieltogend op de oever van de Liffey, te horen krijgt van de Zalmsprong in een Zwarte Poel, namelijk het verhaal van de cirkel van onze levens. Mahler wilde in zijn derde symfonie het gehele universum verklanken, van de intocht van de zomer in een berglandschap tot de zang van de engelen. Hij gaf de delen van zijn werk titels mee als 'Wat de mens/God/de bloemen mij vertellen'. Een mooie ondertitel voor FW zou zijn: Wat de Liffey mij vertelt. Het is een verbluffend boek dat zich in de bloedbaan van de lezer nestelt en zelfs in zijn dromen (in de mijne in elk geval). En de vertalers verdienen een ovatie.

De dood in de schedel kijken

In *The Clockwork Testament or: Enderby's End* (1974) van Anthony Burgess, het derde deel van een vierluik over de picareske lotgevallen van de teruggetrokken, onhygiënische, boerende, winderige en masturberende dichter F.X. Enderby, wordt de antiheld in New York bezocht door een vrouw die hem dood wil schieten omdat zijn poëzie haar naar het hoofd is gestegen. Haar man spoorde haar aan de gedichten te lezen tijdens hun huwelijksreis. De gevolgen waren catastrofaal zoals de vernederde dichter zal ondervinden. Zoals veel in de boeken van Anthony Burgess (1917-1993), is dit voorval gebaseerd op autobiografie. In werkelijkheid wist de auteur de vrouw te ontwapenen, in het boek wordt de mislukte aanslag afgesloten met seks, een triomf voor de eenzame Enderby, die geplaagd wordt door natte dromen – 'spermatorrea' in Burgess' woorden, eveneens een autobiografisch detail.

Werkelijkheid werd fictie en in het jaar 2002 werd de fictie weer werkelijkheid toen *Anthony Burgess* (Faber and Faber) van Roger Lewis verscheen, 'een delirisch kaleidoscoop van een boek', zoals de flaptekst vermeldt. Dat delirisch klopt, want Roger Lewis vertoont tekens van waanzin: hij presenteert de uitzuigsels van zijn grote duim als feiten en haalt fictieve personages en de schrijver door elkaar. Zijn toon is er een van alsem, gal en doornappels. Het boek is geen biografie, maar een kritische beschouwing van leven en werk van Burgess; zonder kennis van diens werk is het warrige boek onbegrijpelijk.

Twintig jaar lang verdiepte hij zich niet alleen in het gigantische oeuvre van Anthony Burgess, maar volgde hij ook diens omzwervingen over de wereld. Dat heeft zijn visie op de schrijver geen goed gedaan en zijn boek, hoewel het vermakelijke passages kent en her en der verrassende inzichten biedt, is geen eerbetoon geworden, maar een postume afrekening. Het lijk van de arme schrijver wordt vertrappeld onder Lewis' globetrottersvoeten: hij noemt de schrijver niet alleen een *lazy sod*, maar ook een *fucking fool*. Maar waar het om gaat is dat Lewis kennismaakte met het werk van Burgess tijdens – een huwelijksreis. (De vrouw uit dat huwelijk heeft zelfmoord gepleegd.)

Het is blijkbaar gevaarlijk om het werk van Burgess tijdens een huwelijksreis te lezen, want het bezingt niet de tederheid van de liefde, de mogelijkheid tot communicatie, de warmte van menselijke betrekkingen of de extase van de menselijke seksualiteit. Bij hem draait het om de intrinsieke eenzaamheid van de mens, de existentiële ellende, de symbiose van goed en kwaad, maar bovenal om de schuld, de erfzonde. Er is bijna geen boek of artikel van hem te vinden waarin het woord *guilt* niet voorkomt, tezamen met de vraag of de mens een vrije wil heeft, *arbitrium liberum* – het Latijn is van belang.

Anthony Burgess werd in 1917 geboren in Manchester, dat hij prachtig weet te beschrijven. Toen hij nog een baby was, stierven zijn moeder en zijn zusje aan de Spaanse griep. Een eenzaam, hoogbegaafd kind, groeide hij op bij zijn stiefmoeder en vader, die barpianist was. De muzikaliteit en drankzucht erfde hij van hem. Burgess benadrukte altijd de Ierse bloedlijn van zijn grootvader, om zo een verwantschap te scheppen met James Joyce, die hij verafgoodde.

Hoe zou Burgess hierop gereageerd hebben, die Lewis persoonlijk heeft gekend en hem zelfs vaderlijk bejegende? Ongetwijfeld zou hij, die altijd vol zelfbeklag zat en aan aan paranoia grenzende achterdocht leed, hierin het zoveelste bewijs zien van de onwillige en onwelwillende ontvangst van zijn boeken. Hij voelde zich miskend, onbegrepen en misschien is dat ook zo.

Zelf zou ik Burgess te allen tijde aanbevelen, maar twintig jaar lang monomaan met een auteur optrekken is vragen om moeilijkheden, zeker als je, zoals Lewis, lijdt aan overidentificatie met het object van je hartstocht en studie. Hoeveel schrijvers zouden zo'n liaison overleven? En hoeveel lezers?

'O my God,' Wignall said, 'who hasn't been let down? But don't think that it's a system or a culture or a state or a person that does the letting down. It's our expectations that let us down. It begins in the warmth of the womb and the discovery that it's cold outside. But it's not the cold's fault that it's cold.' ... I was about to say, angrily, that we'd all let down our past, our culture, our faith when Sciberras saved me from public tears...

Een fragment uit *Earthly Powers* (1980), het meesterwerk van Anthony Burgess en een van de beste romans ooit geschreven, met een van de beste beginzinnen: *'It was the afternoon of my eighty-first birthday, and I was in bed with my catamite when Ali announced that the archbishop had come to see me.'* En even verderop: *'I lay a little while, naked, mottled, sallow, emaciated, smoking a cigarette that should have been postcoital but was not.'* Dit boek zou eens een keer in het Nederlands moeten verschijnen. Hierin komen alle thema's en motieven van Burgess samen, in een stijl die viriel, ruw, maniakaal, lyrisch, bonkig en ronkend is, vol met wat Martin Amis *garlicky puns* noemt. Amis, een bewonderaar, is schatplichtig aan Burgess, zoals uit zijn laatste roman *Yellow Dog* blijkt, die dezelfde carnivore methodes hanteert. Ik zou zeggen: een groot boek van een groot schrijver.

Lewis is het hier niet mee eens. Volgens hem was Burgess geen groot schrijver, hoewel hij grootse boeken heeft geschreven. Voor hem is *Earthly Powers* meer een blauwdruk voor een grote roman. Hij is niet de enige die hem de status van groot schrijver ontzegt. Carel Peeters schreef in 1993 in *Vrij Nederland* een in memoriam waarin hij beweerde dat Burgess nooit tot de groten zal behoren omdat zijn personages te kil zijn en menselijke warmte ontberen. Een curieuze visie, want sinds wanneer wordt het talent van de schrijver beoordeeld aan de hand van het karakter van zijn personages? In elk geval bevindt hij zich hiermee in goed gezelschap: Vladimir Nabokov kreeg precies hetzelfde verwijt.

Nog merkwaardiger was de reactie van Kees Fens in *de Volkskrant* in een recensie van Lewis' boek. Geschokt en geïrriteerd door de pogingen tot karaktermoord in dit boek, nam Fens het op voor de schrijver met de opmerking dat hij hierdoor Burgess *bijna* een groot schrijver ging vinden. Literaire status die afhankelijk is van dialectiek.

Dit sluit aan op de visie van Lewis: volgens hem zal Burgess niet tot het pantheon toetreden omdat hij weigerde zijn persoonlijke tragedies (hij groeide op zonder moeder, zijn eerste vrouw dronk zich dood) literair uit te buiten. Hij zou te cerebraal zijn. Met andere woorden: hij ontbeert *human interest*, existentiële diepgang. Zijn interesse, zijn enige interesse, is de taal en dat maakt hem onmenselijk. 'Geen schrijver staat boven de taal. Schrijvers *zijn* taal. Elke schrijver is zijn eigen taal.' En:

'*...Poetry is made out of emotions,' he pronounced.
'Oh no,' Enderby said. 'Oh very much no. Oh very very very much no and no again. Poetry is made out of words.'*

Het zou Burgess ontbreken aan de 'artistieke huivering', aan emoties. Als hij in *You've Had Your Time* (1990), het tweede deel van zijn prachtige bekentenissen (het eerste deel *Little Wilson and Big God* verscheen in 1987), de symptomen van levercirrose beschrijft, waaraan zijn eerste vrouw Lynne (Llewela Jones) zou overlijden, meldt hij dat de opgezwollen buik, *ascites* in medische termen, stamt van het Griekse *askos*, wijnzak. Dit zou niet alleen smakeloos zijn, maar een ontstellend gebrek aan medeleven verraden. De vraag is natuurlijk of een schrijver zijn allerindividueelste emoties voor zich mag houden of niet. Als we hier tranen en uitgerukte haren zouden mogen verwachten, komt Burgess met een etymologische verhandeling. Zou hier werkelijk sprake zijn van een gebrek aan humaniteit in plaats van een botsing tussen de voyeuristische nieuwsgierigheid van een lezer en de begrijpelijke terughoudendheid van de schrijver? Er zijn zielen die van hun privacy houden.

Kan het niet zijn dat een man hier wanhopig betekenis en nut probeert toe te schrijven aan een gruwelijke dood van een vrouw die hij hoe dan ook liefhad. Hier speelt weer de schuldvraag op en wordt de obsessie van Burgess voor de vrije wil van de mens duidelijk: had hij de dood van zijn vrouw kunnen voorkomen? Of is zelfdestructie de ultieme vorm van arbitrium liberum? Hij citeert veelvuldig een regel van Hans Sachs uit *Die Meistersinger von Nürnberg*: *Wir sind ein wenig frei*. Dit is echter fout, het citaat moet luiden: *Sind sie ein wenig frei*, de meesterzanger spreekt hier de vrouwen aan. Hoe toepasselijker zou het citaat zijn geweest als hij dat had gecontroleerd! *Lazy sod.*

Waar het hier echter om gaat, is, zoals hij schrijft in een andere context, dat door de dood recht in de schedel te kijken, je veel van zijn smerigheid weghaalt: wij, de achterblijvers of nabestaanden van de dode voelen ons schuldig, omdat er ruimte voor ons wordt gemaakt, maar we willen geen walging – het schuldgevoel is al erg genoeg:

Cats and dogs die and are buried in the garden, but the death of a father or mother is usually a major event seen at close quarters and highly traumatic. We expect to feel guilty, because we, the childeren, are being made room for, but we do not expect to feel disgusted. The desperate asthma, the rattle, the rictus are so mechanical and depersonalizing, and the collapse of the excretory system, with its aftermath of a ruined mattress waiting days for the garbage cart, is a sub-Rabelaisian joke in very bad taste.

Toen zijn zoon Paolo (waarschijnlijk niet van Burgess al zegt hij dat hij 'iets van zijn neus had') een zelfmoordpoging ondernam, sprak de vader: 'Hij kan nooit iets goed doen.'

Voor Rabelais was een mens een vat vol drek en urine met een sublieme geest. Die geest probeert Burgess te vangen in woorden, een vorm van transsubstantiatie. Taal was voor hem de spiegel van de het menselijk brein. Zijn fascinatie voor de eucharistie en de implicatie van kannibalisme ervan (hij beweert ooit een stuk mensenvlees te hebben gegeten) worden het mooist uitgewerkt in zijn sciencefictionroman *The Wanting Seed* (1962), waarin de overheid de overpopulatie tegengaat door een verbod op bevalling, door homoseksualiteit te promoten (*'It's sapiens to be homo'*) en oorlogen te organiseren tussen mannen en vrouwen, waarbij de slachtoffers geprepareerd worden tot voedsel en ingeblikt (de implicatie, zoals hij elders uitlegt en denkt in de roman te hebben gebruikt, hetgeen niet zo is, is dat *munch* en *Mensch* dicht bij elkaar liggen). Waarom zou je elke zondag in de kerk het lichaam van Jezus eten en Zijn bloed drinken, al is het in effigie, en geschokt zijn door werkelijke antropofagie? In *Earthly Powers* keert dit terug.

De herhaling is belangrijk in het werk van Burgess – belangrijk en vermoeiend. Het is verbazingwekkend dat een overproductieve schrijver die werkelijk alles lijkt te hebben gelezen dat ooit gepubliceerd is en die over elk onderwerp schreef, zo relatief beperkt is in zijn thematiek. Hij gaf toe dat zijn productiviteit (hij schreef duizend woorden per dag en aan verschillende boeken tegelijk) een gebrek aan introspectie met zich meebrengt. Er was geen rustpunt tussen het ene boek en het andere, daarbij kwamen nog de artikels, de essays voor verschillende kranten, zowel Engelse, Amerikaanse als Italiaanse, de lezingen en colleges op verschillende universiteiten, de vertalingen en de scenario's voor theater, film en musical. Hij deed ook nog het huishouden, zijn tweede Italiaanse vrouw was niet het schoonmaaktype. En laat ik niet vergeten dat hij ook muziek componeerde.

Zo vloeit het ene boek uit het andere voort en vloeien de zinnen van het ene werk naar het andere. Hij wilde herinnerd worden om zijn volgende onvertaalbare zin: 'She breathed on him (although a lady should not eat, because of the known redolence of onions, onions) onions.'* Maar deze zin komt in zeker drie boeken voor. Het moet uit wanhoop zijn dat hij vond dat een schrijver niet alleen aan de hand van zijn kwaliteiten beoordeeld diende te worden, maar ook naar omvang en variatie. Dat laatste is niet zijn sterkste kant, het voorlaatste is zijn kenmerk bij uitstek en van het eerste heeft hij genoeg.

Dan weer wees hij erop dat hij tien jaar (soms werd dit vier jaar) aan zijn magnum opus had gewerkt. Kwantiteit kan uiteraard voor bewondering zorgen als het caleidoscopisch is, maar die kwantiteit wordt tenietgedaan door een gebrek aan variatie en de vele overlappingen. Lees bijvoorbeeld zijn vele artikels over Frankrijk en de Franse taal; hij zegt steeds dezelfde dingen op een niet altijd andere manier: vertrouw nooit een taal die aqua tot *eau* verbastert. Een hoogst citeerbare zin.

---

* Een lezer stuurde mij een mail naar aanleiding van dit stuk, waarin hij bewees dat de zin wel vertaald kon worden: 'In haar adem rook hij (hoewel dames, volgens de etiquette, mijden moeten, vanwege de geur van uien, uien) uien.' Waarvoor mijn erkentelijkheid.

Burgess de scepticus die misschien wel de katholieke kerk zijn rug toe-keerde, maar nooit bevrijd werd van de schuldige tintelingen tussen de schouderbladen, vond in de literatuur een substituut voor religie en gods-dienstige ijver. Niet alleen schiep hij een wereld enkel uit taal, het schrij-ven was een daad van verzet tegen de dood, een ritueel van substantiatie: het papier is zijn lichaam, de inkt zijn bloed. Hij geloofde heilig in de ver-lossing van het woord, tegenover de sterfelijkheid van de mens stond de eeuwigheid van taalbouwsels, taal vormde de aders en het hart en de ziel van de mensheid. Leven is schrijven, daarbuiten is er de afgrond van de wereld zonder begrip en met zijn afgrijselijke eenzaamheid. Veel belang-rijker nog is dat alleen een leven *in* de taal bescherming biedt tegen een tirannieke tijd. Alleen zo kon hij verder leven in een tijd waarin Lynne nog niet gestorven was. Taal triomfeert over tijd. Op zijn sterbed (hij overleed aan longkanker) schreef hij nog het postuum uitgegeven *Byrne: A Novel* (1995, een novelle in dichtvorm).

Zijn bekentenissen beginnen met de volgende zin: '*If you require a sen-tentious beginning, here it is. Wedged as we are between two eternities of idle-ness, there is no excuse for being idle now.*' Dit is een duidelijke verwijzing naar het begin van *Speak, Memory* ('*The cradle rocks above an abyss, and common sense tells us that our existence is but a brief crack of light between two eternities of darkness.*'), de autobiografie van Nabokov waarin deze het pa-troon, of het weefsel van de tijd poogt te ontrafelen. Zoiets was niet aan Burgess besteed, tijd was een angstaanjagende leegte die door ijver ge-vuld moest worden. Het bewustzijn moet tot een mechaniek, *a clockwork orange*, gereduceerd worden om de pijn uit te sluiten. Niet de pijn van zijn verlies van moeder, vrouw, vaderland, maar de pijn van het bewustzijn. Want de pijn van verlies wordt niet veroorzaakt door het verlies zelf, maar door het bewustzijn van dat verlies.

Het werk van Burgess kan gezien worden als een vlucht van een fysiolo-gisch naar een linguïstisch bewustzijn – een kreupele vlucht, om niet te zeggen mislukte. Wat lezers als Peeters en Lewis denk ik bij hem missen, is een inkijk in iets wat als ziel omschreven kan worden, hetzij die van de schrijver zelf, hetzij die van zijn personages. Maar wat maakt een literaire ziel? De taal of de (literaire) persoonlijkheid van de schrijver die als het laatste licht tussen de wolken van zijn stijl straalt? Daar worstelde Burgess mee en daar worstelen zijn lezers mee.

Ironisch genoeg hebben de rancuneuze kastijding door Lewis en de verdediging van Fens juist die menselijkheid naar boven gebracht die Peeters zo miste. Burgess blijkt, onder het masker van taalvirtuositeit en filologische kilheid, wel degelijk menselijk, want het beschermen waard en dus kwetsbaar. De bewonderaars wisten dat allang. Lees *Beard's Roman Women* (1976), waarin het gemis van een overleden vrouw invoelbaar wordt beschreven, evenals de liefde voor een nieuwe vrouw:

> *He had her in his arms, flooding with relief, gratitude, lust, affection, anger at so long a deprivation, guilt inevitably at having rejected (for that was what the companionate marriage had been about) Leonora's gross sick body, now very sharply presented to him in terms of this lissom healthy one. Her kiss tasted of toothpaste and wallfruit, one tracing of her warm back's curve gently down to the waist and more opulently out to the buttocks made him whish to sob with a kind of complex emotion that seemed closer to a kind of cosmic rage than the humility of thankfulness at a bliss so long denied now to be openly granted. Anyway, it was a bliss prolonged ending in many kisses, for which he had not realized how hungry he was, and this meant words that were there corollaries, like 'my love' and 'amore', 'darling' and 'tesoro mio'.*

(Onnodig te zeggen dat Leonora zijn eerste vrouw was.)

Het einde van dit boek (*'Drank too much, of course, but it's many a good man's weakness.'*) prikkelt de ogen en veroorzaakt een brok in de keel. En wie durft werkelijk te beweren dat *Nothing Like the Sun* (1964, over het liefdesleven van Shakespeare), zijn meest lyrische en sensuele boek, of *A Dead Man in Deptford* (1993, over Christopher Marlowe), of *Earthly Powers*, gebrek aan 'warmte' vertonen? Kenneth Toomey, de tweederangs homoseksuele schrijver, de ik-persoon van de roman, is een sentimentele man, wanhopig op zoek naar liefde en worstelend met de religieuze en moralistische implicaties van zijn geaardheid.

Merk op dat alleen door een homoseksueel alter ego te creëren, Burgess in staat bleek te zijn diepgang te verlenen aan een personage en diens zoektocht naar veiligheid en erkenning in een chaos die 'wereld' wordt genoemd en geen veiligheid, noch liefde in overvloed heeft. Of anders gezegd: zijn transsubstantiatie is gelukt.

Wist u trouwens dat 'wereld' afkomstig is van het Germaanse *wer* (man, vgl. Latijnse *vir*) en *ald* (leeftijd) en dus betekent de tijd die een mens leeft? Burgess is aanstekelijk en wat hem tot een groot schrijver maakt, is zijn resonantie in de geest van de lezer – het enige hiernamaals voor literatuur: zijn taal zet zich om in mentale en imaginaire ervaringen die het landschap uitmaken van de lezer, woorden worden oorden in de geest; een metamorfose, de ultieme transsubstantiatie – van inkt naar psyche – waartoe alleen grote schrijvers in staat zijn.

Writing heavily

Writing heavily, zo omschreef de Engelse auteur Anthony Burgess, gestorven op maandag 22 november 1993, ooit zijn bezigheid. Een opmerkelijk bijwoord, want gewoonlijk spreekt men van een 'zware drinker' en
niet van een 'zware schrijver'. Toch omschrijft dit precies zijn visie op zijn
kunst: 'Boeken schrijven is zwaar voor het brein en martelend voor het lichaam; het veroorzaakt tabaksverslaving, een bovenmatige afhankelijk-
heid van cafeïne en dexedrine, aambeien, dyspepsie, chronische paniek-
aanvallen, seksuele impotentie,' schrijft hij in *Urgent Copy: Literary
Studies* (1968). Verslaving is geen moreel issue, maar een levensbehoefte
en wat dat betreft was schrijven voor Burgess een levensbehoefte. Mensen beoordeelde hij aan de hand van hun literaire en linguïstische kennis
en iemand hoorde hem zijn eerste vrouw Llewela ('Lynne') Jones (1920-
1968) een *stupid cow* noemen omdat zij niet wist wie de gedichtencyclus *A
Shropshire Lad* van A. E. Housman op muziek had gezet. Hij kon zelfs opschieten met twee broers, die minnaars waren van zijn vrouw, omdat zij
gedeelde literaire voorkeuren hadden. Wat literatuur voor Burgess ook
geweest moge zijn, in elk geval niet het synoniem van liefde.

Anthony Burgess is vooral bekend om de titel van een van zijn beste
boeken, dat overschaduwd is door de verfilming ervan: *A Clockwork
Orange*, gepubliceerd in 1962 en verfilmd door Stanley Kubrick in 1971.
Er zijn weinig mensen die de controversiële film niet kennen; minder
mensen hebben het boek gelezen (de enige Nederlandse vertaling die ik
ken, zou ik niet willen aanraden).

Burgess, aanvankelijk nog een bewonderaar van de film, zou verbitterd
raken over alle dingen die direct uit het boek waren gelicht, maar die aan
Kubrick werden toegeschreven. Zo werd het idiolect van het boek, een
soort koeterwaals van Engels, Russisch, elizabethaans en zigeunerbar-
goens, aan de regisseur toegeschreven. De schrijver voelde zich toen
genoodzaakt een brief naar de krant, waar deze onzin werd verkondigd,
te sturen, waarin hij erop wees dat híj de taal had verzonnen. Zijn verbitterdheid (een leidmotief in zijn werk en leven) bereikte een hoogtepunt

toen hij in een artikel, opgenomen in de dikke bundel *But Do Blondes Prefer Gentlemen: Homage to QWERT YUIOP* (1986), schreef dat lezers die de film van Kubrick hadden gezien, konden weten dat *droog* in het Russisch 'vriend' betekent. Het was Burgess die dit woord had verengelst. Dit was geen verzuchting, noch berusting – dit was een eenzijdige wapenstilstand. Kubrick liet nooit iets van zich horen; het was aan Burgess om zowel boek als film te verdedigen, onder andere in Cannes. Kubrick haalde de film na heftige beschuldigingen van geweldsuitlokkerij uit de roulatie. In 1985 sloeg Burgess weer toe in een eerbetoon aan regisseur Orson Welles, die hij een betere regisseur vond dan zijn bebaarde en teruggetrokken kwelgeest Kubrick – ergens noemt hij hem Zubrick (van het Arabische *zubb*, vulgair voor penis) en Lubrick (dit hoef ik niet uit te leggen). Dit geeft overigens meteen zijn ontzagwekkende, maar niet immer foutloze kennis van verschillende talen aan. En zijn grillige rancune.

Zo schreef de criticus Geoffrey Grigson in 1968 dat het karakter achter het proza van Burgess 'grof en onaantrekkelijk moest zijn'. Dat heeft hij geweten. Niet alleen gebruikte Burgess de naam van de criticus in een van zijn vertalingen van obscene en blasfemische gedichten uit het Italiaans als een neologisme voor testikels, in het pseudovoorwoord van zijn roman *The End of the World News* (1982, een bewerking van drie onopgevoerde musicallibretti over het leven van Freud, Trotski en apocalyptische sciencefiction) wordt het poëtisch werk van Grigson in het gespinnenwebde toilet van de fictieve schrijver aangetroffen met uitgescheurde pagina's.

Waar Burgess raasde omdat zijn boek en de film *A Clockwork Orange* (een uitdrukking die hij in 1945 in een kroeg hoorde: *as queer as a clockwork orange**) tot een Siamese tweeling met elkaar waren vergroeid, zo kon hij uit ressentiment zich vastbijten in wat hij verfoeide. Vijfentwintig jaar na dato fulmineerde hij nog steeds tegen het afschaffen van het duodecimale systeem van de Engelse munteenheid. Hij schreef dat wraak altijd een kwestie is van tijd.

Leven en werk, feit en fictie liepen bij Burgess altijd hand in hand. In 2002 verscheen *Anthony Burgess* van Roger Lewis, een bizarre 'biografie', een kritische beschouwing van Burgess' werk en een zwartgallige poging tot karaktermoord. Lewis probeerde feit en fictie te scheiden en kwam tot de conclusie dat Burgess een leugenaar was die zijn verleden verzonnen had. Opvallend genoeg greep Lewis wel terug op het proza van Burgess

---

* Al komt de uitdrukking in geen van Partridges slang-woordenboeken voor: orange is hier waarschijnlijk en verwijzing naar het Maleisische *orang*, wat 'mens' betekent.

waar documenten hem in de steek lieten. Hij werd dus slachtoffer van wat hij Burgess verweet. Waarom geloof je een onbetrouwbare schrijver alleen op punten waarin je hem niet kunt tegenspreken? Daarbij had hij de neiging om de stijl en kennis van zijn onderwerp te proberen te overstijgen – tevergeefs, uiteraard. Maar zijn boek is leesbaar en bevat interessante inzichten en Lewis is bij mijn weten de enige persoon die het complete, uitgegeven werk van Burgess daadwerkelijk heeft gelezen.

Nu is de langverwachte biografie van Andrew Biswell verschenen, *The Real Life of Anthony Burgess*. De titel is een verwijzing naar de roman van Vladimir Nabokov *The Real Life of Sebastian Knight* (1941), waarin de verteller het leven probeert te reconstrueren van zijn broer, een schrijver. Hoewel het ene boek non-fictie is en het andere een vrucht van de verbeelding, hebben beide als thema de onmogelijkheid iemands identiteit en leven te puren uit de mythe die de bewuste persoon om zich heen heeft geweven.

Bij een schrijver blijkt dit een heikele kwestie. Ik heb het hier niet over het cliché dat schrijvers de waarheid liegen. We verzinnen tot op zekere hoogte allemaal ons verleden, omdat het geheugen een vorm van verbeelding is. Burgess was echter niet geïnteresseerd in verbeelding, enkel in taal, literatuur en geschiedenis: die vormden zijn drie-eenheid. Zijn stamboom, waar hij uitgebreid op ingaat in het eerste deel van zijn bekentenissen *Little Wilson and Big God* (1987), is bij elkaar verzonnen, net zoals die van zijn vrouw Lynne, van wie hij beweerde dat zij familie was van de schrijver Christopher Isherwood.

Biswell heeft tien jaar aan zijn biografie gewerkt. Tot aan de dood van Lynne door cirrose (zij dronk zich dood na drie zelfmoordpogingen) is hij gedetailleerd en uitvoerig. Na het tweede huwelijk van Burgess met de Italiaanse vertaalster Liliana Macellari tuimelt het boek snel zijn einde tegemoet. Met Macellari had Burgess een zoon (ondertussen overleden) en hoewel zijn naam niet op het geboortecertificaat wordt genoemd, gelooft Biswell dat hij daadwerkelijk zijn zoon was. Lewis is sceptisch. De waarheid zal misschien wel nooit achterhaald worden.

Net zomin de waarheid achter het verhaal dat er abusievelijk bij Burgess een hersentumor werd geconstateerd toen hij in Maleisië en Brunei werkte als onderwijzer. Hij keerde terug naar Engeland en hoorde dat hij nog een jaar te leven had. Hij besloot, zo gaat het verhaal, een professionele schrijver te worden en zeven boeken in dat ene jaar te schrijven, zodat zijn toekomstige weduwe nog enig inkomen zou hebben via de royalty's. Hij schreef al sinds zijn dertiende; rond zijn zeventiende publiceerde hij artikelen, verhalen en gedichten in studentenkranten; rond zijn dertigste had hij al een roman geschreven die pas later zou verschijnen. Lange tijd dacht hij echter dat zijn werkelijke roeping muziek was. Zijn frequente, lange en naar het schijnt bijzonder aantrekkelijke monologen over literatuur en zijn bewonderde schrijvers (James Joyce, Gerald Manley Hopkins) eindigde hij steevast met de uitspraak: *Actually I'm a composer*. De terminale diagnose werd hem niet direct meegedeeld, het was Lynne die hem het nieuws overbracht. Was dit zwarte humor van de kant van zijn alcoholistische, licht nymfomanische en diep ongelukkige vrouw? Dat is wat Lewis suggereert. Biswell geeft gewoon toe dat hij er niet achter heeft kunnen komen. Beide biografen hebben de behandelende arts van toentertijd gesproken, maar konden niet veel los krijgen. Doktersgeheim. De medische dossiers van Burgess worden pas in 2094 vrijgegeven. Nog even geduld dus. Het vraagteken blijft staan.

Het is echter griezelig opvallend dat volgens een getuige Burgess al in 1950, toen hij als onderwijzer werkte aan de Grammar School in Banbury, aan een aantal collega's vroeg: 'Als je een boek of een muziekstuk kon schrijven op voorwaarde dat je een ziekte had, welke ziekte zou je dan willen hebben?' Voor hem was het lichaam een *clockwork*, een mechaniek om te defecteren, urineren en ejaculeren, gevoed door het liefst zo copieus mogelijke maaltijden en goedkope cider, aanvankelijk zijn favoriete drank – later werd dit gin. In *Tremor of Intent* (1966) wordt een erotische scène voorafgegaan door een lange opsomming van somptueuze gerechten. *One Hand Clapping* (1961), een van de twee boeken van hem die door een Burgess worden verteld die onovertuigend vermomd is als vrouw, leest bijna als een lijst van het supermarktvoedsel dat in zwang raakte door de economische groei na de Tweede Wereldoorlog. Dat er weinig vreugde in zijn boeken wordt beleefd aan seks – als er al aan seks wordt gedaan – heeft misschien te maken met het feit dat hij geen orgasmes beleefde, maar ejaculaties. Zijn leven lang leed hij aan *spermatoree*, vooral na de dood van zijn vader. Als fattige student kwam hij een keer klaar toen hij een vrouw haar zwartgekousde benen zag kruisen. Dat schrijven hem seksueel impotent maakte en zijn huwelijk met Lynne tot een lange schreeuw van ellende (erover lezen is huiveringwekkend), was een prijs die hij wilde betalen.

De koppeling ziekte en creativiteit kwam bij hem op toen hij tijdens de Tweede Wereldoorlog gestationeerd was in Gibraltar en daar in het ziekenhuis assisteerde. Lijders aan syfilis bleken een opmerkelijke creatieve opleving te krijgen. Daarnaast kende hij *Dokter Faustus* van Thomas Mann, die de verhouding tussen deze geslachtsziekte en artistieke schepping onderzoekt. Burgess zou ervan overtuigd raken dat Shakespeare aan syfilis had geleden (zie *Nothing Like the Sun*, 1964), al ontbreken daarvoor de bewijzen. Zou hij zich dan misschien een ziekte hebben ingebeeld in de hoop zijn creativiteit te verhogen? In het aangezicht van de dood gaat men scheppen.

Waar het in elk geval om gaat is dat hiermee duidelijk is dat hij, de apostatische katholiek, de moederloze eenling, in de literatuur zijn uiteindelijke stamboom had gevonden. Hij noemde zijn tweedelige autobiografie 'bekentenissen', waarmee hij de traditie van Augustinus en Rousseau voortzette. Hij zegt dat hij het vierde deel van wat een drieluik was over de memorabele dichter Enderby schreef nadat hij brieven had ontvangen van lezers van de eerste delen die het jammer vonden dat hij de onhygiënische muzenzoon had laten sterven (aan een orgasme). Klinkt dit bekend? Jazeker, Collodi, de schrijver van *Pinocchio*, en Conan Doyle, schepper van Sherlock Holmes, zetten hun verhalen voort na protesten van lezers. Ik vind dit niet geloofwaardig ; waar het om gaat is dat hij zijn personage op dezelfde lijn stelt als de twee klassieke figuren. Wat mij betreft is dat gerechtvaardigd.

Zo gaat het ook met zijn paragon James Joyce, de literaire vader die hij verkoos boven God – literatuur als geheel kwam in de plaats van de moederkerk. In één versie vertelt hij dat hij het toentertijd verboden boek *Ulysses* Engeland binnensmokkelde, in uitgescheurde pagina's over zijn lichaam onder zijn kleren verstopt. Dit is gejat uit *Pale Fire* van Nabokov. Biswell toont aan dat in de tijd waarin Burgess' smokkel zou hebben plaatsgevonden het boek al enige tijd vrij verkrijgbaar was en er dus geen noodzaak was tot smokkel.

Wat doet het er eigenlijk toe? Wie leeft in literatuur zal in literatuur begraven worden. Met waarheid heeft het uiteindelijk niets te maken. En het goede nieuws is dat we nog lang niet van Burgess af zijn. De paperbackeditie van deze voortreffelijke biografie zal sterk worden uitgebreid. Biswell heeft tien jaar in het leven van Anthony Burgess, geboren op zondag 1917 in Manchester, gewroet en hij is nog niet met hem klaar. Wij gelukkig ook niet.

En de componist van *A Shropshire Lad* was George Butterworth (1885-1916).

Poëzie van Duizend-en-een-Nacht

Laat mij spreken over dat meest omvergelopen onderdeel van de *Duizend-en-een-Nacht*: de poëzie. In het voorwoord tot zijn overgeprezen vertaling zegt Richard van Leeuwen: 'Bij deze uitgave is besloten de poëzie volledig over te nemen, hoewel het literaire gehalte soms te wensen overlaat en er niet altijd iets wezenlijks aan de tekst wordt toegevoegd.'

Ten eerste zou ik zeggen dat het aan de lezer is om te beslissen over de kwaliteit van de poëzie en ten tweede moet, bij bewezen gebrekkigheid van het origineel, dit geen vrijbrief zijn voor de vertaler om achteloos met de gedichten om te gaan (Van Leeuwen noemt dit 'vrije vertaling'). Al te vaak mist hij de *witz* van de verzen, de nagel in het hart van het gedicht. In het verhaal van Aziez en Aziezah, bijvoorbeeld, komt dit vers voor:

De mooiste nacht van mijn leven
Bracht ik door met in mijn hand een beker
Ik hield mijn ogen opengesperd
Om enkelring en oorring te verenigen

Het origineel luidt:

De heilzaamste nacht van mijn leven is de nacht
Waarin ik de beker geen rust laat
Ik scheidde mijn oogleden en de slaap
En verenigde oorbel en enkelband

Net als bij de kwatrijnen van Omar Khayyam gaat het hier om de laatste regel: de antithese tussen scheiden en verenigen, die de humor van het beeld verhoogt. Sir Richard Francis Burton (1821-1890: '*I translate the poetry simply because it's there*'), niet voor niets bijgenaamd Dirty Dick, zegt in een noot dat de oorbel (*eardrop*) de penis is en de enkelbanden zijn 'crown of glory', een nogal on-Arabisch concept; de dichter bedoelt slechts dat de vrouw de voeten hoog heeft geheven (*shaghara* heet deze bezigheid) om hem te ontvangen, totdat ze haar oren raken. Meer niet. De vraag hier is niet of dit versje iets toevoegt aan de tekst, omdat dat gedichtje er juist staat als een korte adempauze, een samenvatting van het voorafgaande. De verteller wil hier een situatie isoleren. Als we niet vergeten dat de verhalen een orale oorsprong hebben dan moge het duidelijk zijn dat de poëzie er ook is om variatie te scheppen in het ritme. Daarom worden de meeste gedichten ook geïntroduceerd door een korte formule op rijm. En niet alleen de toehoorder wordt meegenomen op de eb en vloed van een nieuw metrum (*bahr*, zee, in het Arabisch), ook de lezer ervaart de verandering van toon en cadans als een verademing.

In de liefdesverhalen komen de meeste gedichten voor, omdat de ontroering daar, de zuchten, de snikken, geknecht moeten worden door rijm en metrum. En de poëzie geeft de minnaars in kwestie iets nobels, verhevens. In de vertellingen van de *Duizend-en-een-Nacht* vertelt men om te overleven, om te vechten tegen de sterfelijkheid. Hoe zit het dan met de poëzie? Dit is een fascinerende vraag waarop ik een antwoord zal proberen te geven.

Laten we eerst kijken naar die andere vorm waarin rijm en ritme een belangrijke rol spelen. Namelijk het rijmproza, de samensmelting van poëzie en proza, dat in het Arabisch *saj'* wordt genoemd en waarin de eerste Koranverzen zijn opgesteld. In voorislamitische tijden was de saj' het instrument van de *kahin*, de waarzegger, het orakel, en in de latere soera's is er weinig saj' te bespeuren. Omdat Mohammed niet aangezien wilde worden voor een kahin en niet voor een dichter (het rijm in de late soera's valt ook grotendeels weg). Zo dondert de Koran: 'De dichters! – de blindzinnigen volgen hen; ziet u niet hoe zij in elke vallei dolen en zeggen wat zij niet doen?' Dichters zouden in contact staan met de wereld van de djinns, demonen, die hun de woorden influisterden. Elke dichter had zijn eigen *daimonium* (met zulke bizarre namen als Qarqoesh, of Dahnasj, die in de vertelling van Kamar az-Zamaan voorkomt). In het verhaal van Ishaak al-Mausili en de Duivel wordt de associatie zang/poëzie en de duivel expliciet gemaakt.

De saj' wordt, net als de poëzie, in de vertellingen toegepast om iets te isoleren maar dan in proza, en altijd is dat een lyrische beschrijving. Maar niets gaat zo aan de haal met de verbeelding van de verteller als vrouwelijk schoon. De beschrijving van de vrouw aan het begin van 'Het verhaal van de Sjouwer en de drie Dames' is een mooi voorbeeld. Overigens is er een amusante fout ingeslopen bij Richard van Leeuwen in deze passage; na de beschrijving van haar buik en navel ('groot genoeg voor een half ons benzoëzalf) lezen we: 'Ze was als een konijn met gespitste oren.' Niet alleen moet 'gespitste oren' zijn 'afgehakte oren', maar zelfs een Arabier zou een vrouw niet met een verminkt konijn vergelijken. Het moet zijn: 'en daar (d.w.z. onder de navel) was iets als de kop van een konijn met afgehakte oren.' Inderdaad, dit is een beschrijving van de pubes en het lijdt geen twijfel dat Richard van Leeuwen *hoena* (hier) heeft gelezen als *hiya* (zij).

Alleen Sir Richard Burton heeft deze saj' in zijn Engelse vertaling geïmiteerd, tot de voorbarige en onbegrijpelijke hoon van velen. Uiteraard doet Richard van Leeuwen dat niet, maar in het Nederlands zou je het originele rijm kunnen vervangen door bijvoorbeeld alliteratie en assonantie. Het rijm in het origineel is namelijk niet een schouder-aan-schoudergedrang, maar de olifantenslurf die een olifantenstaart omklemt. Met andere woorden: het rijm is er om een eenheid te scheppen in de beschrijving. Wat dacht u hiervan: '...dezen dag...reikt gereed zijn morgenweelde van gewaden: het blankgeplooide linnen van den vliet, de tintelzij van 't blauwe zonverschiet, het groene keurs van versch ontkreukte bladen, de malschen mantel van de wei, der tulpen karmozijne sprei...' Dit is een gedicht van P.C. Boutens als saj' gepresenteerd. En vanaf nu wil ik niet meer horen dat rijmproza in het Nederlands niet 'klinkt'.

De pièce de résistance van saj' treffen we aan in het al eerder genoemde verhaal van Aziez en Aziezah, een erotisch meesterwerk. Het zijn de seksuele beschrijvingen die in saj' zijn gesteld en nergens met zo veel reden: rijm en ritme geven hier de bewegingen van liefdesrituelen weer. Denk maar aan de regel uit dat sonnet van Shakespeare *('Th'expense of spirit in a waste of shame / is lust in action')*, waaruit een bepaalde afkeer van 'lust in daad' spreekt: '*had, having and in quest to have.*' Dat hondengehijg laat weinig aan duidelijkheid over en waarom Shakespeare meer met zorg behandeld dan onze naamloze verteller?

De eerste passage is in nacht 118 en de tweede in nacht 124 (dezelfde nacht waarin nog een onbegrijpelijke fout in de vertaling van een gedicht is geslopen). Beide beschrijvingen zijn kostelijk met een liefelijke cadans en ongedwongen rijm.

'We begonnen elkaar te beknabbelen en te omhelzen, te stoeien...elkaar vast te pakken en de benen te verstrengelen. We maakten de omloop rondom het Heilige Huis met zijn pilaren...'

Dit laatste is een oneerbiedige toespeling op de rondgang om de zwarte Kaaba in Mekka tijdens de jaarlijkse hadj. En dan: '...totdat haar ledematen zich ontspanden en ze ingesluimerd was.'

Ingesluimerd? Dat zal toch niet? Wees gerust: het moet zijn 'en zij in zwijm was gevallen'. Weer mist Van Leeuwen de clou: de vrouw valt flauw door een bijna monsterlijk orgasme. Een vrouw die zulk gedrag vertoont heet *raboeg* in het Arabisch en werd zeer gewaardeerd.

Vrouwen verbinden dus de twee werelden van poëzie en proza. En in een boek waarin demonen en mensen een verbond zijn aangegaan is er ook hier een interessante verbinding. Zoals al gezegd werd poëzie met de wereld van de djinns geassocieerd en ook in de *Duizend-en-een-Nacht* treffen we dat aan. In 'Het verhaal van Kamar az-Zamaan' strijden twee djinns in poëzie om wie de mooiste van twee mensen is, de prins of de prinses. Poëzie lijkt dus muziek van een andere wereld en in liefde (die maniakale trekjes vertoont in onze vertellingen) en vrouwen ('want hun listen zijn menigvoud') komen deze twee werelden van poëzie (*nazm*, het aaneenrijgen, ordening) en proza (*nathr*, verstrooiing, verspreiding) samen. Als het vertellen je het hoofd kan kosten, dan is er nog de troost van poëzie in de andere wereld.

Zie alweer Aziez en Aziezah waarin een dichtregel de onnozele hoofdpersoon Aziez het leven (maar niet zijn testikels) redt. Aziezah (een teder portret met gevaarlijk masochistische trekjes), afgewezen door haar neef Aziez (knecht van zijn lendenen), die haar liet zitten op hun huwelijk, spreekt vooral in poëzie en drukt hem bepaalde regels op het hart. Aziez staat op het punt te sterven door toedoen van een van zijn twee minnaressen en we lezen: 'Ze stond op en beval twee slavinnen mij te slaan. Ze gehoorzaamden en sloegen me tot ik buiten kennis raakte…Ik moest aan de woorden van mijn nicht denken…Op dat moment gaf God me de spreuk van mijn nicht in en ik zei: "Trouw is mooi, trouweloosheid is lelijk."' (In het Arabisch rijmt deze zin.)

De vrouw ziet ervan af hem te doden en roept: 'God zij je barmhartig…Jij hebt je neef tijdens je leven en na je dood beschermd.'

Poëzie als levensredder van gene zijde, als soelaas in voddige tijden, als gezucht in liefdeslijden. Hoe kun je beweren dat de poëzie niets toevoegt, als het zo'n onlosmakelijk deel vormt niet van de narratie alleen, maar van een groter plan, van een strak patroon. *Not text but texture*. En wat een onzin te beweren, zoals Theun de Vries doet, dat de verhalen vormeloos zijn, zoals de geest van de Arabier zelf, dat ze een uitbarsting zijn van ongeleide verbeelding. Na eeuwen van studie en adoratie en velerlei misbruik is het tijd om het boek als superieure literatuur te beschouwen, waarin de beste verhalen (en dat zijn er veel, heel veel) met grote beheersing van verschillende technieken worden gepresenteerd. Nederland heeft nu een vertaling en ik zie graag de tijd komen dat het waanbeeld dat wij (onder wie ik mijzelf niet reken) hebben van dit boek wordt bijgesteld.

Dat het boek niet wordt gelezen als een antropologische verhandeling over Arabieren, een plattegrond van de Arabische geest (en niets is zo vaag als het woord geest); want het boek leert ons niets over de Arabieren, het leert ons alleen de triomf van de verbeelding, dat tijd en ruimte overwonnen kunnen worden.

Maar ik ben pessimistisch. Nederlanders zijn onverbeterlijke moralisten met een koppige hang naar lering en dan pas vermaak. En hoewel we geen van de vertellers met name kennen, kan ik u verzekeren dat geen van hen Voskuil heet.

De deinsvaardigheid van paarden

De Italiaanse dichter Valerio Magrelli vergelijkt in een van zijn gedichten de vertaler met een verhuizer:

het verleden vertalend in een heden
dat verzegeld op reis gaat,
verpakt in bladzijden
of dozen met het opschrift
'Breekbaar'
(Vertaling Karel van Eerd)

Zoals het motto van dit titelloos gedicht aangeeft, varieert Magrelli hier op een optimistische en minder bloederige wijze op de regels van Nabokov: *'What is translation? On a platter/ A poet's pale and glaring head.'* Des dichters hoofd op een schaal roept associaties op met Johannes; toepasselijker echter is het vergelijkbare verhaal van Judith en Holofernes, omdat de castratieve implicaties van onthoofding duidelijker zijn: in het Engelse *slang* betekent 'holofernes' namelijk 'penis'. Nabokov is pessimistisch. Uiteraard gaat er altijd wat verloren bij een vertaling, maar zijn vertaling van Poesjkin bewijst, net als de vertaling van Dante door Singleton, dat woord-voor-woordletterlijkheid en een uitgebreid notenapparaat de verloren muziek zoveel mogelijk kunnen terugbrengen. Uitgevers en sommige vertalers zullen hiertegen inbrengen dat zulke vertalingen niet voor Jan Hagel zijn – wie dat ook moge zijn. Ik denk dat de vertaler meer verantwoording verschuldigd is aan de vertaalde auteur dan aan zijn lezers – die toch de meest kleurrijke, verbeeldingsrijke, meegaande mensen zijn.

Als lezers moeten we óf genoegen nemen met amputaties óf een blind vertrouwen hebben dat de verhuizer het opschrift BREEKBAAR eerbiedigt. Of we moeten als een tiran met een zweep boven de kromme rug van de uitpakker staan en een scherp oog gericht houden op al zijn bewegingen, willen we voorkomen dat er gesjoemeld wordt. Zijn vlijtig gezweet en ongevraagd bilspleetvertoon mogen dan, hoe aandoenlijk ook, onze barmhartigheid niet opwekken. De barmhartigheid zou de oorspronkelijke staat van het werk moeten gelden. Het is al te menselijk om verblind te worden door vlijt, maar bij kunst telt ijver niet. Trouw, toewijding, overgave, elke term voor onderdanigheid is van toepassing. Mij is als vertaler een heilige eerbied voor de originele tekst verweten; ik denk dat die heilige eerbied navolging verdient. Ik tril van deemoed en obstetrische omzichtigheid wanneer ik een woord, nog warm en levend in mijn handen, aan een andere gewillige taal overdraag, zoals ik dat deed met het versgebakken brood dat ik in het dorpje Bertollo uit de openbare oven naar huis bracht waar een haberdoedas mij in geval van slordigheden wachtte.

Natuurlijk, we kunnen niet elke vertaler dezelfde methode opdringen, maar verder dan die methode te onderzoeken en te kijken of ze ons zo dicht mogelijk bij het oorspronkelijke werk brengt, gaat onze welwillendheid niet. Vertalingen die 'lekker lezen' of 'niet lezen als een vertaling' hebben de waardering van veel lezers. Ook roemt men vertalers die 'de geest' van een werk overbrengen, daarbij vergetend dat geen enkele geest zonder omhulsel voort kan leven. Borges, een voorstander van vertalen naar de geest, zei dat je de 'moderne' lezer niet kunt lastigvallen met de 'koeienogige Helena', want wij zouden in onze viervoetige Pierrots geen schoonheid zien. Ik zou zeggen dat wie Homerus nu leest juist een reis terug in de tijd verwacht en naar een wereld waar men de schoonheid van zulke vergelijkingen wél zag. Waarom er een afkeer bestaat van de metafrase, het woord voor woord vertalen, is mij altijd onbegrijpelijk geweest. Of zou het te maken hebben met de onwil van sommige vertalers zich te schikken in hun onderdanige positie, in hun 'wombat work', zoals Andrew Field vertalen aanmatigend noemde: de vertaler als vroedvrouw, daar ligt meer eer in dan op het eerste oog lijkt. We spreken over de kwatrijnen van Omar Khayyam, terwijl ze, op het rijmschema na, werkelijk Fitzgeralds fantasmagories zijn: Leopolds 'Oostersch' had beter 'Victoriaansch' genoemd kunnen worden.

Uitgeverij Bulaaq heeft zich ten doel gesteld Arabische (klassieke) literatuur voor Nederlandse lezers toegankelijk te maken. De doelstelling is lovenswaardig, maar we kregen al snel een grote teleurstelling te verwerken: de *Duizend-en-een-Nacht* in de versie van Richard van Leeuwen. Maar het feit dat het vertaald was, bleek belangrijker dan de kwaliteit van die vertaling. Helaas.

Nu is er dan *Een Arabische tuin. Klassieke Arabische poëzie* door Geert Jan van Gelder, hoogleraar Arabisch aan de universiteit van Oxford. Ik ben het helemaal met hem eens als hij in zijn voorwoord zegt dat het hoog tijd werd 'dat de klassieke Arabische poëzie met een bloemlezing van enige omvang haar rechtmatige plaats in de Nederlandse taal zou innemen'. Zijn keuze is uitmuntend en geeft een uitstekend beeld van de verschillende genres, van stichtelijk tot onstichtelijk om met Gossaert te spreken.

Tegelijkertijd is er een andere anthologie van klassieke Arabische literatuur verschenen in het Engels, onder de titel *Night & Horses & The Desert* door Robert Irwin, een boek dat oude Arabische bloemlezingen voortreffelijk imiteert. De kwaliteit van de vertalingen varieert (er staan zelfs belabberde in), maar de goede smaak en frisse inzichten en vooral de grote liefde van de auteur maken veel goed.

De twee met elkaar vergelijken zou oneerlijk zijn, omdat Irwin verschillende vertalers opneemt, terwijl Van Gelder alles zelf heeft vertaald. Laat het meteen gezegd worden: hij heeft hard gewerkt, zijn eruditie is bewonderenswaardig, zijn smaak excellent. De vertalingen zijn een ander verhaal. En als we de vertaler beoordelen op zijn beste werk, dan moeten we wrang genoeg constateren dat zijn beste vertalingen de minste gedichten betreffen. Dat zijn de scabreuze, de meest amoureuze en excentrieke gedichten.

In de inleiding klaagt Van Gelder over de compactheid van het Arabisch, die in een letterlijke vertaling een veelvoud aan lettergrepen oplevert. Waarom dit een probleem is, begrijp ik niet. Het is een feit en daar valt weinig aan te veranderen. Daarom stelt hij zich ten doel om het aantal lettergrepen in het Nederlands te minderen. 'De compressie van het origineel,' geeft hij toe, 'doet veel verloren gaan, maar de essentie kan bewaard blijven.' Alsof de essentie in poëzie niet het detail is. En niet zonder trots vergelijkt hij het aantal lettergrepen van zijn vertaling met het aantal van andere, betere vertalingen. Dit is ongelooflijk: hij kortwiekt en castreert elke regel om maar aan een beoogd aantal syllaben te komen en offert daarvoor dictie en beelden op. Bij de Andalusische dichter Ibn Chafaadja (gestorven in 1139) vervallen de parallellismen waar hij zo dol op is. De regel: 'Ik sleepte er duisternissen zwart van lokken, om te omhelzen hoop, blank van borstgebeente' wordt bij hem 'Dan trok ik de zwartgelokte / duisternissen weg / om mijn hoop, met haar / blanke borst, te omhelzen.'

Zijn getel maakt het resultaat er niet beter op. Wat we overhouden is een kale, kille vertaling, waarin een dichter uit de zesde eeuw, met een voorkeur voor opulentie en vreemde woorden ('gharieb' in het Arabisch, de lust van exegeten en filologen én natuurlijk van de lezers zelf), hetzelfde klinkt als een scabreuze verzenmaker uit de twaalfde. Dit kan niet de bedoeling zijn. De bloemlezing lijkt het werk te zijn van één dichter die meer genres beoefent dan goed voor hem is en die een nogal temerige, monotone stem heeft. De verhuizer van Magrelli geeft stotterend een beschrijving van wat er in de dozen lag en probeert met vegende voeten de scherven (en er stond nog wel BREEKBAAR!) van gebroken vazen en harten aan ons zicht te onttrekken.

Van Gelders mislukte humor komt naar voren in zijn gebruik van Engelse woorden als 'relaxed', 'killer' en zelfs een hele zin in het Frans. Het Nederlands is blijkbaar niet toereikend. En hoeveel lettergrepen zou dat relaxed hebben? Twee? Of drie, in goede Shakespearetraditie (relaxèd).

Het openingsgedicht van Imra' Al-Qais (gestorven circa 540) is een van de meesterwerken van de Arabische poëzie (niet dat dat blijkt uit Van Gelders vertaling) en heeft Tennyson geïnspireerd tot het schrijven van 'Lockseley Hall' (compleet met de beschrijving van de Plejaden). Tennyson kende het gedicht in de vertaling van Charles Lyall, net zoals Browning, die het Arabische metrum, zoals de vertaler zelf, trachtte te imiteren in het toneelstuk *Abt Vogler*. Al-Qais geeft een prachtige beschrijving van een paard, door Van Gelder vertaald met:

Een kortharig paard dat alle wilde beesten inhaalt, een flink beest,
Dat aanvalt en terugtrekt, voor- en achteruit

De Engelse vertaling van Arberry luidt:

My horse short-haired, outstripping the wild game, huge-bodied,
Charging, fleet-fleeing, head-foremost, headlong

In deze vertaling klinkt het Engels van Shakespeare door als die een paard beschrijft:

Round-hoof'd, short-joined, fetlocks shag and long,
Broad breast, full eye, small head and nostril wide

Het is boeiend om de Arabische beschrijving te vergelijken met die in Shakespeares 'Venus and Adonis'. Beide vertalers weten echter geen raad met de metafoor 'qayd al-awabid' en versimpelen deze tot 'inhalen, overvleugelen van de wilde beesten'. Letterlijk vertaald is het 'een kluister van het wild', dat wil zeggen dat het paard zo snel galoppeert dat het wild, wanneer hij het inhaalt, gekluisterd lijkt, omdat het, in vergelijking, zo langzaam rent. Dat 'voor- en achteruit' lijkt mij toepasselijker voor een auto dan voor een paard; 'moeqbilin, moedbirin' is voortvaardig, deinsvaardig, dat wil zeggen dat het goed naar voren treedt en goed deinst wanneer daar reden voor is. De hele regel heeft in het Arabisch een onomatopeeïsche, adembenemende vaart: mikarrin mifarrin moeqbilin moedbirin, die Arberry wel weet te benaderen.

In hetzelfde gedicht wordt de bliksem vergeleken met de lantaarns van een monnik die olie morst op de pit, maar Van Gelder maakt (zoals Arberry) er één lamp van. Omdat lampen een lettergreep te veel is? Maar de accuratesse van de vergelijking gaat wel verloren, net zoals wanneer hij tandenstokers van een bepaald soort hout (waarmee de vingers van een vrouw worden vergeleken) vertaalt met 'tandenborstel'. Tandenborstels! In de zesde eeuw! In de woestijn! In hetzelfde gedicht vertaalt hij 'moechalchal', de plaats van de 'choelchaal' (enkelring), dus de enkel, met kuiten, terwijl juist een mollige enkel, waarvan de botten onzichtbaar zijn, als schoonheidsideaal werd gezien.

Het zijn vooral de grote dichters aan wie Van Gelder zich vertilt en die er bij hem bekaaid van afkomen. Zolang hij natuurlijk maar aan zijn aantal lettergrepen komt. De voorbeelden zijn legio. De moeite die de dichters zich getroostten om uit het rijke vocabulaire van het Arabisch dat ene juiste woord te vinden wordt met één veeg tenietgedaan. Wat we overhouden zijn door de wind vervaagde kampresten waar de dichters huilend herinneringen aan hun geliefde ophalen: wij als lezers hebben ons bij hen geschaard om te huilen om wat er rest of niet rest van hun werk.

De aanhef van As-Sjanfara (zesde eeuw) luidt bij onze vertaler: 'Laat jullie rijdieren opstaan, zonen van mijn moeder.' In het origineel staat er: 'Verhef, zonen van mijn moeder, de borsten van jullie rijdieren.' De bravoure gaat hier verloren alsook de implicatie dat met 'rijdieren' kamelen wordt bedoeld: wie een kameel ooit heeft zien opstaan zal de toevoeging van borst niet alleen kunnen waarderen, maar ook als onmisbaar ervaren. Soms dringen zich in de vertaling stijlfiguren op die in het origineel niet voorkomen, zoals bij Dhoe Roemma: 'waarnaar de dauw / is opgestegen uit een avondlijke waterpoel.' 'Avondlijke' hoort bij dauw, niet bij waterpoel (in het origineel wordt de naam van de waterpoel gegeven), maar waar de dichter wel een hypallage gebruikt in hetzelfde gedicht, daar laat Van Gelder het afweten. In ditzelfde gedicht komt ook een blunder voor: de mirage die de bergtoppen omhult, wordt in het origineel vergeleken met repen van witte pure zijde en niet met het schijnsel van een zwaard (beide 'firind'), omdat het schijnsel van een zwaard nu eenmaal niet om bergtoppen 'gewonden' kan worden.

Van Gelder vertaalt met het ene oog gericht op de tekst en het andere op zijn hand om het aantal lettergrepen te tellen. Alle woorden die als lustige puppy's kwispelen en springen om meegenomen te worden op de avontuurlijke reis naar het buitenland – het land van een groene en weelderige taal die Nederlands heet – zien de deur voor hun tranende snuitjes dichtgegooid worden. Verder heeft hij niet alle gedichten compleet opgenomen. Een gedicht van Omar ibn abi Rabi'a ('Sta stil, mijn vrienden. Laat ons deze kampplaats ondervragen') moet zeven regels missen.

Een gedicht van Madjnoen Laila ('Toen ik de berg Taubaad zag, barstte ik in snikken uit') mist de laatste, lillende, lastige, ontroerende maar bovenal onmisbare regel en regen van tranen:

Sidjaalan wa hattaanan wa wablan wa diematan
Wa sahhan wa tisdjaaman ilaa hamalani

Hierin specificeert de dichter in regenmetaforen en in een min of meer tautologische reeks zijn tranen, waarin hij (hij heet niet voor niets Dwaas) verschil ziet. Het is een zin die letterlijk overstroomt. Hoe dat te vertalen? De geest van Gorter wordt te hulp geroepen en gezegend zij het Nederlands om zijn koppelmogelijkheden:

Volle akers en tappelregen en gulle vloed en regenstroom
Overstroom en gietend rein tot brimmens toe

Dit is maar één mogelijkheid. 'Sidjaal' is meervoud van 'sidjl' en betekent een volle putemmer (aker is een emmer om water te putten) en 'rein' is een variant voor regen. 'Hamalaan' (voor het overstromen van ogen en andere waterhouders) is 'brimmen' dat ik met goedkeuring van Guido Gezelle gebruik. Denk niet dat de lezer van het Arabisch geen enkel woord hoeft op te zoeken. 'Hattaan' (tappelregen) is een bui van korte duur, 'wabl' is aanhoudende regen, zoals 'diemah'; 'sahha' is in grote hoeveelheden regenen en stromen, net zoals 'tisdjaam'.

En dat 'barstte ik in snikken uit': het Arabische 'adjhasha' wordt gezegd van een kind dat, wanneer het in huilen gaat uitbarsten, naar zijn moeder rent om zich in haar omhelzing aan gesnik over te geven. Een prachtig woord. Dat vastklampen aan de moedertekst had ook Van Gelder moeten doen, zonder acht te slaan op de hoeveelheid lettergrepen die zulke onderdanigheid, trouw, liefde en verbeelding (de vier kenmerken van de goede vertaler) vereisen. De Arabische poëzie is het meer dan waard.

Dolende oosterling

Er zijn boeken waar je bij eerste lezing verliefd op wordt en die, bij her-lezing, steeds de euforie van de coup de foudre weten op te roepen. Je slaat niet meer een boek open, maar een herinnering en plotseling geurt die liefde je weer toe – onveranderd, heimweeïg en vertederend. En ik zeg bewust 'geuren' omdat de geest heel goed in staat is tot reukzin. En zoals dat bij verliefdheid gaat (want de mens is gelukkig onvolmaakt), word je er ook bezitterig en jaloers van. Je geeft het boek aan vrienden, je brengt een aubade en serenade op het werk, ongeacht de tijd van de dag, maar wanneer je merkt dat andere mensen met dezelfde geestdrift erover praten of schrijven, dan word je jaloers.

Een boek dat een herinnering wordt en jaloezie opwekt – kan litera-tuur iets hogers bereiken? Zo'n boek is *Ali en Nino* van Kurban Saïd. Kur-ban Saïd is een pseudoniem. Het werd in 1974 bij De Harmonie gepubli-ceerd in een vertaling van Else Hoog, gebaseerd op de Engelse versie door Jenia Graman van het Duitse origineel, dat in 1937 verscheen in Wenen. In haar voorwoord getuigt zij van de verliefdheid waarop ik hier-boven doelde en voegt eraan toe: 'Ik ben blij dat ik dit vergeten meester-werk voor de vergetelheid behoed heb.'

Die blijdschap wordt door veel lezers gedeeld, evenals de jaloezie. Het boek, dat gaat over de liefde tussen Ali Khan Shirvanshir, een jonge mos-lim van adel uit Bakoe (de hoofdstad van Azerbajdzjan), en de Georgische prinses Nino Kipiani, is in dezelfde hoofdstad tot een waar nationaal epos uitgegroeid. Het schijnt dat elke al dan niet tandeloze bewoner daar be-weert de echte Saïd te hebben gekend of familie van hem te zijn geweest. Regisseur Pieter Verhoeff, die het boek binnenkort gaat verfilmen (na een voorbereiding van twintig jaar), kan daarover meepraten: hij heeft een persoon moeten afkopen zodat hij geen problemen zou krijgen met de auteursrechten. De film zelf zal ongetwijfeld ook tegenstrijdige reac-ties oproepen bij de liefhebbers van het boek. Het valt te hopen dat Ver-hoeff niet de onmogelijke taak op zich zal nemen om de lezers te plezie-ren, maar dat hij zijn eigen, hoogstpersoonlijke visie op het verhaal geeft.

De eerste Nederlandse vertaling van *Ali en Nino* uit het Duits verscheen in 2001 bij De Bezige Bij, door Gerda Meijerink. Een vergelijking met de vertaling van Graman (en Hoog) en die van Gerda Meijerink toont direct aan dat Gramans vertaling ook een redactie betrof. Zo begint de vertaling van Graman/Hoog: 'We vormden een zeer uiteenlopend gezelschap, wij veertig schooljongens die op een hete middag aardrijkskundeles hadden aan de Keizerlijke Russische Humanistische Middelbare School van Bakoe in Transkaukasië: dertig mohammedanen, vier Armeniërs, twee Polen, drie sektariërs en een Rus.'

Meijerinks versie, die getrouwer is, begint aldus: 'In het noorden, zuiden en westen is Europa omringd door zeeën. De Noordelijke IJszee en de Atlantische Oceaan vormen de natuurlijke grenzen van het continent.'

En vele zinnen later lezen we pas: 'De leraar glimlachte voldaan. Wij, veertig leerlingen van de derde klas van het Keizerlijk Russisch Humanistisch Gymnasium in Bakoe, Transkaukasië, hielden onze adem in bij het besef hoe afgronddiep kennis kon zijn en hoeveel verantwoordelijkheid er op ons rustte. Een poosje zwegen we allemaal, wij dertig mohammedanen...'

Liefde kent bij vertalers zo haar voorwaarden en schraplust. Later verscheen een andere roman van Saïd, *Het meisje van de Gouden Hoorn* (De Bezige Bij, 2002), die zich grotendeels afspeelt in Berlijn. Dit boek heeft niet de aandacht gekregen die het verdient. Dat is jammer, want het doet niet onder voor *Ali en Nino*, het is humoristisch met kluchtige trekken, ontroerend en het is eveneens gracieus en liefdevol vertaald door Gerda Meijerink.

Lange tijd was de grote vraag wie er achter het pseudoniem Kurban Saïd (Arabisch voor 'gelukkige offerande') schuilging. De Amerikaanse journalist Tom Reiss heeft nu eindelijk de schrijver ontmaskerd en zijn biografie geschreven, in het Nederlands verschenen onder de titel *Een reiziger uit de Oriënt. Over het verborgen leven van de schrijver van Ali en Nino*, waaraan jammer en onbegrijpelijk genoeg de index ontbreekt. De titel geeft al aan dat het boek grotere bekendheid geniet dan de auteursnaam. En dat roept de vraag op waarom lezers zo nieuwsgierig zijn naar de persoon achter een boek. Er is niks mis met nieuwsgierigheid, zij is de drijfveer van het meest nobele menselijk handelen, maar waarom is het zo moeilijk om in zalige onwetendheid een kunstwerk te bewonderen? Ik denk dat het ermee te maken heeft dat een begaafd schrijverschap bij velen een begiftigd en rijk leven suggereert – niet altijd terecht. Bij Saïd klopt dat wel en zijn biografie is tevens een biografie van Europa voor de Tweede Wereldoorlog. Reiss behandelt tot in detail de politieke strubbelingen, de nationalistische borstklopperij en racistische oprispingen van de periode tussen de Russische Revolutie en de opkomst van Hitler. Hij plaatst Saïd in zijn politieke context, want Saïd, alias Essad Bey (een ander pseudoniem van hem), was een politiek dier. Veel van zijn boeken en artikels gaan over de politieke situatie van zijn tijd en vaderland. Voor zijn dood streefde hij de dubieuze ambitie na de officiële biograaf van Mussolini te worden, zoals hij de biografie van Mohammed en Lenin had geschreven. De tijd waarin hij leefde blijft echter fascineren.

Kurban Saïd was een jood die zich later bekeerde tot de islam. Zijn echte naam was Lev Nussimbaum (Essad gebruikte hij als de Arabische vertaling van Lev = Leo = leeuw) en hij werd geboren in Bakoe in oktober 1905, de precieze datum is onbekend en hij zelf droeg bij aan de mystificatie:

Geboren in...? Reeds op dat punt begint het problematische karakter van mijn bestaan. De meeste mensen kunnen een huis, of op zijn minst een plaats noemen waar ze geboren zijn. (...) Ik ben geboren tijdens de eerste Russische spoorwegstaking, midden op de Russische steppen tussen Europa en Azië, toen mijn moeder op de terugreis was uit Zürich, het centrum van de Russische revolutionairen, naar Bakoe, de plaats waar onze familie gevestigd was.

Of dit waar is of niet, doet er niet toe, maar het geeft wel aan hoe Nussimbaum al bij leven de mythe van de dolende oosterling om zich heen weefde. Hij was dol op maskerades en vermommingen, hij liep rond in de kleren van een Kaukasische krijger en vertelde leugens over de afkomst en status van zijn ouders. Zijn vrouw Erika zou van hem scheiden vanwege de leugen die spoedig verbleekten. Zoals het vermeld stond in een artikel in de *Sunday Mirror*: 'Erika was erachter gekomen dat "de verslagen van woeste avonturen die haar in gedrukte vorm hadden opgewonden, niet meer dezelfde charme hadden. – Ze klaagde: "Hij had gezegd dat hij van vorstelijke Arabische afkomst was. Pas later, na ons huwelijk in Berlijn op 7 maart 1932, heb ik ontdekt dat hij doodgewoon Leo Nussimbaum heette."'

Zij is voor zover ik weet de enige vrouw die klaagt dat haar man geen Arabier is. Goeie ouwe tijd.

De scheiding met zijn Erika was traumatisch en hij zou er nooit bovenop komen. Hij dacht er zelfs over om *Ali en Nino* te herdopen tot *Ali en Erika*. Traumatisch was ook de zelfmoord van zijn moeder Berta Sloetskin Nussimbaum, die, anders dan hij beweerde, niet van islamitische adel was (zoals hij zijn vader ook omschreef), maar joods was, net zoals zijn vader. Zij was een Asjkenazische jodin uit het gettogebied. Zij, die revolutionaire neigingen had, werkte ondergronds samen met Stalin en toen haar man, Abraham, daarachter kwam, legde zij de hand aan zichzelf. Lev heeft nooit met liefde over haar geschreven of gesproken – enkel in een lijkwade van verzinsels gehuld.

De Nussimbaums waren rijk geworden door de olie. In een van de meest vermakelijke passages van het boek beschrijft Reiss de snelle rijkdom die het zwarte goud de inwoners van Bakoe bracht. Het was een kwestie van een houweel in de grond slaan en daar spoot de olie al omhoog. De zwartegoudkoorts die de mensen toen in zijn greep had, roept veel herinneringen op aan de *Lucky Luke*-strip *In de schaduw van de boortorens* – hetgeen des te meer bewijst dat deze strip een solide historische basis heeft.

Na de Russische Revolutie vluchtte Lev met zijn vader via Turkmenistan en Perzië naar Berlijn. De indrukken opgedaan tijdens deze reis worden prachtig beschreven in *Ali en Nino* en – wat Berlijn betreft – *Het meisje van de Gouden Hoorn*. De betovering van een nieuwe stad, de onhandigheid, schaamte en verwondering die Lev zelf ondervond, zijn te herkennen in de ervaringen en gedragingen van de Turkse prinses uit de titel, die in Berlijn terechtkomt en daar, net zoals haar schepper, oosterse talen gaat studeren. Het was in deze stad dat hij zich in augustus 1922 tot de islam bekeerde, in aanwezigheid van een imam van de Turkse ambassade, en zijn naam veranderde in Essad Bey (bey, of beg, is een eretitel die oorspronkelijk prins of gouverneur betekent). Maar wel een moslim, zoals iemand die hem kende in een krant verontwaardigd opmerkte, die varkensvlees at en wijn dronk.

Hij behoorde tot de invloedrijke groep joodse oriëntalisten, zoals Disraeli en Goldziher, die hun 'oeroude woestijnadeldom' omhelsden: 'Joden zochten hun verloren "broeders" in het Oosten op en probeerden de Semitische cultuur, inclusief de islam, te verklaren voor het Westen. Joodse oriëntalisten (…) waren gespecialiseerd op het terrein van oosterse religies, talen en antropologie, maar zelfs binnen deze definitie wordt de hoogst belangrijke joodse aanwezigheid op het terrein van "oosterse studies" (oriëntalistiek) tot veler verbazing over het hoofd gezien.' Edward Saïd negeert in zijn invloedrijke werk over oriëntalisme deze belangrijke groep Semitische wetenschappers.

Na de opkomst van het nazisme vlucht Lev Nussimbaum naar Italië, naar de badplaats Positano, geliefd onder de filmsterren. Daar, lijdend aan een dodelijke infectie aan zijn voet, verzacht door hasj en morfine, wilde hij de biografie van Mussolini schrijven, maar hij schreef zes schriftjes vol met zijn memoires onder de titel *De man die niets van de liefde wist* (hier schrijnt weer de wond door de scheiding met Erika), die Reiss, door een toeval dat bijna te mooi is om waar te zijn, in handen kreeg. Hij stierf in Positano in 1942, een week nadat hij propagandatoespraken voor de fascistische radio had gegeven. Op zijn islamitische grafzerk staat de naam Mohammed Essad Bey.

Zullen zijn geheul met het fascisme en zijn eigenzinnige politieke opvattingen de waardering voor zijn twee meesterlijke boeken beïnvloeden? Niet bij deze lezer. Boeiender is zijn zoektocht naar een identiteit (vandaar de bekering tot de islam: 'Ik ben een Mohammedaan, een Mohammedaan!' riep hij verslaggevers in New York toe), en zijn pogingen om zich niet te laten kluisteren door één afgebakende identiteit. Hij wilde de vergane glorie van de woestijn en zijn geschiedenis in zich verenigen – hij zocht naar een identiteit in tijd en niet in ruimte. Een kosmopoliet op zoek naar een kosmos.

Wat deze prachtige biografie zo verbazingwekkend maakt, is hoe het mogelijk was dat de ware persoon achter Kurban Saïd zo lang verborgen kon blijven. Hij was een societyfiguur, bekend, bejubeld en verguisd. De enige conclusie is dat hij een meestervermommer was. Hij mocht dan niets van de liefde weten, maar van maskerades des te meer.

Meisje van de Gouden Hoorn

'Ik ben geen groot kunstenaar,' zegt Rolland ernstig. 'Ieder mens is de sterfelijke zoon die de eeuwige vader in zich meedraagt. Het doel van de kunst is de onzichtbare adem van de vader door een tastbaar en zichtbaar iets uit te drukken. Wanneer de mens tot niets meer in staat is dan de zoon tot uitdrukking te brengen – en alleen dat lukt me – dan is zijn kunst alleen maar oppervlakkig en onbetekenend.'

John Rolland, de mislukte kunstenaar, een van de hoofdpersonen in *Het meisje van de Gouden Hoorn* van Kurban Saïd, is in werkelijkheid de verbannen prins van Turkije Abdul-Kerim. Hij heeft zich in New York gevestigd en werkt als scenarioschrijver voor de filmindustrie. Hoewel hij zijn naam heeft veranderd en alles eraan doet om zijn verleden te vergeten, sluipt zijn achtergrond in kitscherige vormen in zijn scenario's door. Een van zijn films heet *Meesteres van de woestijn*. En erger nog: hij raakt al door nostalgie bevangen als hij een pakje Camel ziet, het merk dat hij rookt.

In *Ali en Nino* komt een andere passage voor, die, zoals die hierboven geciteerd, als een program voor beide boeken zou kunnen gelden:

...misschien bestaat er slechts één juiste indeling van de mensen: in bosmensen en woestijnmensen. De droge dronkenschap van het Oosten komt van de woestijn, waar hete wind en heet zand de mens in een roes brengen, waar de wereld eenvoudig en probleemloos is. Het bos is vol vragen. Alleen de woestijn vraagt niets, geeft niets en belooft niets. Maar het vuur van de ziel komt van het bos. De woestijnmens – ik zie hem – hij heeft slechts één gevoel en kent slechts één waarheid, die hem geheel vervult. De bosmens heeft vele gezichten. De fanaticus komt van de woestijn, de scheppende mens van het bos. Dat is waarschijnlijk het belangrijkste verschil tussen Oost en West.

Als we dit toepassen op de theorie van Rolland, dan is er voor de oosterling slechts één vader en zal elke kunstenaar uit het Oosten slechts één 'waarheid' te verkondigen hebben. Die zoektocht naar die metaforische vader is de zoektocht naar identiteit en *Het meisje van de Gouden Hoorn* gaat over de vraag wat identiteit is.

Dit klinkt zwaarder dan het is, want *Het meisje van de Gouden Hoorn*, in de elegante en bekoorlijke vertaling van Gerda Meijerink, barst van de humor en het literair vernuft.

Rolland is bevriend met Sam Dooth, in werkelijkheid Perikles Hepto-manides, een schelmse Griek, niet het eerste voorbeeld van de raciale complexiteit van wat voor Rolland en zijn toekomstige bruid Asiadeh An-bari (een verbannen prinses) enkel bekendstaat als het land van de 'onge-lovigen'. Als hij en Heptomanides Marokko bezoeken, zijn ze getuigen van het volgende schouwspel in het koninklijk paleis te Rabat (de hoofd-stad van Marokko):

Een schetterend trompetsignaal weerklonk, staal blikkerde in de handen van de negergarde. Degens en vlaggen negen. Langzaam ging de deur van het paleis open... Rode fezzen beroerden het gras van de binnenhof. Twee officieren van de keizerlijke Sjarifische gar-de reden het paleis uit. Achter hen met rustige, voorname pas twee zwarte mannen. Aan een teugel een sneeuwwitte hengst. Een met goud versierd zadel bedekt zijn rug... Achter het paard, met gebo-gen schouders, lange baarden, golvende sneeuwwitte gewaden, de ministers van het Sjarifische koninkrijk. En dan een grote koets, rijk verguld en met veel spiegels. Achter het ruitje een smal, donker ge-zicht, twee zwarte ogen en tere handen die met een kralenketting spelen: Zijne Majesteit de kalief en sjarif.

Wie het werk van Eugène Delacroix kent, zal hier denken aan zijn schil-derij *Mouley-Abd er-Rahman, sultan du Maroc, sortant de son palais de Mé-quiz, entouré de sa garde en de ses principaux officiers* (1845): de kleuren, de statigheid, de negers zijn dezelfde, alleen de koets ontbreekt. Een tafereel met alles wat men associeert met oosterse pracht en de onvermijdelijke verhalen van Shahrazaad, maar voor iemand uit het publiek blijkt dit spek-takel te veel: 'Plotseling maakt een man zich los uit de menigte toeschou-wers. Hij rent over de groene binnenplaats en zijn handen zwaaien woest... de schuine lippen zijn met schuim bedekt... en een heel vreemde hese stem roept: "Weg hier! Weg! Nu! Meteen! Er zijn geen kaliefs meer. Narrendans! Moskeeën! Kamelen! Sigaretten! Vlug weg hier!"'

Kamelen, sigaretten: dat is onze John Rolland. Het is opvallend – en van grotere betekenis – dat hij hier plotseling wordt opgevoerd als 'een man': bij het aanschouwen van zijn 'vader', namelijk het kalifaat, wordt hij de anonieme zoon die hij, volgens zichzelf, als kunstenaar is. Rolland heeft tot dan toe zijn vader proberen te begraven (in vloeistof, want hij is verslingerd aan de drank), maar komt er hier achter dat zijn vader nog leeft. Wat hem niet lukt, is eerst de vader te doden. En als we zijn theorie over de kunst doorvoeren, zouden we kunnen zeggen dat het de taak wordt van de kunstenaar de vader te doden en een eigen effigie van een vader op te zetten in zijn kunst. Maar dat druist in tegen de monomanie van de woestijnmens.

Ali en Nino is een superieur, tragikomisch liefdesverhaal, waarin de culturele verschillen tussen Ali, de adellijke moslim, en de christelijke Nino met het gemak van onstuimige maar zelfverzekerde liefde overwonnen worden – en met veel humor. Zoals Ali, de verteller, het zegt: 'in de stad deden telefoons hun intrede en openden twee bioscopen hun deuren, en Nino Kipiani was nog steeds het mooiste meisje van de wereld'. Als het voortschrijden van de tijd al niks kan veranderen aan hun liefde, hoe dan de halsstarrigheid van culturen? Maar in *Het meisje van de Gouden Hoorn* is het juist de afbakening van geografische en culturele grenzen waar het allemaal om draait. De culturele afbakening in ballingschap, om preciezer te zijn, want grenzen reizen, zoals Saïd toen al wist, mee.

Beide boeken beginnen tijdens een les, geografie in *Ali en Nino* en taalkunde in *Het meisje van de Gouden Hoorn* en beide zijn toepasselijk voor het verloop van beide verhalen. De kaart van het ene boek anticipeert op de liefde die de wankelende grenzen zal overschrijden, op de reis door de woestijn naar de poorten van Teheran (waar Ali zich moet schuilhouden) en het uiteindelijke wegvallen van de grenzen op het einde, hetgeen samenvalt met de dood in de strijd van Ali. Voor Asiadeh Anbari, de verbannen prinses die beloofd was aan Abdul-Kerim (John Rolland), herleeft haar opulente verleden in de klanken van de Turkse talen die zij studeert. Ook Asiadeh Anbari, 'het meisje van de Gouden Hoorn'. Waar hij in New York verblijft, woont zij met haar vader (een handelaar in oosterse snuisterijen) in Berlijn, waar ze de Weense dokter Hassa ontmoet en met hem trouwt. Haar taalkundige studies ('De Jakoetische vorm is "a"') vormen een humoristische antifonie met de Latijnse termen die Dr. Hassa graag gebruikt (*'rhinitis vasomotoria'*).

Asiadeh vlucht op haar vijftiende met haar vader uit het hof van Istanbul, na vier jaar in Berlijn trouwt ze, na prins Abdul-Kerim tevergeefs te hebben geschreven (naar een lukraak adres en de brieven komen aan!), met Hassa en twee jaar later, op haar eenentwintigste is ze van hem gescheiden en op weg met Abdul-Kerim naar Amerika om prinsen voort te brengen. Zoals Asiadeh droomt van het hof van haar jeugd, zo droomt Hassa van Wenen. Er is niet weinig ironie in deze verbintenis, want het was in Wenen dat de Ottomaanse Kara Moustafa, die deze stad wilde veroveren, een halt werd toegeroepen. De glorie van Wenen voor Hassa is de teleurstelling van Asiadeh, 'de stad door welks torens de macht van het oude rijk was gebroken', want had Kara Wenen wél veroverd dan had zij geen moeite gehad te leven in Berlijn: in Turkije droeg ze op haar vijftiende al de sluier en na vier jaar Berlijn kan ze er nog niet aan wennen zonder deze over straat te lopen. Zelfs het feit dat Hassa een afkorting is van Hassanovich (zijn ouders waren afkomstig uit Sarajevo, maar verhuisden na de annexatie van Bosnië-Herzegovina naar Wenen) kan geen werkelijke band smeden tussen de jonge dame en de volwassen man; hun liefde is in tedere nevelen gehuld en wordt op treffende, mistige manier beschreven: de seks is een deinend wolkenbed.

Hassa's achtergrond is voor Asiadeh, dochter van de woestijn, een product van een bos en zij legt er geen enkele interesse voor aan de dag, noch is zij bereid tot aanpassing van opvattingen. Haar leven staat niet, als dat van John Rolland, in het teken van de zoektocht naar de vader, maar is een lange verwondering over het leven van de ongelovigen. Zij eist het temperament van een Turk bij haar Weense echtgenoot en hij duldt haar 'wilde temperament' goedmoedig. Zij leven langs elkaar heen en het mooist wordt dat getoond wanneer Hassa bang is dat zij in zijn huis tegen de meubels zal stoten omdat zij ze niet gewend is; maar waar zij tegen aan loopt is niet het meubilair: 'Ze liep door de tuin langs de lange tafels. Ze stootte zich aan een boomtak en voelde zich eenzaam en godverlaten...' Het bos is vol takken. Wat de woestijnmens te doen staat is één ding: 'Wij hoeden het geloof... Alles valt uiteen in de wereld van het ongeloof.' Of in een verwarrend woud, zou je kunnen zeggen, omdat een boomblad het best te verbergen is in een bos en dat geldt ook voor de waarheid. Deze felle woorden klinken maar al te actueel, want de mens is, in de visie van zulke 'hoeders', niet geschapen om te veranderen, maar om te behouden. Opvallend is hoe Asiadeh beschreven wordt als zij aan het autorijden is: 'Even intrappen – en de auto schoot vooruit als een op hol geslagen paard. Een lichte beweging van de voet, en de auto ging langzamer rijden als een gedwee en mak huisdier.'

Een auto is niets anders dan een gemechaniseerde viervoeter.

Na zijn bezoek aan Marokko besluit Rolland Asiadeh op te zoeken en haar alsnog te trouwen. De zoektocht en ontmoeting met Asiadeh worden op een bijna kolderieke manier beschreven: Rolland zit in de films en de situaties krijgen dan ook iets van een slapstick. En het is hier dat de schalksheid van Heptomanides prachtig wordt geïllustreerd (de auteur zorgt goed voor zijn bijpersonen). Kurban Saïd lijkt de tragiek verre te houden door zijn verfijnde gevoel voor humor, maar de aandachtige lezer zullen de pessimistische schaduwen die als boomtakken het verhaal bedekken niet ontgaan. Hij weet Berlijn te beschrijven zoals gezien door de ogen van een naïeve (soms bijna onmogelijk naïeve) Turkse prinses met groene ogen en iets te korte bovenlip en het mythopoëtisch verleden van het Osmaanse rijk op te blazen zoals het in de geest van zijn personages ook opgeblazen is. Maar wat stelt dat verleden voor?

'Ze zag steppen, woestijnen, wilde ruiters en de halvemaan boven het paleis aan de Bosporus.' Alle herinneringen en beelden ontstijgen deze gemeenplaatsen niet en ik geloof dat Kurban Saïd hier met opzet zulke ansichtkaarten presenteert. Want in *Ali en Nino* heeft hij bewezen dingen beter en oorspronkelijker te kunnen beschrijven: 'De kamelen schrijden langs ons en hun koppen lijken op aren in de wind. Door woestijnen en bergen, door de witte gloed van de zoutsteppe, door groene oasen, langs grote meren draagt de karavaan zijn last.' Kurban Saïd was, zoals blijkt uit de twee boeken, goed op de hoogte van de Arabische poëzie en dit is zijn versie van de *rahiel*, de beschrijving van een trek door de woestijn. De vergelijking van kamelenkoppen met aren is een mooie en die ben ik bij geen Arabische dichter tegengekomen. En ook de passage in *Het meisje van de Gouden Hoorn* waarin een tafereel vanuit het oogpunt van een burcht wordt beschreven ('De moderne tijd was de burcht vreemd, en onverschillig keek hij neer...'; hij ziet de personages zelfs vóór dat zij elkaar zien) vindt haar oorsprong in de geliefde *pathetic fallacy* van Arabische dichters.

Wat hier al pijnlijk naar boven komt is de banale mythologisering waaraan het geheugen in ballingschap onderhevig is. Vergeet niet dat Rollands verbeelding al aangewakkerd wordt bij het zien van een pakje sigaretten: 'En plotseling werd dat drogbeeld van de kameelsnuit groter, zand wervelde onder zijn poten, trommelslagen weerklonken, droge woestijnwind sloeg in Rollands gezicht... En plotseling streelde hij ontroerd het harde papier van het sigarettenpakje.' Merk die trommelslagen op: alle herinneringen aan het grote Osmaanse rijk dreunen van de strijd en druppelen van het bloed. De nieuwe wereld is wat het Osmaanse rijk niet heeft kunnen veroveren. Het is niet voor niets dat wanneer Asiadeh haar plan in werking stelt om Hassa weer te verbinden met zijn ex-echtgenote en zodoende van hem te kunnen scheiden en met Abdul-Kerim te trouwen, in haar oor het geluid weerklinkt van trompetten die tot de aanval oproepen. Op dat moment glijden de uren voorbij als 'de kralen van een kralenketting' en de orchideeën die Hassa voor haar meeneemt lijken plotseling op slangen.

De mythes van de geest in ballingschap raken verward met de praktijken van de geschiedenis: 'De moskee,' zei hij [Rolland], 'is de uit steen gevormde geest van Azië. Talloze vreemde ogen hebben de moskeeën gezien, maar geen ongelovige was in staat de symboliek van het huis te begrijpen. Niemand weet wat de idee is achter... het vlammensymbool van de minaretten.'

Er was een tijd dat je met zulke verhalen het noordelijke hart en onopgemaakte bed van vrouwen kon winnen, maar dat is voorbij. En hoewel de antropoloog Sir Richard Francis Burton de aantrekkelijke theorie had dat de minaret afkomstig was van de lingam, is de waarheid dat de eerste minaretten (van *manaarah*: lichthuis, vuurtoren) Griekse wachttorens waren en kerktorens. De minaretten werden daarna gebouwd om steden een 'islamitische skyline' te geven. Zulke dochters van de verbeelding zijn natuurlijk de harem van de heimwee. Voor westerse kunst heeft noch hij noch Asiadeh oog: in een schilderij van Van Gogh ziet zij alleen kleurige vlekken; daarna bijt ze het oor van een man af. Voor zover de westerse kunst.

De film die Rolland wilde maken had de titel *Vaste grond*. En die vaste grond vindt hij niet bij een man of 'vader', maar bij een vrouw, Asiadeh, die alle vaders in zich herbergt die hij zich kan wensen en zoals zo schokkend blijkt uit de brief die zij richt aan haar vader en waarmee het boek afsluit, een treurige waslijn van platitudes en conventionele formuleringen: 'In de naam van God!... De wereld is groot... Weet – o vader! –... Zie, voordat mijn heer en gebieder [haar echtgenoot]... Groot zijn de wonderen des Heren... en ondoorgrondelijk zijn de wegen van Allah...' enzovoorts. De vader blijkt een trekpop van gemeenplaatsen en mensen kunnen zich er beter naar bewegen – dat houdt de wereld overzichtelijk. Als zij het boek van de middeleeuwer Osama ibn Munqidh leest, waarin hij verslag doet van zijn ervaringen met de Franken tijdens de kruistochten, knikt zij instemmend: zo zijn de Franken geweest en zo zijn ze nog steeds in haar ogen.

'Het leven, o vader, dat de ongelovigen leiden is mooi en goed voor de ongelovigen. Maar voor een vrouw uit Istanbul is dat leven mooi noch goed.'

Kurban Saïd heeft een scherp oog voor de onmogelijkheid van Oost en West nader tot elkaar te komen. Hijzelf is natuurlijk een mooi voorbeeld van de opvattingen over dat ongrijpbare ding: identiteit. We weten nu dat hij een joodse schrijver was met de naam Lev Nussimbaum, die zich uitgaf voor Kaukasische krijger. Hij past in de traditie van de bovengenoemde Richard F. Burton, die verkleed als moslim Mekka en Medina bezocht en de oosterse ziel wilde bevatten. Is Saïds visie dan een westerse visie? Wie *Ali en Nino* leest zal geen moment twijfelen aan de 'authenticiteit' van het boek: zijn schrandere geest weet heel vaak essentiële punten te raken van mensen die door het Arabische en islamitische gen zijn beroerd en een warme liefde voor zijn onderwerp doortrekt zijn betoverende stijl. Maar de vraag naar identiteit betrekt altijd twee partijen: de afbakening van de ene identiteit houdt immers een afbakening van de eigen identiteit in. En als Saïd zou bewijzen dat hij in die krochten van de oosterse ziel is doorgedrongen, waar geen andere uitheemse geest ooit is doorgedrongen, dan staat ook de identiteit van de lezer ter discussie: hoe afgebakend is zij als zij zich weet te vermengen? Dat is de reden waarom critici zo veel moeite hadden met iemand als Vladimir Nabokov en vóór hem met Joseph Conrad (Virginia Woolf weigerde hem zelfs als Engelse auteur te erkennen!). Wie zijn eigen identiteit overschrijdt, overschrijdt daarmee onvermijdelijk die van de ander.

Kurban Saïd presenteert twee visies op identiteit als een labyrint of maskerade (het bos: Hassa en Heptomanides) en als de som van naturalisme en traditie (woestijn) en ik vrees dat hij gelijk heeft wanneer hij ze presenteert als gezworen tegenstanders. De een is een metonymie (geheel voor deel) en de ander een synecdoche (deel voor het geheel): de oosterling is altijd een deel van de woestijn, waar geen boom te kappen valt. De westerling is te veel bezig met omzagen.

De skeletten die Asiadeh in het begin van het boek ziet in een etalage wordt veel later in het boek modepoppen met 'prinselijke figuren en Osmaanse neuzen'. Haar verbeelding kleedt de poppen in de klederdracht van het verleden; net zomin als op de burcht heeft de moderne tijd vat op haar.

Wat Kurban Saïd toont is dat zulke verbeelding de bron is voor verdriet in het leven, maar het instrument van de kunstenaar. Dat hij een pseudoniem koos dat Gelukkig Offer betekent is begrijpelijk: wie zijn identiteit laat vieren verliest wat (achter de stofwolken), maar wint ook wat: een vrije horizon. En hij heeft zijn vader wel opgeofferd, op zoek naar een nieuwe vader. Het vuur van de ziel komt van het bos, schreef hij, en deze literaire charmeur heeft een oorspronkelijke boom geplant in een

woestijn die ook herschapen diende te worden uit een collectieve verbeelding, hetgeen maar een onhygiënisch concept is. Daarboven torent
de individuele geest van de individuele schrijver uit: Kurban Saïd, een
schrijver die ik mijn lezers niet vaak genoeg kan aanraden.

Uit hout geboren

Er was eens...
'Een koning!', zullen mijn jonge lezers onmiddellijk zeggen.
Nee, kinderen, jullie hebben het verkeerd. Er was eens een stuk hout.

Zo begint *De Avonturen van Pinokkio* (1883) van Carlo Collodi (pseudoniem van Carlo Lorenzini, 1826-1890). Deze beginregels behoren niet alleen tot de mooiste in de literatuur, maar zijn ook kenmerkend voor het ironische spel dat de auteur zal spelen met de verwachtingen van de lezers. Het sprookjesachtige begin wordt direct ondermijnd door het realisme van een stuk hout. De nonchalance waarmee realiteit en fantasie worden vermengd, is een van de triomfen van het boek. Het stuk pijnhout kan al praten voordat er een marionet van wordt gemaakt en Geppetto snijdt een marionet die al in het hout begraven lijkt te zijn.

Als hij klaar is met de ogen, ziet hij ze bewegen en hem aankijken en hij roept uit: 'Boosaardige ogen van hout, waarom kijken jullie mij aan?' Het leven begint met de ogen. En als Pinokkio's voeten eenmaal gereed zijn, dan maakt hij er meteen gebruik van door bij zijn schepper, die hij 'papa' noemt, weg te rennen. Vlucht lijkt een belangrijk thema te zijn in het boek, dat met veel vaart is geschreven. En met veel oog voor detail. Wanneer Pinokkio honger krijgt, besluit hij een omelet te maken; hij breekt een ei, maar er vliegt een vogeltje uit. Dit is niet alleen een mooie echo van de geboorte van Pinokkio zelf, maar kan dienen als een embleem voor het hele boek.

De film van Roberto Benigni negeert de realistische kant. Wat er overblijft, is een ongeleid en onduidelijk sprookje verteld met clichématige middelen. Benigni is wel getrouw aan het boek, maar getrouwheid is geen substituut voor talent en creativiteit.

Het verhaal van Collodi onttrekt zich, net als de houten pop zelf, aan de verwachtingspatronen. Wanneer Pinokkio zijn lesboek verkoopt om een marionettenshow te kunnen zien, wordt hij als een broeder ontvangen door de marionetten Harlekijn en Punchinello. Dit lijkt erop te duiden dat hij een type is uit de commedia dell'arte, maar ook tussen zijn 'broeders en zusters' zal hij niet lang blijven. Hij is de eigengereide jongen, het nieuwsgierige knaapje dat slechts luistert naar zijn ongehoorzaamheid.

Het is deze ongehoorzaamheid die hem steeds in de problemen brengt. Hij hoopt dan ook hiervan te worden genezen wanneer hij een echte jongen wordt. Voordat hij opnieuw geboren wordt als jongen zal hij op zijn minst eerst moeten sterven. Dat gebeurt in hoofdstuk 15, wanneer de Vos en de Kat hem naar een bos leiden en hem aan een eikenboom ophangen. Il Grillo-parlante, de Sprekende Krekel, die in de Walt Disney-verbastering als zijn geweten optreedt, maar in het boek omschreven wordt als 'geduldig en een filosoof', wordt al in hoofdstuk vier door Pinokkio doodgeslagen.

En het meisje met de blauwe lokken en spierwitte huid, op wier deur hij klopt om hulp te zoeken tegen zijn moordenaars, zegt hem dat zij al dood is en wacht op haar draagbaar. De dood waart rond in hoofdstuk 15, dat afsluit met Pinokkio die 'zwaaiend als de klepel van een vrolijk schallende klok' aan de boom hangt.

Collodi, die het verhaal in afleveringen publiceerde in *Giornale per i bambini*, zou hem daar dood hebben laten hangen, als niet veel lezers daar bezwaar tegen hadden gemaakt. Dus besloot hij om, precies zoals Arthur Conan Doyle met zijn Sherlock Holmes, zijn creatie weer tot leven te brengen. En dan begint het interessant te worden, hoewel er een karakterverandering in de marionet plaatsvindt. Hij raakt veel van zijn venijn en opstandigheid en daarmee zijn aantrekkelijkheid kwijt, precies zoals Holmes na zijn herrijzenis veel van zijn cynisme kwijtraakt. Blijkbaar komt niemand ongeschonden uit de dood terug.

Maar hier ligt wel de grootste ironie van het boek besloten. De Vos en de Kat weten Pinokkio mee te leiden onder het voorwendsel dat ze naar het Veld der Wonderen reizen. En ziet! Na zijn ophanging is dat precies waar hij terechtkomt: een Veld van Wonderen, want het sprookjeselement begint na hoofdstuk 15 in alle bontheid te overheersen.

Het meisje met de blauwe lokken blijkt in hoofdstuk 16 een Fee te zijn, die meer dan duizend jaar in dat bos woont. De draagbaar, gedragen door vier inktzwarte konijnen, waarop zij blijkbaar wachtte, lijkt voor Pinokkio te zijn bestemd. Tenminste, daar dreigt zij mee, wanneer hij, herstellend op haar bed, weigert zijn bittere medicijn te drinken. En de Sprekende Krekel blijkt tot haar hofhouding te behoren. Het lijkt alsof we in de Limbo zijn terechtgekomen, het voorgeborchte van het hiernamaals.

Dit meisje heeft blauwe haren en een wit gezicht, ze heeft een koets met 'de kleur van de hemel en aan de binnenkant gevoerd met slagroom'. De kleuren wit en blauw zijn de kleuren van Maria, en haar koesterende en vergevensgezinde houding jegens de marionet met zijn houten hart doet denken aan die eeuwige moeder. Deze suggestie wordt versterkt door de naam van de vader van Pinokkio: Geppetto is een verkleinvorm van Giuseppe, Jozef.

Toch is de Fee niet alleen kuisheid en goedertierenheid, want haar koets wordt getrokken door witte muizen en zij voert het bevel over een valk. Dit doet denken aan de wagen van Venus, die traditioneel door witte duiven wordt getrokken. Later zal een duif Pinokkio naar de oceaan brengen waar Geppetto op een zelfgemaakt vlot op zoek is naar zijn zoon. In hoofdstuk 34 duikt een blauwe geit op die hem probeert te redden – het is natuurlijk de Fee. Geiten staan niet bekend om hun gebrek aan paarlust.

Het is aantrekkelijk om in Geppetto, de Fee en Pinokkio Jozef, Maria en Jezus te zien, zeker daar de ezel een belangrijk motief is in het boek. Wanneer Pinokkio aan de boom bengelt, roept hij uit: 'O mijn vadertje! Was je maar hier...!' De Fee, die hem van de strop bevrijdt, lijkt een ware Stabat Mater. En wat te denken van de houding waarin de marionet aan het einde tegen een stoel staat? 'Zijn hoofd hing naar een kant, zijn armen bengelden erbij, en zijn benen waren gekruist en opgevouwen in het midden, zodat het een wonder was dat hij kon staan.' Dit lijkt op de kruisaflegging, want naast deze marionet, met zijn hoedje van broodkorst, zijn kleren van gebloemd papier en zijn schoenen van boomschors, staat de Pinokkio van vlees en bloed: 'Wat was ik grappig toen ik een marionet was! En wat ben ik nu blij dat ik een heuse jongen ben geworden!'

Met dat eerste kunnen we het eens zijn, met dat tweede niet. Dit is de werkelijke herrijzenis. Als Geppetto de vader is en de Fee de moeder, dan is de onbevlekte ontvangenis ironisch: Pinokkio begint vóór zijn geboorte met ondeugende streken. Er is hier meer aan de hand. Wat gebeurt er met de blauwe Fee? Na haar transformatie tot geit horen we niets meer van haar, behalve dat het ivoren geldkistje met veertig goudstukken dat de vleesgeworden marionet in zijn zak vindt, van haar afkomstig is. Maar ze is niet helemaal verdwenen.

Pinokkio wordt een jongen met een levendig, intelligent gezicht, een bos kastanjebruin haar en... blauwe ogen. *Occhi celesti*, zoals Collodi zegt in zijn levendig en melodieus Toscaans, hetgeen doet denken aan de koets 'blauw als de hemel'. De prikkelende suggestie hierachter is dat het misschien wel de Fee is die tot een menselijke Pinokkio gemetamorfoseerd is. Zij lag op sterven op het moment dat Pinokkio aan de strop hing. Zij komt samen met hem tot leven en naar haar schoot zal hij steeds terugkeren. Zij is een meesteres van de metamorfose, dus waarom niet? Anders blijft de lezer achter met de vraag wat er dan met de ziel van de marionet is gebeurd. Het beste gedeelte van de versie van Roberto Benigni is het einde waar een oplossing hiervoor wordt gezocht door de schaduw van Pinokkio in een blauwe vlinder te laten veranderen: vlinders zijn een symbool van de psyche.

Het boek is ongrijpbaar en dat verklaart misschien waarom de getrouwe verfilming van Benigni mislukt is. Opvallend is vooral de sentimentaliteit, die het boek ontbeert, net zoals de nadruk op het stadje, terwijl dat in het boek onbeschreven blijft. Waar Collodi werkt met literaire textuur en patronen, zoekt Benigni een pseudometafysische invalshoek. Terwijl Collodi werkt met vaart en helderheid verliest Benigni zich in omfloerste sprookjesachtigheid. Er is een spanning tussen tekst en textuur, zoals tussen het bewegend hout en de levende wezens eromheen, die in zijn bewerking geheel verloren gaat.

Het wordt tijd terug te keren naar Carlo Collodi, en niet meer te vertrouwen op een collectief geheugen. Dan zult u ook lezen waarom Pinokkio voorbestemd was ongehoorzaam te zijn. Het staat aan het eind van hoofdstuk 3. Geppetto wil de weggelopen marionet een oorveeg geven, maar bemerkt dan tot zijn schrik dat hij, in zijn haast om de pop te snijden, vergeten was om oren te maken.

De aardse komedie

Het boek is verschenen in 2002 en is, naar ik hoop, niet vergeten. Het is niet onopgemerkt gebleven, maar niet aangezien voor het meesterwerk dat het wat mij betreft is. Tegen welk ander meesterwerk moeten we het afzetten? De literaire status van bijvoorbeeld Christopher Marlowe is altijd afgezet tegen – en belemmerd door – het werk van zijn jongere tijdgenoot William Shakespeare.

Het onderhavige boek zou vergeleken kunnen worden met *Mei* van Gorter, maar dit werk vertoont het ongeduld en de grilligheid van de jeugd, terwijl mijn meesterwerk een gerijpt en coherent karakter heeft. We moeten terug naar *Pale Fire* van Vladimir Nabokov en wel het gedicht van negenhonderdnegenennegentig regels – zonder het commentaar. En dan zal blijken dat dit romaneske gedicht het andere niet doet verbleken. Integendeel. De opwinding de geboorte van een meesterwerk te hebben meegemaakt, is van dezelfde biochemische orde als verliefdheid.

Het boek is *De aardse komedie* van Pieter Boskma. Natuurlijk, met zo'n titel vraag je om moeilijkheden, je hoort dat de messen al geslepen worden en als lezer kun je twee dingen doen: of je neemt de titel voor lief en stort je in het boek zelf, of je slaat de dwaalwegen van de toespelingen in – een overbodige exercitie, want wat voor allusies of ontleningen Boskma ook gebruikt, ze worden in een verhelderende context geplaatst en organisch in het geheel opgenomen, hetgeen eigen onderzoek overbodig maakt. Het is een provocatieve titel voor een provocatief boek.

De aardse komedie draait om de lotgevallen van de jonge fotografe Sarah, de mystiek ingestelde Hera en de dichter Tosk en hun onderlinge verhoudingen. Sarah en Tosk proberen de 'huid van de wereld' vast te leggen, via poëzie of de camera: 'en wazig spuwden / op de grond naast hun caravans, / zomaar, niet eens uit weerzin / of melancholie, gewoon omdat het / wel wat had, spuwen op dat dorre / monster, wrede korst op alle wonder'.

Hera daarentegen ontstijgt aan tijd en ruimte in visioenen en bespiegelingen in een doorzichtige wereld. Wat ze allen delen is hun visuele krachten en ze worden verenigd door de poëzie. Het boek is een zoektocht naar de relatie tussen leven en poëzie – én religie zou ik zeggen als de poëzie hier niet zelf een religieus karakter draagt. Poëzie is een staat van epifanie, van genade, maar wel van een heldere, intropectieve aard. Aards, inderdaad, en ook fysiek: de erotiek krijgt veel aandacht.

Ik geloof niet dat het boek religieus, of nauwkeuriger gezegd katholiek is. James Joyce stelde de epifanie als poëtische tegenhanger van de revelatie en gaf het woord daarmee zijn heidense oorsprong terug, manifestatie. Boskma verwerpt het religieus-mystieke aspect niet, hij ziet erin de werking en de oorsprong van de poëzie, het hoogste waartoe een mens in staat is. Hij legt de religieuze reflexen bloot in een goddeloze geest.

Deze epifanie voltrekt zich precies op het breukvlak van verheffing en val. Daar waar het momentum breekt, daar begint het besef door te dringen in een moment van 'evenwicht van gravitatie': in de vrije val die daarop volgt, begint de poëzie. Een komedie staat oorspronkelijk voor een stuk dat goed afloopt en ik denk dat dat de reden is voor de titel (het boek is tevens doortrokken van humor). Het gaat om leven en herleven, geboorte en hergeboorte. En alleen poëzie kan die herhaling bewerkstelligen. Alles loopt goed af, zolang er maar dichtkunst bestaat. En zolang er dichtkunst bestaat, zijn er intense momenten van bewust leven.

Er komt een Dante voor in het boek. Deze werpt zich te pletter nadat hij seks heeft gehad met zijn zus, de schone Laura, die zwanger raakt. Incest is van belang, want leven en poëzie hebben een incestueuze band. Dante valt ter aarde. En zo weergaloos en onweerstaanbaar als Boskma die aarde daarvoor heeft beschreven, kan Dantes val niet tragisch zijn: hij valt een omgekeerd paradijs in.

De stad der blinden

Het zijn niet de ogen die zien, maar de hersenen. Ogen zijn lenzen, maar ze vormen wel het contact met de wereld. Wat er gebeurt als die lenzen dienst weigeren, is wat José Saramago onderzoekt in zijn dystopische roman *De stad der blinden*.

Het begint met een man die voor het stoplicht in de auto zit te wachten. Wanneer het licht op groen springt, wordt hij blind, het laatste wat hij dan heeft gezien is de rode zon van het verkeerslicht, voordat zijn ogen verzinken in een 'melkzee'. Want door deze blindheid, die snel om zich heen zal slaan, omdat zij besmettelijk blijkt, leeft het slachtoffer niet in duisternis, maar in een witte gloed. Mooi is de beschrijving van de verblinding van een prostituee, die, blijkens het citaat, veel plezier in haar werk of een buitengewoon bedreven klant heeft:

...ze klopte discreet op de deur, tien minuten later was ze naakt, na vijftien minuten kreunde ze, na achttien fluisterde ze liefdeswoordjes die ze niet meer hoefde te veinzen, na twintig raakte ze buiten zinnen, na eenentwintig voelde ze haar lichaam uiteenspatten van genot, tijdens de tweeëntwintigste riep ze, Nu, nu, en toen ze weer tot zichzelf kwam zei ze uitgeput en gelukkig, Ik zie alles nog wit.

En dat zal lange tijd nog zo blijven.

Steeds meer mensen worden slachtoffer van wat de 'witte ziekte' wordt genoemd en algauw worden van overheidswege de slachtoffers en de besmetten (zij die met de blinden in contact zijn gekomen) opgesloten in een voormalig gekkenhuis, afgesloten van de buitenwereld, zwaar bewaakt door militairen, die de opdracht krijgen eenieder die probeert te ontsnappen neer te schieten. Het verhaal concentreert zich vooral op zeven naamloze personen: de genoemde automobilist en prostituee, de vrouw van eerstgenoemde, een loensend jongetje, een oude man die een oog mist, een oogarts en zijn echtgenote. Mysterieus genoeg behoudt deze vrouw, steevast aangeduid als 'de vrouw van de oogarts', haar zicht, maar zij veinst blindheid om niet van haar man gescheiden te worden. Opvallend is dat al deze personen iets aan hun ogen mankeerden voordat ze blind werden: de prostituee had ontstoken ogen en droeg daarom een zonnebril, de oude man had staar aan zijn ene oog, het jongetje loenste; en alle hebben ze dezelfde oogarts bezocht, die als eerste alarm slaat over de epidemie voordat hij zelf getroffen wordt.

Uiteindelijk zal de hele naamloze stad – wie weet de hele wereld – getroffen worden.

De groep blinden in het gekkenhuis wordt steeds groter en ontdaan van hun zicht, in erbarmelijke omstandigheden, nauwelijks van eten voorzien, vervallen de mensen in een beestachtige staat. Saramago weidt uit over de smerigheid van hun onhygiënisch leven, er zijn vele beschrijvingen van uitwerpselen, urine, verstopte toiletten, menstruaties. Niet smakelijk om te lezen, maar Saramago zou een slechte schrijver zijn als hij er geen aandacht aan schonk. En soms doet hij dat met groot gevoel voor humor, zoals bij een oude bes die haar gevoeg doet in haar woekerende tuin: 'dan zou ze daar al neerhurken met alle kippen om haar heen, en degene die vraagt waarom weet waarschijnlijk niet wat kippen zijn'.

Tussen de gedetineerde blinden neemt een groep mannen de voedselvoorraad en daarmee de macht in. De anderen krijgen pas karig te eten nadat zij al hun bezittingen en geld aan hen overdragen. Later eisen zij seks met de vrouwen als betaling. Het zijn gewelddadige en afgrijselijke taferelen die beschreven worden, maar misschien dat het aan de vertaling ligt dat deze snoodaards soms klinken als de zware jongens: 'eerst dokken, dan bikken' en 'We boffen, jongens, dit zijn moordwijven.'

Het is de vrouw van de oogarts, de enige die kan zien, die zich ontpopt tot een bevrijdster en leidster – het gekkenhuis wordt in brand gestoken en zij voert haar gezellen mee naar haar voormalige huis. Het lijkt daarom voor de hand te liggen het verhaal te beschouwen als een allegorie, maar dat doet de roman tekort. Saramago is geen allegorist, maar een moralist en hij wil serieus de fysiologische en filosofische consequenties van blindheid onderzoeken. Daarom luidt de oorspronkelijke titel van het boek *Analyse van de blindheid*:

Toen wij nog konden zien, had je ook al blinden, weinig in vergelijking met nu, de gangbare gevoelens waren die van mensen die konden zien en dus voelden de blinden met gevoelens van anderen, niet als de blinden die ze waren, maar nu ligt dat anders, wat je nu ziet opkomen zijn de echte, de authentieke gevoelens van blinden…

Zoals uit dit citaat blijkt is het boek geschreven zoals een blinde zou schrijven, achter elkaar, zonder alinea's, niet in braille, maar tastend over het reliëf dat een balpen achterlaat op een zachte ondergrond. En er komt inderdaad een schrijver in het verhaal voor die zijn ervaringen met de epidemie beschrijft, waarbij het blanke papier een prachtige metafoor vormt voor de witte zee die hij in zijn blindheid aanschouwt. Zou hij de alwetende vertellers vormen die het verhaal met veel ironie en terzijdes vertellen, ons erbij betrekkend, springend van de tegenwoordige naar de verleden tijd, vaak binnen een zin?

Nee, de vertellers zijn beelden van heiligen in een kerk die met witte lapjes geblinddoekt zijn en waarin een weerspiegeling te ontwaren valt van de zeven hoofdpersonen. 'Er was maar één vrouw die geen afgedekte ogen had, omdat die op een zilveren schaal in haar handen lagen.'

En dit is slechts één overeenkomst tussen het gekkenhuis en de kerk in het boek.

Favonius

De wereld in de nieuwe roman van Allard Schröder is een toongedicht van melancholie, een landschap van alle schakeringen grijs. De kleuren violet op de eerste pagina komen uit een droom, dezelfde droom waaruit de held, Felix Favonius, geboren wordt in een wereld van nevel en grijs, maar daarna verdwijnen ze. Zelfs de kleuren van een ondergaande zon moeten het ontgelden, zoals uit de volgende zin blijkt: 'Boven de zee verzamelden zich sombere pasteltinten rond het gloeiend oranjerood van een dovende zon, dat nauwelijks meer opkon tegen de lichten van de boulevard. Daar waar die niet in zee weerkaatsten, had het water de kleur van oud tin aangenomen...'

En het volgende citaat: 'Een stille weemoed nam zijn intrek in de dingen, een berusten in de onherroepelijke vergankelijkheid van alles.'

Alles is grijs in het boek en niet alleen de fysieke wereld (zo bestaat een crematorium uit drie kleuren, wit, grijs en donkergrijs), zelfs van woorden wordt gezegd dat ze 'dun en grijs' zijn en een groet heet 'bleek'. De zon schijnt dan ook niet, want we zijn in een droomwereld: een impliciete verwijzing naar de uitspraak van Nerval: 'We weten allemaal dat we de zon in onze dromen niet zien, al zijn we ons wel bewust van zijn aanwezigheid.' Grijs is de kleur van de dood, want: 'Bij hun laatste snik waren ze uiteindelijk niet meer dan hulzen van opgedroogd papier-maché geweest, waarvan de beschildering al was verbleekt.' We zijn hier in het rijk van de onderwereld, van verval en verrotting, waar iedereen wit en bleek is, waar witte gezichten oplichten in het donker en waar de dood een vrouw is met 'een huid, gaaf en wit als kiezel, [en] platinawit haar'.

Favonius is een melancholiek boek en de lezer die erin op zoek gaat naar tekenen van hoop, doet er goed aan op de suggestie van kleuren te letten en dan krijgt het schouwspel van Evita Logadís, de vrouw van hoofdpersoon Favonius, die zich opmaakt een heel andere betekenis. Kleuren zijn gereserveerd voor herinneringen aan speelgoed in de tuin van de kindertijd en – gelukkig maar – voor het orgasme: '...waarop de dood volgde en de hemel openscheurde en zich in de laatste streep licht een landschap van roze en oranje schuim...openbaarde en nog weer verder de bleekblauwe lucht boven de velden van de gelukzaligen...'

Zoals gezegd wordt Favonius, 'een abstracte schim', uit een droom geboren in de onderwereld geworpen, of, zoals Allard schrijft, 'een schaduwleven'. 'Er is altijd dat andere leven dat je niet leeft. Al ken je het niet, je verlangt er toch naar... Gelukkig is dat verlangen wel de bron van alle dromen.'

Een schaduw impliceert een parallel en een parallel een spiegeling, en het boek is dan een en al spiegeling. De infernale onderwereld wordt gespiegeld door de criminele onderwereld, en de criminele wereld wordt weerspiegeld door de company waarvoor Favonius werkt, die grond opkoopt en gebouwen neerhaalt voor nieuwe projecten en die net zo corrupt is als de criminele wereld. Deze destructieve taak van Favonius wordt weerspiegeld door de vernietigingsdrang van de criminele baas, die Alberik Bellarmin heet en de dubbelganger is van Favonius. De voorkeur van Allard voor bizarre namen neemt in dit boek een hoge vlucht, evenals zijn liefde voor negentiende-eeuwse stijlmiddelen, zoals het aanduiden van plaatsnamen met enkel de eerste letter gevolgd door drie zedige asterisken, en hij heeft dan ook dat oude en eerbiedwaardige Doppelgängerthema weer leven ingeblazen. Er zijn de plaatsen A***, waar Favonius geboren is, en P***, waar hij werkt. Alleen het dorp tussen deze twee wordt met name genoemd en dat is niet onbegrijpelijk want het heet Overlethe. Ik zal uw intelligentie niet beledigen door dit uit te leggen.

Favonius, dat het verhaal vertelt van de brede en rugbyspelende gelijknamige held die op een dag zijn vrouw Vita – koosnaam Mientje, afkorting van Vitamientje – betrapt met zijn beste vriend Garmer in bed en zijn dooltocht hierna in het schaduwleven, is een boek van dromen, hallucinaties en mythes. En een boek van het bos: de mensheid vindt haar oorsprong volgens Allard in het bos, in de klei en de aarde, en de horror en het sprookjesachtige van het bos worden dan optimaal benut, want in het bos ontstaan mythes en sprookjes en in de nevelgehulde bossen zweven visoenen en fantastische schepsels, zoals een eenhoorn.

Een mooi voorbeeld van hoe een droom in de structuur van de roman wordt verwerkt, is wanneer Favonius droomt dat Garmer hem anaal penetreert – een anticipatie op de gewelddadige moord op Garmer, wiens schedel van achteren wordt ingeslagen. De toespelingen op Camus en ik dacht zelfs Nabokov ('een vlinderjager uit Zwitserland'), op de mythologie zijn over het algemeen onopzichtig en zullen voor de puzzelende lezer of de lezende puzzelaar een lust zijn. Maar dat zijn de takken en bladeren van het boek, niet de wortels, nee, want die zijn veel triester.

Want de belangrijkste spiegeling in het boek, al zien ze dat zelf niet, is die van Favonius en Vita, beiden worden ze bedrogen door dezelfde man, beiden blijken gebruikt te worden en beiden nemen zich voor Garmer te vermoorden, al zien ze daarvan af. Dat is het melancholieke, de onoverbrugbare kloof, helaas, helaas, tussen de seksen. En, misschien geheel volgens de werkelijkheid, het is de vrouw die als sterkere naar voren komt: Vita heeft op het einde kleur.

Dat Garmer niet door een van de twee vermoord wordt, heeft niets te maken met gebrek aan daadkracht van Favonius of Vita, maar met het feit dat het leven dat we leiden al door iemand anders is geleefd en via metafysische implicatie is het leven van de uiteindelijke moordenaars, een man en een vrouw, het leven dat Favonius en Vita zouden hebben geleefd als zij hun moordlust wel hadden botgevierd.

Er komt een chemicus in voor, die xtc-pillen produceert, en in zijn laboratorium bizarre klokken heeft hangen, en elke klok loopt anders. Het doel hiervan? In de woorden van het personage: 'Met tegenstrijdige tijdsorders heb ik ooit de tijd tot chaos willen maken – met uiteindelijk als doel mezelf ervan te bevrijden. Maar het heeft niet gewerkt, al was het alleen maar omdat je daarvoor theoretisch een oneindig aantal variëteiten aan klokken nodig hebt.'

Dit is een temporele metafoor voor het schaduwleven, maar zelfs in dat leven is er geen ontsnappen aan de tijd en het boek heeft dan ook een cyclische vorm, virtuoos opgebouwd en uitgevoerd. Na lezing van de laatste zin ontstaat er, tenminste bij een lezer, de drang om het boek direct te herlezen en dat is wat ik iedereen kan aanraden.

Toch is de onderliggende gedachte van de roman geen vrolijke: dat is namelijk de vervangbaarheid van de mens. We leven, zoals gezegd, een leven dat al door anderen geleefd is, geen mens is dus wat dat betreft uniek. Dit wordt op humoristische wijze getoond aan het einde van het boek wanneer Favonius besluit een contactadvertentie te plaatsen en daarvoor een bestaande neemt met enige wijzigingen van zijn hand. Mensen zijn toch inwisselbaar?

Een treurige gedachte, een melancholieke kijk op het leven, een fascinatie voor het slijk in de mens en de schimmel en het verval – dat stemt niet vrolijk, behalve dat het op literair of zo u wilt op poëtisch niveau een gelukmakend boek is. Met andere woorden, het is een prachtige roman, en de structuur en de stijl en de psychologie en de beschrijvingen brengen een esthetische vervoering teweeg die de sombere klop van zijn hart ruimschoots compenseert.

Dat heeft Allard Schröder goed gedaan.

Druppels uit de levensbron

Marx' uitspraak 'religie is opium voor het volk' is misschien niet altijd goed begrepen. Opium heeft een negatieve bijklank gekregen die het in die tijd niet had. Toen Maxim Gorky aan een soldaat vroeg: 'Wat is opium?' kreeg hij als antwoord: 'Znayu – eto lekartsvo' ('Ik weet het – het is een medicijn.'). Marx bedoelde dat godsdienst als een verzachter van de werkelijkheid dient: als je de werkelijkheid verandert, is er geen behoefte meer aan opium. Aldus een betweterige Anthony Burgess die pochte dat hij, ondanks regelmatig gebruik van opium, nooit eraan verslaafd was geraakt. Het verhaal dat hij, onwetend, opium had gesmokkeld in de naden van zijn zijden hemden voor Graham Greene, ontkende hij angstvallig, uit angst voor vervolging.

Toch klopt het: opium is een medicijn, een panacee. Het Perzische woord is *teryak*, theriakel, tegengif.

Hoewel opium allang aan populariteit heeft ingeboet, heeft hij niets verloren aan de romantische aura die hem omringt. Zelfs toen het te koop was bij enkele oude Chinezen in de Binnen Bantammerstraat in Amsterdam, werd het door een kleine groep mensen gebruikt, onder wie wat kunstenaars. En ironisch genoeg is het het tijdperk waarin opium zijn romantische status verwierf dat de oorzaak was van zijn verbanning. Dr. Berridge (*Opium and the People*) stelt dat als opium een middel was gebleven van kunstenaars en leden van de bourgeoisie de hervormers dit medicijn nooit verboden hadden. De arbeidersklasse van de negentiende eeuw die elke zaterdagavond ontspanning zocht in laudanum, omdat het goedkoper was dan alcohol, moest dit goedkope droomgenot ontzegd worden. Bier nam de plaats van opium in.

Thomas de Quinceys *Confessions of an English Opium Eater*, het boek dat voor opium heeft gedaan wat *Portnoy's Complaint* van Philip Roth voor masturbatie deed, is nu in een nieuwe Nederlandse vertaling verschenen. Het is ook deze De Quincey geweest die de ondergang van opium in gang zette: meteen na het verschijnen van zijn boek werd hem verweten veel mensen aan deze drug te hebben gebracht. Had hij zelf niet verkondigd dat hij aanvankelijk op zaterdagavond gebruikte, de vrije tijd van de werkende klasse, omdat hij, hoewel een niet-werkende, zich graag verenigd zag met deze slaven van het industrialisme? Om ondanks de weelde van zijn dromen de armoede niet te vergeten die de achtergrond vormde van zijn dwalende jeugd.

De ellende en armoede van zijn jonge jaren worden ontroerend en bijzonder beeldend beschreven en hij verontschuldigt zich dan ook voor de lezer dat hij de littekens en gezwellen van zijn ziel zo tentoonstelt. Wij, moderne lezers, zullen ons hier niet aan storen, daar wij toch de voorkeur geven aan de onsmakelijke anatomie van een schrijversziel boven de rondingen en oneindige plooien van zijn wirwarrige verbeelding.

Maar wij mochten wel bedrogen uitkomen. Hij is misschien niet altijd betrouwbaar: aanvankelijk vermeldt hij dat hij opium voor het eerst gebruikte in 1804 tegen de maagpijn die een vreemde gewenning aan honger bij hem teweeg had gebracht. Later blijkt de reden pijn in de tanden te zijn. Niet dat het wat uitmaakt, ik denk dat hij zich slechts wil beschermen tegen beschuldigingen van genotzucht, zoals Coleridge (!) die ook jegens onze schrijver zou uiten.

De Quinceys boek blijkt (tenminste voor een lezer) een verhandeling niet zozeer over het leven van een verslaafde, maar over de werking en mechaniek van de verbeelding. Zijn beschrijvingen van zijn jeugdige misère zijn er om aan te tonen hoe de geest, vooral in de kindertijd, ervaringen opslaat in de vorm van concrete objecten die verbonden worden als onderbewuste patronen (*'involutes'* zoals hij ze noemt). Deze patronen komen bovendrijven in dromen, of kúnnen dat doen – want de gave tot dromen is niet iedereen gegeven en opium werkt alleen optimaal in combinatie met die gave, zoals hij in het begin van zijn werk al zegt. De symbolische patronen van dromen onthullen de formatieve invloeden van kindertijd en jeugd. Dit klinkt ons niet nieuw in de oren, behalve dat De Quincey dit openbaarde twintig jaar voordat Freud geboren was.

Het boek, dat op het eerste gezicht ongeordend lijkt, verwoordt en verbeeldt dat proces. De lezer volgt stap voor stap de geboorte van een imaginaire wereld, die als een slordige vogel haar nest bouwt met wat er voor het oprapen ligt. De stad Liverpool wordt de hele wereld, of beter de wereld van De Quinceys verbeelding, waarin Romeinse soldaten uit Latijnse literatuur marcheren, waarin Ann, de jonge prostituee en tijdelijke gezellin, hem opwacht; een Maleisiër verbeeldt voor hem heel het Oriënt, heel Azië, waarin zijn angsten in dieren en goden geanimeerd worden. Een wereld zien in een korrel opium: Blake en Borges knikken goedkeurend.

Aldus verheft dit boek zich boven de saaiheid van andere boeken over drugs. Jean Cocteaus *Opium* is een pover werkje, waarin zelfbeklag en pathos hand in hand gaan. In dit dagboek, bijgehouden tijdens zijn ontwenningskuur in de kliniek van Saint-Cloud, tussen december 1928 en april 1929, raast en bralt de schrijver in de stuiptrekkingen van zijn nauwelijks te onderdrukken verlangen, hij zwelt en krimpt zonder tot werkelijk memorabele uitspraken of beschrijvingen te komen. Behalve twee dan: dat autorijden het verlangen naar opium onderdrukt (een bevinding die helaas te laat kwam voor De Quincey) en dat *Le sacre du printemps* van Stravinsky de ontwenning het beste beschrijft. Sprekender zijn de tekeningen die hij erbij maakte.

Het lijkt bijna onmogelijk om de euforische toestand die opium teweegbrengt weer te geven. Of welke andere drug dan ook. Aldous Huxleys *The Doors of Perception* geeft een stap-voor-stapbeschrijving van zijn ervaring met mescaline, maar slaagt er niet in de extase weer te geven: het lijkt eerder een verslag van iemand die voor het eerst de zwarte markt in Beverwijk bezoekt en daarin alle mystiek van het Oosten denkt te hebben gevonden.*

Misschien ligt het eraan dat opium en andere middelen wel de verbeelding prikkelen, maar niet de creativiteit. Zij geven de geest ogen, maar laten die, om met Milton te spreken in zijn aanroep tot zijn muze (*Paradise Lost*, III, 51-55), 'naar binnen schijnen'.

Paul Bowles heeft een aantal korte verhalen onder invloed van hasj geschreven (o.a. 'He of the Assembly' en het einde van 'Let it come down'), zonder het gevoel van bedwelming weer te kunnen geven. Het was dan ook meer een experiment, het vrije associatieve schrijven, zoals de eerste, nuchtere surrealisten dat deden. 'Up above the world' ook onder invloed geschreven, slaagt er nog het meest in de lezer in hallucinante toestand te brengen, maar het is een ledige ervaring, omdat de schrijver samen met de lezer de greep geheel verliest.

Vreemd genoeg is de sterkste beschrijving van die knikkebollende vergarende opiumschermers van bewustzijn en onderbewustzijn te vinden in het werk van een bijzonder lucide geest. In *Pnin*, hoofdstuk 3, 7, waarin indrukken van een Russische propagandafilm en herinneringen samenstromen in de gedachten van de slaperige held; hij wordt onderdeel van de film die onderdeel wordt van zijn verre herinneringen die weer onderdeel worden van nabije gedachtenissen in zijn warrige heden:

---

* Zo dacht ik er toen over. Het boek is beter dan jeugdig commentaar.

In a haze of sunshine...a Russian wildwood enveloped the rambler. It was traversed by an old forest road with two soft furrows and a continuous traffic of mushrooms and daisies. The rambler still followed in mind that road as he trudged back to his anachronistic lodgings; was again the youth who had walked through those woods with a fat book under his arm; the road emerged into the romantic, free, beloved radiance of a great field unmowed by time (the horses galloping away and tossing their silvery manes among the tall flowers), as drowsiness overcame Pnin, who was now fairly snug in bed... A birthday party was in progress, and calm Stalin cast with a thud his ballot in the election of governmental pallbearers. In fight, in travel...waves or Waindell... 'Wonderful!' said Dr. Bodo von Falternfels, raising his head from his writing.

En over film gesproken: *The Jacob's Ladder* geeft de lugubere duisternissen van opiumdromen prachtig weer.

De Quincey is bijzonder vernuftig in de evocatie van een opiumroes, hoewel langdradiger. Hij slaagt hierin door het vloeden en ebben van droombeelden om te zetten in een fluctuerende muzikaliteit van zijn taalgebruik. Muziek en water spelen een belangrijke rol in zijn dromen en dat rimpelen en golven, de melos en melodie, worden weerspiegeld in zijn zinnen. Hij gebruikt soms zelfs muzikale vormen, te weten de sonate, in het hoofdstuk 'The pleasures of Opium' – introducties van thema's, ontwikkeling, terugkeer naar begin, coda.

Hij bewerkstelligt dat ook door zijn eruditie over zijn werk te verspreiden: hij citeert, verwijst naar Griekse en Latijnse schrijvers, naar mythes, gebruikt archaïsmen en neologismen. Geplaagd door nachtmerries vereenzelvigt hij zich met Macbeth (*'sleep no more'* – een stuk met opiate nachtmerriekwaliteiten). Niet alleen noemt hij zichzelf Orestes en zijn vrouw Elektra, hij plaatst zichzelf ook naast Homerus, die, volgens hem, ook niet onbekend was met de geneugten van opium. Sterker nog, hij vindt zelfs bewijs in Milton dat Adam ook bekend was met *'the milk of the universe'*:

...but to nobler sights
Michael from Adam's eyes the film removed
...
...then purged with euphrasy and rue
The visual nerve, for he had much to see;
And from the well of life three drops instilled.

So deep the power of these ingredients pierced,
Even to the inmost seat of mental sight

(*Paradise Lost*, XI, 411-418)

Ik hoef u niet te vertellen wat die 'three drops' zijn en van wat. Zoals de *mentale* opiumroes zijn materiaal vergaart uit de bron van het onderbewuste, zo wordt het *literaire* equivalent ervan bereikt door te putten uit de erudiete bron van kennis en letteren. De Quincey zag zichzelf graag als filosoof (*'my life has been, on the whole, the life of a philosopher'*), maar het is een artistieke overwinning die hij hier behaalt.

Miltons *well of life* (elders *'the fountain of life'*) is opmerkelijk: deze brengt ons namelijk bij het grote voorbeeld van De Quincey, namelijk diens tijdgenoot Samuel Coleridge, ook een opiumverslaafde die twee *thugs* moest inhuren om hem te beletten naar de apotheker te gaan. Zijn opiumgeïnspireerde, seksueel geladen gedicht 'Kubla Khan' rept ook van een *mighty fountain*, water en paleizen – dezelfde attributen van De Quinceys visioenen. Dit gedicht, waarin de bouw van een oosters paradijs door de Tartaarse veldheer Kubla Khan wordt bezongen, laat zich ook lezen als een beschrijving van het ontstaan van een imaginair paradijs in de verbeelding van de dichter. *'The sacred river'* van inspiratie breekt uit in de spasmen en het hijgen van de *'mighty fountain'*. Na zo'n orgasmatische uitbarsting – geboorte, creatie – van de verbeelding is de dichter niet meer dezelfde: *For he on honey-dew hath fed / And drunk the milk of Paradise.*

Dit gedicht is programmatisch voor De Quinceys *Confessions*; beide schrijvers onderzoeken hetzelfde onderwerp – de kracht en werking van de verbeelding. Opium lijkt voor hen die werking bloot te hebben gelegd of hun in elk geval een inzicht te hebben gegeven. Alleen bestond het gevaar dat de opium in plaats kwam van de creatieve roes. Daarom veroordeelde Baudelaire – een moralist diep in zijn hart – het gebruik van opium, hoewel hij zijn flesje laudanum ('een oude en verschrikkelijke vriendin') ook altijd binnen handbereik had: hasj en opium leiden slechts tot *paradies artificielles*: het werkelijke paradijs bevindt zich in de creativiteit.

Hij had ook *tijdelijke* paradijzen kunnen zeggen. Want als de roes is uitgewerkt, *the milk of paradise* opgedronken, is er de fysieke keerzijde waarover wordt gezwegen. Er is de constipatie, de schrijnende bloederige stoelgang, het sterven van het libido en de wilskracht, de schade aan lever, de stoornissen van de spijsvertering, de versnippering van de concentratie en het tanen van het geheugen. De Quincey woordspeelt slechts in *antimercurial* op een van deze effecten: *mercurial* betekent zowel een opgewekt en uitbundig temperament als een laxatief. Opium is antimercuriaal omdat het niet voor de vrolijken is; het is voor de contemplatieven, voor wie de verbeelding de geestesogen naar binnen richt om de bonte boschiaanse taferelen in rembrandteske schemerlichten van het onderbewuste te aanschouwen. Daarom moet ook toegegeven worden dat het de na-hel van opium is die de maskeradedansen van de feestelijke euforie de moeite waard maakt.

Ondanks Marx is er geen werkelijkheid die opium overbodig maakt. Het verlangen rest enkel de tijdelijke manipulatie van de wereld, de opstand van het innerlijk leven, gewekt en bevrijd door opium, de triomf van de verbeelding in schemers waarin tijd en ruimte onthecht worden in een schommelende wisseldans. Daarbuiten, even afgeschermd, wentelt de wereld door, met of zonder onze aandacht, die zij, voor een zaterdagavond, niet zal missen.

U en de dood en ik

Er zijn, denk ik, weinig dichters te noemen die niet een obsessie vertonen met de dood. Dat is begrijpelijk, omdat zij op de eerste plaats gemoeid zijn met het leven en de fysieke wereld. Dit is geen paradox. Wie bezig is het leven in woorden te vatten, die is altijd bezig een epitaaf op te stellen voor dat moment zelf. En dan op naar het volgende moment. Het moment dat uit onverwachte hoek komt: de duizelingwekkende hoeveelheid kleuren die iriseren in de haartjes van de zwarte kat, bijvoorbeeld, die de dichter tot dan toe alleen maar ergernis had opgeleverd; het silhouet van een boom dat in volle lover leek te staan, maar dan plotseling uiteenvalt in honderden krijsende vogels en een skelet van kale takjes blijkt te zijn, tegen een hemel van grijs die zijn primaire kleuren verraadt. We kennen ook allemaal wel de sensatie wanneer wij op zoek gaan naar iets (woordenboekgebruikers kennen dit maar al te goed) en dan in onze zoektocht zo in beslag worden genomen door iets anders dat op onze weg komt en daarin zo opgaan dat we ons aanvankelijke doel vergeten. In poëzie zul je altijd de schaduw vinden van dat vergeten doel, van dat woord op het puntje van mijn tong, dat schimmige net buiten het blikveld, de ooghoekparanoia. In een aforisme zegt Rabindranath Tagore dat wanneer de dood hem komt halen, hij zijn antwoord klaar heeft: 'In menig lied heb ik mijn onsterfelijkheid gevonden' (of woorden van zulke strekking). Ik geloof er niks van. Dichters schrijven niet de dood van zich af, ze schrijven juist naar de dood toe, en in hun gedichten oefenen ze alvast voor het grote moment van sikkel en kovel. Dan kunnen ze met tevredenheid zeggen dat ze van alles al gepast afscheid hebben genomen. Dat is het enige antwoord. Zonder de dood te verwachten, zei Kopland, schrijf je geen poëzie. Dichten is leven in een staat van voortdurend afscheid. Zoals Gerrit Achterberg zegt:

Toch valt er met een dichter niet te spotten:
omdat hij alles al heeft opgeschreven
maakt hij zich achteraf niet dun of dik.

Dat poëzie troost kan bieden, heeft dan ook niets te maken met het vermeend transcendentale karakter ervan, maar met de simpele regel, waaraan elke epitaaf moet voldoen: over de doden niets dan goeds. Gedichten hebben de vorm van scheve, of rechte, of vernielde grafzerken, in een veld van papierwit, terwijl proza aan horror vacui lijdt. Ziedaar het verschil tussen de twee. Al zul je natuurlijk in het beste geval een krans van proza bij de een en de vage omlijnen van een grafsteen (als je de juiste punten verbindt) in de ander herkennen.

En dan nog iets: laat u niet misleiden door de stelling dat je poëzie moet proeven als een goede wijn. Dit is een fallacy: alcohol moet in grote hoeveelheden en met overgave gedronken worden voor een goed resultaat. Laat de zuiniggelipten hun smaakpapillen plagen met nipjes en sipjes, die veel beloven, maar niets vervullen. Ik zeg dit in ernst. Een gedicht moet herlezen en herlezen worden totdat het klinkt als de glossolalie van een dronkaard en pas wanneer het zich genesteld heeft in de bloedbaan, het centrale zenuwstelsel aantast, kunnen we zeggen dat we er iets van hebben begrepen. Anders dan in andere landen, waar het uit het hoofd kennen (het Engelse *to know by heart* is toepasselijker) van poëzie niet alleen hoog wordt gewaardeerd, maar een vanzelfsprekendheid is, is er in Nederland weinig waardering voor de 'poëziebewaarder' (zoals de Arabieren hem noemen). Anthony Burgess (die, onder andere, bijna het gehele werk van Gerald Manley Hopkins uit zijn hoofd kende) heeft over de genoegens gesproken van het dronken reciteren van poëzie in kroegen en toen hij Jorge Luis Borges ontmoette, spraken zij met elkaar met regels uit de Angel-Saksische 'Hemelse Hymne': dit praktische voordeel is het weerwoord aan iedereen die denkt dat poëzie uit het hoofd kennen aanstellerij is of saletjonkergedrag van gemankeerde dichters.

Bij Gerrit Achterberg is er iets anders aan de hand. Natuurlijk, er valt bij hem veel te genieten van gedichten afzonderlijk. Volstaat het bij de meeste dichters om als lezer een stevige drinker te zijn, bij hem moeten we de toestand van alcoholisme bereiken, een plethora van roeszucht die naar het comateuze leidt. Achter elk gedicht, hoe 'eenvoudig' ('Ik zat met moeder aan de haard, zij breide / en ik deed niets dan cigaretten roken') of hoe ogenschijnlijk 'begrijpelijk' ook ('Huisknecht'), schuilt de dreiging van een nachtmerrie. Je voelt dat wanneer je maar de sleutel vindt, je een wereld van verschrikkingen zal ontsluiten. Het zijn de doemvolle kwaliteiten die het behang van onze kinderkamer in tijden van hoge koorts vertoonde: elk van ons draagt in zijn volwassen bewustzijn het watermerk van dit behangpapier (bij mij kuikentjes en bloemetjes), waarin onze persoonlijke eschatologie verscholen ligt. Die is, helaas, altijd vermoed, maar nooit doorgrond:

Ik durfde niet omzien, doch wist dat het er was:
een witte heks voor het vensterglas.
Nachten genoeg dat je haar niet ziet,
maar juist als je bang bent, zij je ziet.
...
die mij tintelend tarten verraadt
aan de maan, waarmee zij te lachen staat

Bij Achterberg wordt de suggestie van geheime codering nog verhoogd door zijn voorkeur voor assonantie, de kwelling van de overijverige lezer. En dat hij in onachtzame en veronachtzaamde bewegingen en handelingen de suggestie van geheime tekens en boodschappen suggereert en vermoedt. Zoals de jachtopziener die 'met een schoenpunt raadsel in het grint' trekt, of de glazenwasser:

Handen- en voetentaal
verrichten in de lucht
een klein gebarenspel, een klucht
die hij alleen begrijpen zal;
het mene tekel en getal
van roekeloze hemelzucht.

Allemaal rituelen die iets moeten beduiden, of de oplossing van een mysterie lijken te beloven. Die belofte wordt uiteraard nooit waargemaakt, maar laat ons niet teleurgesteld achter. Het scherpt, integendeel, onze zucht, onze drang tot herhaling, tot verdere doorgronding. Het houdt ons bezig, het laat ons niet los. En het wekt wrevel en gruwel. En schudt ons door elkaar zoals alleen een nachtmerrie dat kan doen: vooral die nachtmerries die we ons niet meer kunnen herinneren, maar waarvan we de kwetsuren al te duidelijk navoelen. En van een nachtmerrie zullen we nooit zeggen dat we die in kleine hoeveelheden tot ons moeten nemen. Een nachtmerrie heeft totale monopolie nodig om genoten te worden.

Zelfs de erotiek vertoont bij Achterberg de klauwen en snijtanden van een gargouilles:

Den rooien loozer van mijn zaad
heb je den kop omkneld
...
Daarin tuierde
het korrele zaad op
...

bracht ik je mijn manlijkheid
waarin je brooden lippen kusten

Blijven we even bij het zinnelijke. Ik was verbaasd en verheugd om te ontdekken, in de nieuwe adembenemende uitgave van Achterbergs werk in de Monumenta Literaria Neerlandica-reeks, hoeveel gedichten van hem in het Arabisch zijn vertaald. Ik denk dat hij het goed doet in die taal. En daarbij spreekt hij in beelden waarmee Arabieren vertrouwd zijn:

Mijn meisje met de koninklijke beenen,
blanke pilaren in uw rokkenhol.
Uit hun geweldig samenzwellen komt
het rose klufje haren groeien.

Dit kwatrijn bracht mij (o grensoverschrijdende ontroering!) onmiddellijk de volgende regels uit een oude Marokkaanse ballade in herinnering:

Uw dijbenen zijn pilaren van vooraanstaanden
In huizen van nobelen, mannen van voortreffelijkheid,
Wie hun toevluchtsoord betreedt
Vindt nooit andere verstrooiing.

Tot zover dit multiculturele uitstapje.

Achterberg moet dus in één zit gelezen worden, in chronologie, het ene gedicht na het andere. Totdat de trance volgt. Een trance waarin, zoals de klokken in E.A. Poe's gedicht, de dood onophoudelijk weerklinkt. De evocatie van de dood heeft, denk ik, bij geen enkele andere dichter zo'n verscheidenheid – en zo'n lichtheid. Vertederd verzucht hij zijn onmacht om een woord te vinden dat 'vederlicht en onvervaard uw vluchten evenaardt' (sic); dat 'uw' slaat op de 'sneeuwwitte vlinder van den dood'. In het begin zal de lezer misschien een zucht van vermoeidheid slaken wanneer hij nogmaals dat woord treft, maar al snel heeft deze palinloog hem in zijn greep. De dood wordt van vertrouwde figurant (een schim op twee wielen) tot hoofdpersoon. En bij dit gedicht zal een lichte golf van vreugde onvermijdelijk het hart van de lezer optillen. Er is hier iets bijzonders aan de hand.
  Heb ik aan het begin gezegd dat dichters naar de dood toe schrijven, Gerrit Achterberg schrijft vanaf de dood naar het leven toe. De dood is overal en te allen tijde aanwezig. Op de vreemdste plaatsen: 'Haar hond

staat aan het strakgebleven touw. / De dood keert terug wanneer hij wil.'
Maar met de dood ook, bij Achterberg onherroepelijk, het leven.

Ik moet de dode sporen volgen;
hiëroglyphen van het leven.

In de dood ligt de oplossing voor het raadsel dat leven heet. De dood als
inwijdingsritueel tot het leven. Via de dood baant hij zich een weg door
de duisternis naar het leven, naar 'de naden op de bodem van mijn leven',
zoals hij het op treffende wijze formuleert. Dat leven wordt gezocht via
het woord en het woord wordt geplaatst in het gedicht. Dat leven wordt
gezocht in het lichaam en dat lichaam wordt gezocht in het woord. Vandaar de juxtapositie van gedicht en lichaam, de associatie van woord en lichaam, die we veelvuldig bij hem aantreffen. 'Geladen uit de dood / met
uw vergaan, het woord.' En, in een ander gedicht: 'Laat mij u tot een lied
herleiden.'

Net zoals bij E.A. Poe vertoont dat lichaam, wanneer het eindelijk
wordt gevonden, geen blos, maar bleekheid, het kenmerk van de dood,
'een krijtwit kind dat lacht / tegen den roover, die het slacht'. Ik wil hiermee niet zeggen dat zijn werk een cyclische vorm heeft. We gaan uiteindelijk niet van de dood naar de dood, maar wel degelijk naar het leven,
want 'het leven rondt zich af / ver over een graf'. Een leven dat danst en
niet draalt, gevat in bestendigheid, in een nieuwe huid, waar 'geen dood
kan beginnen'. Een leven teruggebracht tot zijn naakte essentie: molecu-
len, mathematische formules, de biologie, de biochemie.

Ik moet methoden vinden
uit de chemie
om u opnieuw te binden
aan ganglie en kraakbeen,
de spermatozoïde

Bij dit punt gekomen, zijn we gereed om de materiële wereld om ons
heen af te tasten, te ontdekken. Een wereld van cellofaan, bakeliet,
bloem, poeder, zog, steen, rood, blauw, groen, rook, crêpe, brons, albast,
elpenbeen, asbest, meel, email, linoleum, celluloid, basalt, aluminium,
vilt, gummi, potlood, ijzer, plastic (allemaal titels), kortom een wereld van
stof. De naden op de bodem van het leven zijn ontdekt. Die naden vormen nog steeds een raadsel, maar wat doet dat ertoe: met zo veel moeite
gewonnen, biedt het leven enkel een gevoel van triomf. Het ontglipt ons

misschien op verschillende manieren, het lijkt ons de simpelste antwoorden te onthouden, zoals de schuchtere jachtopziener, maar we kennen nu zijn mechanismen, zijn spelregels.

Het gedicht 'Ontslag' lijkt mij ook programmatisch voor het werk van Achterberg:

Ik kan weer brieven laten glijden
in gleuven, en gedichten schrijven

...

De overtuiging is gebleven,
dat ik u nog ontmoeten zal
in avondpark of winkelhal

Leven is herhaling en bij herhaling is er geen plaats voor nederlaag.

Ik ben me ervan bewust dat in dit gedicht, en vele andere, de verleiding groot is om de biografie op onze schouders te laten tikken (wanneer wij op een donkere, regenachtige zondag zitten te genieten van Achterberg), maar ik heb aan die verleiding weerstand geboden. Juist in een geval als Achterberg moeten we de biografie als een schreeuwerig kind de gang op sturen. Ongetwijfeld is er veel dat we dan missen, nee, niet missen, dat we aan onze aandacht laten ontsnappen, maar wat we wél ontdekken is veel en – zeer belangrijk – onvoorwaardelijk en soeverein. Zichzelf genoeg en uit het werk geboren. We vertoeven met de dichter, luisteren naar zijn muze en niet naar de roddel van verveelde buren. We gluren niet in zijn getroebleerd, getormenteerd leven. Er is kwelling genoeg in zijn werk. En veel plezier, want een dichter als Gerrit Achterberg, die de dood weegt en te licht bevindt, biedt hoop. En een dichter die niet aanneemt, maar bewíjst dat in het leven een klucht schuilt, is een groot dichter. En een klucht dient de lach en er is in elk geval één lezer die vrolijk wordt van het lezen van Achterberg. 'Wat is dit een zoete verbintenis / u en de dood en ik,' zegt hij. Merk op: u en ik zijn in de meerderheid.

De vormen der dingen

Mij lust t'ontvouwen hoe de vormen aller dingen
In nieuwe lichamen verkeerden. Helpt me zingen,
Begunstigt dit begin, o goden, hoog gewijd
En vormherscheppers: rekt dit dicht tot mijnen tijd,
Van 's werelds oorsprong aan.

Zo begint Vondel zijn vertaling van Ovidius' *Metamorfosen*, dat hij de titel
Herscheppinge meegeeft. Vondel nam in de periode tussen 1613 en 1620
lessen in het Latijn, dat wil zeggen tussen zijn vijfentwintigste en drieën-
dertigste levensjaar. Deze vertaling uit 1670 kan gezien worden als de
kroon op zijn adoratie en imitatie van de Griekse en Romeinse voorbeelden en mythologie.

Ovidius stierf 17 jaar na Christus in ballingschap en wordt beschouwd
als de meest vernuftige van alle Romeinse dichters. Hij is wat mij betreft
de meest aantrekkelijke, de meest verleidelijke en de meest elegante en
humoristische van de klassieken. Zijn *Metamorfosen* heeft, na de Bijbel,
een ongekende invloed gehad op latere kunstenaars, zowel woordkunstenaars als beeldend kunstenaars. Het is het boek dat ik naar een onbe-
woond eiland mee zou nemen. De lange stroom van metamorfosen, van
de chaos aan het begin der tijden tot aan de lange verhandeling over de
zielsmigratie, is een illustratie van de eb en vloed van de kosmos en hoe
deze het lot van mensen, halfgoden en goden beïnvloeden. De grootste
kracht van Ovidius is dat hij elke gebeurtenis en elke gedaanteverwisseling zo duidelijk voor ogen ziet. Hij was Hollywood eeuwen voor. Mooi
voorbeeld is de transformatie van een vrouw tot een waternimf, minuti-
eus beschrijft hij hoe haar ledematen langzaam vloeibaar worden en zij in
een rimpelende rivier verandert. Zijn epische stijl is kleurrijk en meesle-
pend, maar her en der wordt deze verlevendigd door kostelijke details,
zoals in de transformatie van Daphne, die door een wellustige Apollo
wordt achtervolgd, in een laurierboom.

Een letterlijke vertaling zou als volgt luiden:

Zo werd de god verteerd door vlammen, zo brandde gans zijn boezem en voedde hij zijn vruchteloze liefde met hoop. Hij ziet haar haar wanordelijk langs haar nek hangen en 'Wat als het gekamd was?' zegt hij.

Dit is mannelijke lust in werking, op het moment van opwinding denkt hij nog aan verbetering van het object van zijn begeren.

Zo vertaalt Vondel dit tafereel:

Aldus begint Apol te branden en te blaken,
En voedt een ijdle hoop en vruchtelozen brand.
Hij ziet de vlechten, los en vrij van snoer en band,
Om haren blanken nek heenzwieren, en verstrooien,
En zegt: hoe schoon zou 't staan liet gij uw vlechten tooien?

De Latijnse namen ondergaan bij Vondel óók metamorfosen: Apollo wordt Apol of soms Apool, Adonis wordt Adoon en Jupiter wordt Jupijn, om enkele voorbeelden te geven. Dit toont de vloeibare manier van vertalen van Vondel en merk ook op hoe details bij hem worden uitgemeten en uitgebreid. *Inornatos*, wanordelijk, wordt los en vrij van snoer en band; *pendere*, hangen, wordt heenzwieren en verstrooien. Dat de hals blank is, is een toevoeging van Vondel. Eerlijk gezegd ben ik een voorstander van onderdanige trouw aan het origineel, iets wat onmogelijk is wanneer de vertaler kiest voor rijm en metrum, veel details sneuvelen en toevoegingen van de vertaler ontsieren als wratten de oorspronkelijke woorden van de dichter. Vondel kan ik dit vergeven, want anders dan vele moderne vertalers van de klassieken, was hij een groot dichter met een onfeilbare dichterlijke intuïtie. De synthese, of zo u wilt de synergie, tussen het genie van Ovidius en de begaafdheid van Vondel levert geen hybride op, maar een welluidend en zuiver gezang. Al had ik liever gezien dat hij, zoals Guido Gezelle, in zijn vertaling van *Hiawatha* van Longfellow afgezien had van rijm en zich enkel aan het metrum had gehouden.

Hoe dan ook, Vondels vertaling verdient het opnieuw uitgegeven te worden, naast alle andere moderne en minder moderne vertalingen. Het is een genot om te lezen.

Keren we terug naar Daphne en haar metamorfose in een laurierboom:

... en 't lijf verzwaart terstond door gods vermogen
het hart en ingewand wordt met een schors betogen
het haar verkeert in loof, elke arm in tak en mei
de voeten schieten fluks hun wortels in het klai
het voorhoofd en de mond staan hoog in top geheven
apollo mint ze nog en voelende met smert
gevoelt nog aan de schors den pols en 't kloppend hert.

De toevoegingen van Vondel om aan het vereiste aantal syllaben te komen doen een ietwat tekort aan de bondigheid van het origineel, die daardoor krachtiger uitkomt. Ovidius schrijft letterlijk: 'Maar zelfs in deze nieuwe gedaante beminde Phoebus haar en leggende zijn hand op de stam, voelde hij het hart nog huiveren onder de schors.'

Dit is van een weergaloze schoonheid als u het mij vraagt.

Een ander voorbeeld, bijzonder ontroerend, van Ovidius' oog voor detail, komen we tegen in het gedeelte dat handelt over Daedalus en zijn zoon Icarus, u weet wel het knaapje dat met wassen vleugels te dicht bij de zon vloog. Dit detail ontbreekt helaas bij Vondel – of beter, het is onherkenbaar vervormd.

Dedaal bedenkt veel vonden om t'ontrennen
Bootseert natuur na, en legt ongelijke pennen
In orde, kort en lang vervolgens op een rij
Gelijk een heuvel rijst.
Hij bond de middensten met draden net van pas
En kleefde d'ondersten aaneen met buigzaam was,
En boog na'et binden net het werk tot enen vlogel
Naturelijk en recht gelijk een vlugge vogel.
Zijn zoontjen Ikarus stond lachende hierbij
En handelde onbewust dit vedertuig te blij
Waarmee het vliegen zou, niet zonder nood van 't leven.
Dan bond het veders om door d'ope lucht te zweven
Dan kneedt het goudgeel was met zijn klene hand
En hindert spelende, door wulleps onverstand,
Zijn vaders wonderwerk.

Het origineel heeft de volgende bezigheid voor onnozele Ikarus, veel treffender en levensechter: 'Het knaapje Ikarus stond erbij en, onwetend dat hij zijn eigen gevaar betastte, ving glunderend de pluimpjes op die de tocht her en der verblies.'

Weg is het lieve knaapje dat met glimmend gezicht achter de veertjes aan rent om ze te vangen terwijl zijn vader de vleugels maakt die hem naar zijn ondergang zullen leiden. Bij Vondel imiteert de zoon zijn vader door ook veren aaneen te binden. Wat een jammerlijke misser!

In een ander geval voegt Vondel zelf iets toe, wat ik in geen enkele Latijnse editie van Ovidius heb kunnen vinden. Het betreft de beschrijving van de seizoenen aan het hof van Phoebus, de zonnegod. Dit is wat Ovidius schrijft:

Nieuwe Lente was daar, bekranst met een bloemenkroon, Zomer stond daar bloot met een festoen van rijp graan, Herfst stond daar eveneens bevlekt door vertrapte druiven en IJzige Winter stekelig van grauwe lokken.

Dit is wat Vondel ervan maakt:

Daar stond de nieuwe Lente
Bekranst met bloem en blos, een jarelijkse rente
De naakte Zomer, met den korenkrans om 't hoofd
De Herrefst, nat van most: de Winter gans beroofd
Van warmte en koud en kil: de baard en 't haar bevroren
Met kegelen van ijs. De sneeuwvlok hangt om d'oren.

Wat is er hier aan de hand? Vanwaar die uitbreiding in de beschrijving van de winter? Voor zover ik heb kunnen nagaan is er geen andere plek in Vondels tekst waar zo wordt uitgeweid op Ovidius' bondige beschrijving. Het opmerkelijke is dat deze uitbreiding in een andere vertaling voorkomt en wel in de Engelse vertaling van Arthur Golding uit 1567. Het is dezelfde vertaling die Shakespeare vaak heeft gebruikt en waaruit hij bijvoorbeeld inspiratie haalde voor zijn prachtige gedicht 'Venus and Adonis'. Bij Golding luidt de bewuste passage als volgt:

And lastly quaking for the colde, stood Winter all forlorne,
With rugged heade as white as Dove and garments all to torne
Forladen with the Isycles that dangled up and downe
Upon his gray and hoarie bearde and snowie frozen crowne.

Een vertaling zou luiden:

En ten slotte stond daar de Winter geheel alleen, trillend van de kou,
met een oneffen hoofd zo wit als een duif en in geheel versleten
gewaden,
behangen met ijspegels die op en neer bengelden
op zijn grijze en grauwe baard en sneeuwbevroren kruin.

De overeenkomsten tussen Vondel en Golding lijken mij niet op toeval te
berusten, maar voor zover ik weet kende Vondel geen Engels. Of was er
misschien een Nederlandse vertaling van Goldings versie die Vondel onder ogen heeft gekregen? Ik moet u het antwoord schuldig blijven, maar
dat dit onderdeel een studie waardig is lijkt mij buiten kijf te staan. Voor
wie zich hierin verder wil verdiepen, geef ik deze ontdekking, waar ik niet
een beetje trots op ben, geheel gratis en voor niets ter hand.

Het gevleugelde woord

Dat *Het gevleugelde woord* van Herman Pleij in deze tijd verschijnt is zowel vloek als zegen: de onthutsende discussie over de al dan niet bestaande identiteit van Nederland wordt in dit opus magnum direct verwezen naar waar het hoort: naar het kippenhok der meningkakelaars, maar dit werk alleen beoordelen in deze politiek-maatschappelijke context doet af aan het karakter van een gigantisch werk van een literaire gigant. Want meer dan een geschiedenis van de Nederlandse literatuur van 1400 tot 1560 is het boek ook een biografie, een portret, en een groeigids van de Nederlandse cultuur en maatschappij. Alle kenmerken van Pleij die we kennen van zijn eerdere werk komen we hier tegen: liefdevolle spot, onweerstaanbare humor, een onvermoeibare geestdrift. Pleij houdt van Nederland met zijn vreemde combinatie van nuchterheid en bontheid, zakelijkheid en uitbundigheid; carnaval, als omkeringsfeest bij uitstek, of het carnavaleske, dat dreigde zijn keurmerk te worden, komen we ook hier veelvuldig tegen: de behoefte aan uit de band springen, folkloristische uitspattingen: hij voert ze terug naar heidense invloeden die in de verstedelijking in goede banen moesten worden geleid, geordend en soms zelfs verboden. Wat we hier zien is het volk dat zijn eigen bestaansrecht opeist, zich het leven als het ware weer toe-eigent, in een ruimte die, door de samenkomst van verschillende groepen, groter wordt en aan overeenkomsten onderhevig geraakt om een eigenheid in een gecomprimeerde en complexere samenleving te behouden en aan te passen.

Zo bezien is 'het spotrijk' (het bekendste en meest aansprekende voorbeeld is het Gilde van de Blauwe Schuit met het reglement: zuipen, dobbelen en vrijen; met andere woorden: 'gij zult onmatig zondigen') aanvankelijk stichtelijk van aard, een bespotting van de adel (blauw symboliseerde hypocrisie) en een tijdelijke ontspanning van de stedelijke regels waaraan de mensen zich dienden te houden en tegelijkertijd een voortzetting van endemische gebruiken én het nodige spel bij het brood: processies, vertoningen, schouwspelen – het feestrepertoire was immens (hetgeen helaas het clichématig beeld van de Middeleeuwen heeft bepaald). Hetgeen altijd om omkeringfeesten draaide die zich samenbalden onder een overkoepelende Vastenavondviering, die vanaf het begin van de winter tot ver in het voorjaar kon duren. (Wanneer Persephone zich in de onderwereld bevond; de dood van de natuur: de heidensmythologische invloeden zijn ontegenzeggelijk.) Algauw werden de aanvankelijke doelstellingen achtergelaten en een treffende metaforische manifestatie voor de 'volkse verstedelijking': onder een zotskap toont zich het ware gezicht; bij de omkering tronen niet de voeten, maar bevindt het hoofd zich waar het zal moeten eindigen: in het stof.

De zot vertelt de waarheid, omdat hij juist een zot is en dat het woord, in dichterlijke vorm, uit zotheid voort zou kunnen komen, geeft veel te denken over het veel onderzochte verband tussen krankzinnigheid en (literaire) kunst. Maar tegelijkertijd gebruikt de zot de taal van het gemeen en heeft hij met de academische regels van de 'geleerden', met andere woorden, de elite, niets te maken; het woord wordt gedemocratiseerd.

Spottend noemt men het bekende rijtje klompen-koekhappen-haringvoetbalgebral-Koniningegedag als zijnde de kenmerken van de Nederlandse cultuur en/of identiteit, maar deze opsomming vormt de periferie van de ware kern die zulke folklore mogelijk maakt: dit zijn de rafels, niet de stof en de textuur van een cultuur.

Het gevleugelde woord had net zo goed *Het publieke woord* kunnen heten. Het woord was overal; een teruggetrokken vorm van lezen, zoals wij die nu kennen (een intieme bezigheid), was destijds ondenkbaar: het woord, al dan niet instructief, was er voor iedereen, vandaar dat literatuur ook beschouwd werd als gemeenschapskunst, al begonnen enkele schrijvers, door hun beklag over slechte kopiisten, uit de anonimiteit te treden. Dit is ook waarom hij zo veel aandacht besteedt aan de *opvoering van het woord*, van spooksprekers, prekers tot de eerste rudimentaire vorm van theater, namelijk een monoloog voor een acteur die, niet bij machte zijn wil te doen bij een hoer, zijn onvermogen verklaart in een eenakter.

De openbaarheid van het woord is des te opvallender omdat aan de eerbiediging van privacy in het maatschappelijk leven wel veel belang werd toegedicht.

Waar mensen, uit welke windstreken ook, samenkomen, wordt er gecommuniceerd, worden verhalen uitgewisseld: een verbale vorm van handel. Het gesproken woord echter boette in aan geloofwaardigheid en schrijvers die authentiek wilden overkomen verwezen niet naar 'horen zeggen', maar wat er 'in een boek geschreven stond', hoe wonderbaarlijk en ongeloofwaardig de stof ook was: wat geschreven was, was waar. Dat het geschreven woord blijft, maar het gesproken woord vervliegt, zou in Pleijs visie wel eens kunnen betekenen dat het geschreven woord *begra-*

ven ligt, maar het gesproken niet vervliegt, maar *rondvliegt*: inderdaad, vleugels krijgt. Vandaar dat hij ook veel aandacht besteedt aan de boekdrukkunst en haar ontwikkeling.

Geen enkel boek ontstaat buiten zijn tijd, en Pleij getroost zich veel moeite om de literatuur die hij behandelt in haar eigen tijd te plaatsen, in haar eigen temporele en maatschappelijke context, maar tegelijkertijd bekijkt hij die literatuur op zijn beurt in zijn eigen context, of beter vanuit zijn eigen (voor)onderstellingen: zijn enthousiasme over de massale belevenis van het woord is door het gehele boek te vinden. Los van het feit dat privé lezen nu de norm is, kan men zich afvragen of het woord minder publiek is tegenwoordig: de literaire folklore is uiteraard niet op dezelfde manier aanwezig vanwege onder andere de alfabetisering, maar wordt via allerlei wegen (dichter in huis, voorleesavonden, *poetry slams*, op z'n goed Nederlands, gedichtendag, boekenweek en NS-activiteiten etc.) aangemoedigd en weer tot leven gebracht. Wat de Middeleeuwen betreft, bespeur ik bij Pleij toch wel eens weemoed (van heimwee kan men moeilijk spreken), die overstemd wordt door zijn aan het kinderlijke grenzende geestdrift en onmetelijke liefde voor het onderwerp, wat ik maar 'fantoomliefde' zal noemen.

In één ding heeft hij wel gelijk: het marktplein, multifunctioneel als het was, is er niet meer. De pleisterplaats van verhalen en anekdotische uitwisselingen, misschien geboren uit burengerucht.

Niet zelden waren teksten dan ook slechts aanwijzingen en geheugensteunen voor voordrachten; maar marktplein of niet, het woord werd een autonoom fenomeen. *Enter* de rederijkers. Maar zelfs bij deze woordkunstenaars, die het woord zelfs genezende krachten toedichtten (elke therapeut zal het met ze eens zijn) en die, op hun best, hun woordroes tot kunst wisten te verheffen, ging het uiteindelijk om de 'conste', de retoriek en de manier van declameren, de 'luidt', de muzikaliteit van het woord. Zeggen was zingen en Pleij spreekt dan ook van zingzeggen. Het is daarom dat veel van hun werken op papier doodslaat en slechts een saai spel lijkt met klanken en taalbehendigheid – en veel van die rederijkersstukken zijn ook niet meer dan dat, denk bijvoorbeeld aan dat schaakstukgedicht dat op elke manier gelezen kan worden: hetgeen niet zo moeilijk blijkt, omdat elke zin een spreuk is die op zichzelf staat ('hoedt u voor den bosen wijf' etc.).

Een uitzonderlijk geval is Eduard den Dene (1505-1576/79) uit Brugge, 'de laatste volbloedrederijker', een welgestelde stedelijke ambtenaar en zuipschuit, een adept van François Villon, wellicht de eerste bohemien uit de Nederlandse letteren: merk op dat de moderne bohemien zijn oorsprong vond in een misdadiger (wegens mishandeling van zijn vrouw belandde Den Dene in het gevang en werd onder curatele gesteld van... zijn vrouw!). De vrijheid van de kunstenaar van maatschappelijke verplichtingen drijft hem nu eenmaal tot misdadig parasitisme: het zijn niet sociale verplichtingen die kunst voeden, maar het is maatschappelijke uitbuiterij. Den Dene wist ondanks alles zijn baan te behouden, zo groot waren zijn talenten en de dranklust zou wel eens voort kunnen zijn gekomen uit het inzicht dat schrijven, al dan niet literair, een intrinsiek eenzame bezigheid is.

Deze dichter wist het persoonlijke tot kunst te verheffen; in navolging van Vuillon schreef hij *Testament rhetoricael*: bij leven lag hij in een verbaal sterfbed. Hij gebruikte een idiosyncratisch idioom, schiep zijn eigen taal, een eigen *argo*, de toespelingen op figuren en situaties uit zijn eigen tijd zijn vaak moeilijk of niet te achterhalen, maar de sensatie van solide dichterschap is er altijd, evenals een buitenissig gebruik van metaforiek:

Myn maghe pufte en myn buuckvueghel peep
Zy hadde gheerne gheweist gheaest

Naast deze hoogst individuele dichter (er zijn er uiteraard meer, zoals diens voorganger Anthonis de Roovere, gest. 1482), is het ook bijzonder boeiend om te lezen over het ontstaan en de ontwikkeling van het theater. Hoewel de saturnalistische, religieusritualistische oorsprong van deze kunstvorm onmiskenbaar is, toont Pleij ook aan dat het ontstaan van een stedelijke samenleving het theater heeft gevormd: het is een hoogst geëtiketteerde vorm van urbane communicatie. Hij schrijft:

Stadslucht maakt vrij. Samenleven op een betrekkelijk klein oppervlak, met meer mensen tegelijk dan men ooit op hoeven, aan hoven en in kloosters gewend en gewoon is, dwingt andere mentaliteiten af. Arbeidsindeling, ook in het gezin, eerbiediging van privéruimte, onafhankelijkheid, erkenning van een algemeen belang en inschikkelijkheid springen daarbij het eerst in het oog. [...]
De hele stad opent zich als trainingscentrum voor het leren bereiken van overeenstemming. En deze compromisbereidheid moest wel uitgroeien tot een grondhouding bij stadsbewoners. Daar doen de bloedige partijstrijden die bij tijd en wijle in de steden ontbranden niets aan af. Deze markeren het streven en het vinden van een evenwicht, goedschiks of kwaadschiks. Steeds meer triomfeert de kunst van het bijleggen, afgedwongen door de handelsbelangen en de interacties met het omringende platteland.

Ziet de lezer, net zoals ik, hierin niet een beschrijving van de huidige Nederlandse samenleving? Alleen heeft 'omringende platteland' zich verplaatst naar buiten de westerse contreien, ik bedoel een plek in het westen van Noord-Afrika.

Men wordt verliefd op literatuur, van welke tijd dan ook en op welke leeftijd dan ook, of men wordt het niet. En nu ik Noord-Afrika heb genoemd, kom ik bij de vraag die mij herhaaldelijk wordt gesteld, namelijk over het hoe en waarom van mijn fascinatie en liefde voor de Middelnederlandse literatuur (mijn ontdekkingen van Arabische en Nederlandse klassiek gingen gelijk op). Pleijs boek, nu, heeft mij aan het denken gezet en wel om het volgende. Hij beschrijft de opkomst van de Middelnederlandse literatuur als een verschijnsel van urbanisatie. Grof gezegd is elke literatuur van orale oorsprong en krijgt zij haar weerslag in het schrift. De minachting voor het gesproken woord en de strijd tussen *volent* en *manent* blijft onbeslecht, en is op zich een futiele, omdat de twee in symbiose leven. Mond en hand hebben elkaar nodig. De strijd is een filosofische en was toentertijd behalve een teken een veranderende samenleving, ook een teken van de gigantische impact die de boekdrukkunst had.

De Arabische literuur heeft haar eveneens orale oorsprong in de woestijn (pas eeuwen later werd deze op schrift gesteld). Lang na de dood van Mohammed, tijdens de Ummayadische periode, die tot 749 duurde, droeg alle poëzie de bulten en zandkrinkels van de woestijnduinen. Pas toen de revolutie van de Abbasieden, die tot 1258 zouden heersen, het gezagscentrum van Damascus naar Bagdad verhuisde, kwam de literatuur tot bloei door dezelfde urbaniserende en kosmospolitiserende mechanismen als die die door Pleij voor de Dietse letteren worden beschreven. Hij schrijft:

De ontwikkeling van zulke denkbeelden [zie citaat hierboven], gedragsvormen en mentaliteiten hoort bij de nieuwe samenlevingsvorm, zoals ook door tijdgenoten wordt onderkend. En deze dynamiek laat zich vooral ontsteken door een even omvangrijke als complexe literatuur vol instructie, wetenswaardigheden, emotionerend vermaak en voorbeeldige verhalen en anekdoten uit heden en verleden – waargebeurd en verzonnen.

Het grote verschil met de urbanisatie in de Lage Landen was dat die van de Arabieren – de ontmoeting met, nee, de annexatie van andere (stedelijke) samenlevingen en mentaliteiten –, die de oorzaak was van de bloeiperiode van de Arabische in essentie tribale samenleving onder de Abbasiden, was dat er geen compromisbereidheid was, omdat de niet-moslims (de *a'djam*) tussen moslims tweederangsburgers waren; zij werden niet geaccepteerd binnen de islam als gelijkwaardig, maar als beschermelingen die beschermbelasting moesten betalen. Van een pragmatische houding als die van Jan van Boendael ten opzichte van de joden binnen het christendom (joden én christenen binnen het islamdom) was verre te zoeken.

Wat Pleij beschrijft is een democratie in ontwikkeling, wat ik beschrijf is een verlichte dictatuur. Wel zijn er grote groepen geweest die zich afzetten in woord en gedrag tegen de Arabieren, de 'bedoeïenen' zoals ze smalend worden genoemd, en dweepten met de verfijnde Perzische cultuur. Dat heeft grootse literatuur opgeleverd en nogal wat doden. Het zijn de totaal verschillende uitkomsten van een min of meer gelijk mechanisme die in die zin fascinerend zijn, omdat ze het intrinsieke verschil tussen het Arabisch-islamitische Oosten en het Westen markeren. Als compromisbereidheid, de handelsgeest in de ruimste zin des woords, namelijk bereidheid tot overeenstemming, hoewel niet belangeloos, *toch op basis van gelijkwaardigheid*, als de essentie van de Nederlandse identiteit gekenmerkt kan worden, wat is dat dan voor de Arabische wereld? De vraag is natuurlijk retorisch, maar een deugdelijk antwoord, met de olympische kennis en scherpe inzichten van een Herman Pleij, is wat nodig is voor de geschiedenis van de Arabische literatuur in haar breedste vorm. De titel kan ik voor zo'n werk wel verzinnen: *Het gefnuikte woord*. Probleem is dat zo'n broodnodige studie in deze tijden onvermijdelijk stuit op verontwaardiging en racistisch innuendo. Hetgeen onzin is; waarom zou een werk als dat van Pleij, waarin een maatschappelijke anatomie van een volk aan de literatuur ontleend wordt om tot een kernwaarde ervan te komen, weerstand ondervinden wanneer het om een andere (en in dit geval een specifieke) cultuur en samenleving gaat?

Waar Pleij aantoont dat de verstedelijking essentieel is geweest voor het ontstaan van een pragmatiek die verhinderde dat de steden zich zouden ontwikkelen tot oorlogszuchtige stadsstaten die elkaar permanent naar het leven staan, ontbrak (ontbreekt) in de Arabische wereld zo'n pragmatiek: de verstedelijking heeft de tribale oorlogszucht nimmer weten te beteugelen of een uitlaatklep bieden; noch heeft zij, des te opvallender, in folkloristisch opzicht, bij wijze van spreken een narrenschip of een Blauwe schuit (narrenkaravaan, Groene schuit resp.) weten te bewerkstelligen. Heidense gebruiken werden geïncorporeerd in religieuze rituelen, maar van uitspattingen en tijdelijke, massale spotternijen was er geen sprake. (Eén uitzonderlijk individu is mij bekend en hij is een eigen artikel waard.) Waarom vormde zich toen geen theater en duurde het zo lang (tot de achttiende eeuw) dat de boekdrukkunst zijn timide intrede deed en dan nog wel als middel tot politieke propaganda voor de napole-ontische invasie?

De tirannieke knoet was het enige wat de despoten hanteerden om een verenigde samenleving op te dringen. Irak, vóór de val, is een voorbeeld in kwestie. Men houdt het hart vast wat er zou gebeuren bij het uiteenvallen van andere Arabische stedelijke maatschappijen – hetgeen het doel is van extremisten, die niet van de vrijmakende stadslucht houden. Hier is sprake van een hang naar agrarisatie.

Nu ik erover nadenk: wat de islam nodig heeft is niet een Voltaire, maar een Herman Pleij. Ik meen dit. Het is het overdenken en het beschrijven zeker waard.

Dit is iets wat ik elders en op een andere plaats graag zou willen uitwerken, omdat de Nederlandse identiteit zoals deze nu behandeld dan wel mishandeld wordt, heden ten dage grotendeels verbonden is met de islam binnen en buiten onze contreien. Buiten de religie speelt het agrarisch-urbane aspect zeker een belangrijke rol. Het is de tol van de globalisering, maar ik geloof dat de mechanismen in essentie dezelfde zijn.

De instructie in de juiste stadse etiquetten staat volgens Pleij centraal in de onbetwiste hoogtepunten uit de Middelnederlandse literatuur, namelijk de abele spelen mét de bijbehorende kluchten. De melos van deze stukken is behaaglijk, de opbouw operatesk, en de personen zijn in mijn visie niet zozeer archetypisch, allegorisch, symbolisch, of emblematisch, maar, visueel gesproken, iconografisch. We hebben hier daarbij – en daar gaat het om – te maken met waardige poëzie. De taal zou een barrière kunnen zijn (ik vind van niet), maar er zijn uitstekende edities verkrijgbaar; de schematische opbouw van de spelen is misleidend, want de personages zijn wel degelijk levendig en overtuigend getekend. Zie bijvoorbeeld de moeder van Lanseloet (*Lanseloet van Denemarken*) die haar zoon opdraagt om Sandrijn, die van lagere rang is en op wie hij verliefd is en wil huwen (zijn moeder verbiedt dat), nadat hij haar heeft bezeten, het volgende toe te voegen:

Ic hebbe us genoegh
Sandrijn ic ben uus nu sat
Ende van herten alsode mat
Al haddic vii baken gheten

Dit is grof (*baken* is spek, zie het Engelse *bacon*), en ik heb niks tegen grofheid, maar het maakt haar wel menselijk. Ik las het spel altijd als handelend over een jongeman die, door het bloed van de jeugd, het verschil tussen liefde en seks niet kent en misschien ook lijdt aan een moedercomplex (ook Hamlet kwam uit Denemarken). Over een moeder die precies weet wat het hart van een verliefde jongeman drijft, namelijk zijn lendenen. En over Sandrijn, een zowel in sociaal als mentaal opzicht kwetsbare jonge vrouw, die verminkt door de wrede liefde van Lanseloet (hun gesprekken zijn voortreffelijk en of er sprake is van seks blijft ongewis), vrede vindt in de huiselijke wederzijdse genegenheid met een anonieme boswachter, die haar, ondanks haar ontmaagding, eerbiedigt. Lanseloet zal sterven van berouw, want Sandrijn weigert naar hem terug te keren. Het is het eeuwige verschil tussen de hobbels van mannelijke hartstocht en het evenwicht van vrouwelijke liefde en sociaal besef.

Pleij duidt dit spel en de andere spelen anders:

De abele spelen gaan alle vier over de wereldlijke liefde, als opstap voor demonstraties van gewenste omgangsvormen in de nieuwe, stedelijke omgeving.

Dat zou willen zeggen dat in een stedelijke omgeving geen plaats is voor door hartstocht gedreven wellust, ook wel liefde genoemd. En dat de boswachter anoniem is, zou staan voor de opstand van een nieuwe orde; maar Lanseloets moeder is ook anoniem. En wanneer Sandrijn de boswachter ontmoet spreekt zij, om haar ontmaagding, of in elk geval schending te duiden, in een allegorie, een hoofse dame waardig.

Wat ik denk dat hier aan de hand is, is dat het 'volk' zich de liefde toeeigent, het is niet meer aan de beoefenaars van de hoofse liefde, prinsen en dergelijke: het volk geeft zijn eigen regels aan liefde en die liefde is onderhevig aan compromisbereidheid. Liefde verliest haar verhevenheid, haar opgelegde etiquetten en moet beleefd worden in de stad waar zovele mensen en zovele behoeften op elkaars tenen en harten trappen. Liefde wordt, met andere woorden, ook praktisch. Ik zie hier geen instructie voor gewenste omgangsvormen; een lichte toets van parodie op de hoofse liefde bespeur ik eveneens in dit werk.

Zo zou de verontwaardiging van Beatrijs, wanneer haar minnaar (met wie zij uit het klooster wegloopt) haar oproept met hem te spelen der minnen spel:

'Wat segdi', sprac si, 'dorper fel,
Soudic beeten [vrijen] op 'tfelt
Gelijk enen wive die wint ghelt

Dorperlic met haren lichame?
Seker soe haddic cleine scame'

niet duiden op kuisheid van haar kant, maar op kieskeurigheid van de plaats waar zij wel de liefde zou willen bedrijven: een hemelbed misschien, maar niet op het gras, hoe zoet de vogels ook zingen. In dit gewrochte stuk draait het om een vrouw die het zonder man moet zien te rooien en, hoewel zij zich door prostitutie in leven moet houden, uiteindelijk nooit aan haar eigen principes ontrouw is geweest, zoals de beloftes van haar minnaar slechts wachtwoorden waren tot een ander orgaan dan haar hart. De 'maghet vol doghet' Maria redt haar, beschermster van verschoppelingen: Beatrijs als voorloper van wat we nu een *underdog* zouden noemen.

Ik twijfel er niet aan dat Pleijs interpretaties passen in het instructieve kader waarin de spelen geschreven zijn, maar toch... maar toch... hij interpreteert de spelen op zo'n manier dat ze passen in de geest van hoe die stedelijke samenleving met etiquette en al vorm aan het krijgen is. Natuurlijk haalt hij andere werken aan die hem in zijn interpretatie staven, maar ik vraag mij af of hij in het geval van de abele spelen, die literair complexer zijn dan ze op het eerste gezicht lijken, de literatuur niet tegen zichzelf gebruikt. Het gaat hier uiteindelijk om werken van de verbeelding; zoals hij zelf zegt, spelen ze zich af in een geromantiseerde ridderwereld, met geromantiseerde – jawel – moren (gelukkig op het einde gekerstend), met geïdealiseerde opvattingen over liefde (op sterven na dood), maar hoezeer de verbeelding ook geënt is op maatschappelijke werkelijkheid, zij kan zich moeilijk beteugelen. En werkelijke literatuur ontstijgt op haar best haar omlijnde kaders.

Een ander voorbeeld komt uit *Abele spel van den somer ende winter*, wanneer de zomer en de winter, elk met een medeverdediger, een dispuut houden over welk seizoen het beste is voor minnespel, met Venus als rechter. Clappaert, voorspreker van de winter, is aan het woord en zegt het volgende:

Ic swere bij gode den hemelschen vader
Dat mijn here die winter alsoe wel doet
Spelen dies benic bevroet
Der minnen spel daer ghi af segt
Daer twee gelieven liggen gedect
Op een bedde al moeder naect
Daer wert wel grote vrouden gemaect

Die coude doetse crupen bi een
Elc tusschen anders been

Het schijnt de gewoonte te zijn geweest van middeleeuwers om naakt te slapen; maar weten we dat uit deze tekst, of zijn er andere teksten die dit ondersteunen? Er zijn wel houtgravures waarop dit te zien is, maar laten we het bij het woord houden. Dit is wat ik eerder bedoelde met de literatuur tegen zichzelf gebruiken.

Hier zien we een goed voorbeeld van de huiselijke liefde, de 'verstedelijkte' omgang tussen de seksen. Maar mij gaat het om de liefelijke uitweiding en vooral de laatste twee zinnen: ze kruipen bijeen om elkaar te warmen en verstrengelen de benen: hier merk je dat de dichter zich door het bevallige beeld laat meeslepen; hier is niets geïdealiseerd of geallegoriseerd (zoals de egelantier bij *Lanseloet*, die een zinnebeeld is voor zinnelijke liefde), dit is een verbeelding van een intiem huiselijk tafereel; de beschrijving had korter gekund, want we weten wel wat onder 'vreugden maken' verstaan wordt en de dichter had het daarbij kunnen laten. Eruit afleiden dat de stedelijke etiquette voorschrijft dat men naakt onder de dekens dient te liggen en 's winters dan ook seks moet hebben om warm te worden, doet de dichter tekort, doet literatuur tekort. Hetgeen onverlet laat dat zonder urbanisatie zulke levendige lyriek niet mogelijk was en dat we hier het oog van de dichter opener zien gaan.

Dit zijn slechts enige brokken van gedachten die dit meesterboek van Pleij geeft over literatuur en het belang ervan, zowel individueel als in het vormen van en uitdrukking geven aan een samenleving. Hij heeft niet alleen de bibliotheek van zijn werkkamer en geest afgegraasd, maar het gehele palet van zijn gaven benut. Het boek is een mijlpaal.

II

ONGESPROKEN

Zucht

Mijn ziel rijst naar jouw voorhoofd waar, mijn kalme zuster,
Een herfst droomt bestrooid met sproeten,
En naar de dwalende hemel van je angelieke ogen,
Zoals in een melancholieke tuin, trouwhartig,
Een blanke waterstraal naar het Azuur zucht!
– Naar het Azuur ontroerd door de bleke en pure Oktober
Die in grote bekkens zijn oneindige weemoed weerspiegelt:
En die op het dode water, waar het wildrossig zieltogen
Van de bladeren dwaalt op de wind en een koude vore trekt,
De gele zon zichzelf laat voortslepen door een lange straal.

Mallarmé

Steeds dat verlangen naar licht

Richard Wagners wereld is er een van duisternis. Misschien moet ik zeggen, Wotans wereld. Niet vreemd, aangezien hij een oog opofferde om uit de tak van de wereld een speer te vervaardigen. (In *Das Rheingold* beweert hij zelf dat dit was om Fricka voor zich te winnen – een inconsequentie van de componist, niet onverklaarbaar gezien de tijd die het schrijven en herschrijven in beslag namen.)

Dat oog, vertelt de Edda, werd de zon en als Mime zegt: ...*mir leuchtete Wotan's Auge*... ('mij bescheen het oog van Wotan'), dan doelt hij hierop. De duisternis van die ene lege oogkas zal de hele opera overheersen en door de opera resoneren, bijvoorbeeld in de grot waar de reus Fafner, getransformeerd tot een draak, een schat bewaakt; in de donkerten van het woud in *Siegfried* en de duisternis van de celli en contrabassen die over de nimfen van de Rijn valt wanneer Alberich hun het goud van de rivier ontrooft.

Voordat Alberich het goud kan stelen, moet hij de liefde vervloeken: ook in zijn hart wordt het duister. Nijd – een belangrijk motief – knaagt al het licht weg en doet hem knarsetanden: dat is duidelijk te horen in het zogenaamde nijdleidmotief.

De ronde vorm van de oogloze oogkas van Wotan vindt resonantie niet alleen in de grotten, maar ook in de ring en de gouden appels, die niets anders zijn dan de spatvonken van wat eens Wotans oog was, de zon. Het is niet voor niets dat hij ze zelf niet kan plukken.

Wotans afscheid van Brünnhilde in de laatste akte van *Die Walküre* is daarom een afscheid van – en een loflied op – haar ogen. Afscheid van het licht van zijn oog (vroeger dacht men dat zicht veroorzaakt werd door een bundel licht die uit de ogen scheen om de omgeving en voorwerpen te beschijnen):

Dit lichtende ogenpaar
Dat ik zo vaak lachend heb gekust,
Toen voor je strijdlust een kus je beloning was,

Toen kinderlijk zingend de heldenlof
Van je liefelijke lippen vloeide;
Dit stralende ogenpaar
Dat mij zo vaak in stormen glanzend toeblikte,
Toen wanhopig verlangen mijn hart verzengde,
Naar werelds genot mijn wens reikte,
Uit een wilde en verwarde angst.
Laat het voor de laatste maal vandaag mij lessen
Met afscheids laatste kus.

De synesthesie is opmerkelijk in de laatste twee regels: haar ogen kussen is als het lessen van dorst. Zijn speer is gemaakt van de Wereldboom, de gigantische es, Yggdrasil genoemd, die de hemel bedekt en waaronder drie bronnen of putten staan. Haar ogen kussen is drinken – is zijn verloren oog hervinden. De es was overigens in verschillende culturen een heilige boom vanwege de suikerachtige substantie die hij voortbracht en die de Grieken melí, honing, noemden. Daaruit zou de mede – goddelijke honingdrank – worden gemaakt. Er werd gesproken van een honingregen; misschien leeft deze honing voort in het oudtestamentische manna.

Een van de putten wordt bewaakt door de Nornen, de schikgodinnen, die de gouden levensdraden (het Duitse Seil; in het Nederlands 'zeel' en 'zeem' is een ander woord voor honing) spinnen en weven. Alleen zij zien in het donker:

Die Nacht weicht;
Nichts mehr gewahr' ich

De nacht wijkt;
Niks ontwaar ik meer

Het is de nacht die zicht brengt, in de nacht worden levenswegen gebaand of gestremd. Dit heeft Wagners meesterwerk in elk geval gemeen met dat andere opus van nacht en verlossing: jazeker, de *Duizend-en-een-nacht*.

Net zoals Wotan moet de vorst Shahriyaar, die zweert elke dag een maagd te huwen en haar de volgende ochtend te onthoofden – na de ontmaagding uiteraard –, uiteindelijk bemerken hoe zijn ijdele macht in de handen van een vrouw valt.

Brünnhilde is Wotans dochter en strijdinstrument, geboren met acht andere dochters uit een seksuele verbintenis met de aardgodin Erda, de oermoeder.

Wanneer Brünnhilde hem ongehoorzaam is, spreekt hij haar zo toe: *Was bist du, als meines Willens / blind wahlende Kür?* ('Wat ben je anders dan de blinde / Willekeur van mijn bevel?'), een woordspeling met haar functie, een Wahlküre, zij kiest (küre) uit de strijd (wal) de helden uit die het Walhalla mogen betreden, waar ze opgewacht worden door Wünschmädchen, sierlijk in de klarinetten als doorzichtige sluiers. Sommige eschatologische dromen reizen de hele wereld af.

Shahrazade, éénnachtelijke maagdbruid, brengt slechts drie kinderen voort, allen zonen uiteraard, maar weet de despoot wel te vermurwen door hem duizend-en-een nachten lang te kluisteren in verhalen. Beide vrouwen leren de mannen barmhartigheid. Brünnhilde verliest haar goddelijkheid, maar vindt lichamelijke liefde. Shahriyaar verliest zijn wrok, en verliest daarmee zijn haat jegens vrouwen. Brünnhilde verliest haar geliefde Siegfried, maar offert zich op voor een nieuwe wereld; Shahrazade zet haar leven op het spel en redt daarmee de toekomst van de maagden van het koninkrijk.

De lustig boelerende god Wotan, aanvankelijk vol van bravoure en trots in het begin bij het aanschouwen van het pasgebouwde Walhalla door de reuzen Fasolt en Fafner, verzinkt allengs in grimmigheid en daadloosheid. Zijn raven rusten op zijn schouders en vliegen slechts krassend weg om Siegfrieds dood te verkondigen. Hij weerspiegelt Wagners veranderende visie op de wereld en vooral op zijn held Siegfried (die de spil had moeten zijn van het hele verhaal), wiens heldhaftigheid uiteindelijk nogal wankel blijkt. Dat wij nooit werkelijk geloven in Siegfried, komt doordat Wagner, in zijn muziek, zelf niet al te veel vertrouwen heeft in deze gespierde onnozelheid. Wotans tragiek is tegelijk de tragiek van Wagners opgepompte woord, dat het moet afleggen tegen de muziek.

Op het moment dat Wotan zijn afspraak met de reuzen – dat zij de godin Freia mogen hebben voor het bouwen van het paleis in Walhalla – verbreekt, is het duidelijk dat zijn woord een zeepbel was – even iriserend als de regenboog die de brug vormt naar het gebouw, maar zeker niet zo bestendig. Dit is een opera over verbroken verhoudingen en contracten – de Arabische verzameling van vertellingen toont aan hoe een uitgestelde, zelfopgelegde belofte tot iets goeds kan komen.

Wotan is de werkelijk tragische persoon, die zijn eigen wereld tegen zich in opstand ziet komen. Een anarchistische manipulator die zich verkijkt (hoe kan het ook anders met één oog!) op de levenswil van de vruchten van zijn lendenen en macht; hij moet bezwijken voor de opstand van het hart. Wagners taalboeket krijgt het zwaar te verduren onder zijn muziek. De woorden mogen dan rimpelen als het waterig oord van de Rijndochters, de muziek stamt ontegenzeggelijk af van Erda's ernstige, doemdoortrokken duisternis.

En die spanningen en verscheurdheid zijn op verschillende niveaus voelbaar – en altijd op indrukwekkende en bewonderenswaardige wijze. Want, mocht ik nog niet duidelijk genoeg zijn, Wagner is een goede verteller.

Wagner manipuleert het materiaal van zijn mozaïek met een hand even ferm als die van de anonieme auteurs van de beste vertellingen uit de *Duizend-en-een-Nacht*, zelfverzekerd, pronkerig, af en toe losjes, soms zelfs met één oog dichtgeknepen, terwijl het andere nimmer het overzicht verliest.

De opera begint nogal gemoedelijk in de Rijn met de drie Rheintöchter (in de eerste hoornklanken hoor ik liever niet een Urlaut, zoals in het begin van Mahlers eerste symfonie, maar de geruststelling van een 'Er was eens...') om dan via Walhalla, de reuzen, gouden appels, Nibelheim, dwergen, draak, incest, vergelding, verraad, toverwouden, wekkende kussen, liefde, seksuele initiatie, bedrog en vernietiging te eindigen in diezelfde Rijn, die ondertussen in een Styx is veranderd.

De reuzen ontvoeren Freia, de goden ontberen dan de gouden appels die alleen zij kan plukken en die hun onsterfelijkheid geven (behalve aan Loge, de vuurgod); in Nibelheim vertoeven de kobolden en dwergen die onophoudelijk aambeelden martelen om van het goud, door Alberich geroofd, een ring te smeden – de ring die almacht verschaft –; hij laat zich ook een helm, de Tarnhelm genaamd, vervaardigen door zijn laffe en achterbakse broer Mime, een helm die hem elke gedaante kan doen aannemen – van draak tot krodde, een pad –, of onzichtbaar maken; Fafner vermoordt zijn broer Fasolt en gaat er met de schat vandoor; Wotan verwekt de tweeling Siegmund en Sieglinde, die verliefd op elkaar worden en Siegfried voortbrengen; Siegmund wordt vermoord uit wraak om zijn incestueuze overspel met zijn tweelingzus, die getrouwd is met de jager Hunding; Siegfried groeit op in een bos, opgevoed door Mime, die hem wil gebruiken om de schat te krijgen die bewaakt wordt door Fafner, die zich, zoals gezegd, in een draak heeft veranderd ('Wie stoort daar mijn slaap?'); na de draak verslagen te hebben en van zijn bloed geproefd, kan Siegfried plotseling de taal van de vogels verstaan; een vogel voert hem naar Brünnhilde, die door vader Wotan in slaap is gekust en omringd door een magisch vuur; hij kust haar wakker en zij leren de liefde kennen, waarbij aangemerkt moet worden dat zij meer ervaren blijkt dan hij; dan wordt, door een list, Siegfried verliefd op Gudrun, een prinses, zus van Guthrun die met Brünnhilde in het huwelijk wil treden en daarvoor verzint Hagen een list; de jaloerse Brünnhilde neemt samen met Gudrun, Guthrun en Hagen wraak op Siegfried, niet wetende dat zij in een complot betrokken is; Siegfried krijgt namelijk een vergeetdrank aangereikt door Hagen waardoor hij vergeet dat Brünnhilde zijn vrouw is en hij belooft haar voor Guthrun te schaken, want alleen hij kan het magische vuur dat Brünnhilde omringt trotseren; als alles uitkomt, steekt Brünnhilde heel Walhalla in brand en stort zich op haar ros Grane in het vuur; en de ring wordt weer teruggeworpen in de Rijn en alles kan weer opnieuw beginnen. Al dit wordt in gang gezet door Wotan nadat hij zijn woord heeft gebroken. Ik ken geen magistraler voorbeeld van zelfdestructie dan deze opera.

Even bijkomen. En dan heb ik nog niet eens alles verteld. Want Alberich verwekt intussen ook een zoon, Hagen, bij een gewillige vrouw en die Hagen zal de dood van Siegfried in gang zetten met behulp van een vergeetdrank.

Het is een tuimeling van vermommingen en metamorfosen. Het goud dat in het begin zo schilderachtig vonkte, schittert af en toe nog op in de vorm van de ring, maar algauw wordt deze mat, bezoedeld door te veel begerige handen. Gelukkig is daar Loge, die nu en dan zijn demonische vlammen laat vieren. Er is steeds dat verlangen naar licht, naar de ochtend, een verraderlijk gloren.
Als hij de schittering van het zwaard Nothung in de boom ziet, vraagt Siegmund zich af of het de blik van Sieglinde is die in zijn duisternis een zon laat stralen en eindigt met een ongewild treurdicht op de zon:

Wat flakkert ginds uit vonkelstralen op?
Wat een straal breekt er uit de essenstam.
Een schicht bestraalt de blinde ogen,
Lustig lacht daar een blik.
Hoe heerlijk verzengt het schijnsel mijn hart!
Is het de blik van de luisterrijke vrouw
Die zij daar achter zich liet talmen
Toen zij van de hal afscheid nam.
Nachtelijk donker dekte mijn ogen toe,
Maar daar trof mij haar stralende blik:
Warmte vond ik en dageraad.

Zalig scheen mij het zonnelicht,
Mijn schedel omgloorde zijn genotvolle glans,
Totdat hij achter bergen zonk.
Nog eenmaal, voordat de dag verscheidde,
Trof mij 's avonds zijn straal;
Zelfs de stam van de oude es
Lichtte op in een gouden gloed:
Nu verbleekt het stralen, het licht dooft,
Nachtelijk donker dekt mijn ogen toe:
Diep in mijn boezems schuilplaats vonkt nog
Een lichtloze gloed.

Selig schien mir / der Sonne Licht, / den Scheitel umgliss mir / ihr wonniger Glanz. – / bis hinter Bergen sie Sank. De harp treedt in om de stralen draden te geven en de zang wordt lyrisch en warm evenals de instrumenten. Zo laat Wagner bij de woorden 'lichtloze gloed' koperblazers het licht van het orkest dimmen. Opvallend is de juxtapositie van een vrouw met de zon die, evenals het zwaard, mannelijk is. Wat zij gemeen hebben is de flonkering.

Deze stijlfiguur, 'de geveinsde onwetendheid', zoals Arabische retorici hem noemden, komen we vaker tegen. En de associatie vrouw-licht vinden we ook in andere wereldliteratuur zoals *Orlando Furioso* van Ariosto.

In *Siegfried* bewaakt Alberich de grot van de draak Fafner in een donker woud. In de prelude vangen we al de suggestie van een schijnsel op in de pi'zicato's, die ik mij graag voorstel als vuurvliegen die om Fafner de draak zwermen. Deze monoloog vormt een nijdige parallel met de voorafgaande van Siegmund:

In nacht en woud
Houd ik voor Nijdgrot wacht,
Mijn oor luistert, moeitevol gluurt mijn oog.
Bange dag, verhef je je al?
Schemer je ginds door het donker heen?
Wat voor licht flakkert daar op?
Een helder schijnsel schimmert naderbij;
Het rent als een vurig ros,
Breekt briesend door het woud heen?
Nadert daar de drakendoder?
Is hij het die Fafner zal vellen?
Het licht dooft, de glans

Bergt zich voor mijn blik; het is weer nacht.
Wie komt daar schitterend in de schaduw aan?

(Een terzijde: ik dacht altijd dat Alberich zong: *Banger Tag, beb'st du schon auf?* in plaats van *heb'st du schon auf.* Een bange ochtend die 'zich opbeeft', huiverend, trillend, onzeker daagt. Hulde zij het oor dat misverstaat: nu kan ik dit neologisme voor mijzelf opeisen.)

Nee, het is niet de ochtend. Het is de speer van Wotan, die, vermomd als een dolaar, op zijn paard door het woud galoppeert. De metafoor van het ros wordt mooi verklankt in het hortende Walküre-motief. Een anticipatie op het licht (ook dit keer niet van de ochtend, maar van een lichterlaai) aan het einde van de opera als heel Walhalla in vlammen opgaat. Een metafoor ondergaat een metamorfose. De dag van verlossing laat op zich wachten, Wotans doemdrang moet het doen met een effigie van ochtendlicht: Loges vuur.

Zelf zal Alberich later aan zijn zoon Hagen verschijnen in een straal maanlicht, zo fraai verklankt met schrille houtinstrumenten, die het weedommotief uitschreeuwen, want hoe karikaturaal sommige zangers en regisseurs de nachtelf Alberich ook graag zien, er klopt een gekrenkt hart onder zijn *eklige Balg*, zijn akelige huid. Zijn seksuele teleurstelling, de drijfveer van zijn wrevel, is uitermate overtuigend en zijn monologen, doortrokken van dat knarsetandende nijdmotief, behoren tot de hoogtepunten van de opera. In *Das Rheingold* zingt hij op het leidmotief van de liefdesvervloeking:

Zoals ik de liefde heb afgezworen,
Zo zal alles wat leeft haar afzweren.
Door goud verleid, zullen jullie enkel naar goud begerig zijn.
Wees op je hoede! Wees op je hoede!
Dan zullen jullie mannen eerst mijn macht dienen
En jullie bekoorlijke vrouwen
Die mijn vrijen hebben versmaad,
Zal deze dwerg tot lust dwingen,
Al lacht de liefde hem niet toe.

En in Siegfried horen we een andere hartenkreet, gericht aan Wotan:

Want als ik hem eenmaal weer in mijn vuist vasthoud,
Zal ik, anders dan de dwaze reuzen,
De kracht van de ring benutten:
Beef dus, jij eeuwige hoeder van helden!
Walhalla's hoogten bestorm ik dan met de troepen van de Hel,
De wereld zal ik veroveren!

Loges waanzinnig licht plaagt Mime als hij na het raadselspel met de Wanderer-Wotan (ook hier weer drie raadsels, net zoals in Turandot) krankzinnig begint te worden.

Verfluchtes Licht!
Was flammt dort die Luft?
Was flackert und lackert,
Was flimmert und schwirrt,
Was schwebt dort und webt, und wabert umher?
Da glimmert's und glitzt's in der Sonne Gluth!
Was säuselt und summt und saus't nun gar?
Es brummt und braus't und prasselt hieher!
Dort bricht's durch den Wald, will auf mich zu!
Ein grässlicher Rachen reisst sich mir auf...

Dit hoeft niet vertaald te worden, het flikkert en flakkert en flonkert en krenselt dat het een lieve lust is; het suizelt en ruiselt en glimmert en glinstert en gloeit eveneens.

Het is duidelijk dat zowel Wotan als Loge hier aan het werk is: het licht van Wotan (de zon) en het vlammen van Loge in de Walküre; Wotan noemt hem een Gluth als hij hem aanroept om een magisch vuur rondom de slaapgekuste Brünnhilde te ontsteken.

Dit is een favoriete, hallucinatoire scène, waarin Mime Siegfrieds silhouet aanziet voor de draak Fafner. Terecht: Siegfried zal het einde betekenen van zowel dwerg als draak.

Net zo dubbelzinnig is de morgen voor Shahrazade. Wat een wisse dood had moeten zijn, blijkt een uitstel van executie. Een uitnodiging voor een onthoofding, zonder kennis van het tijdstip van de hoofdattractie.

Zonder over invloed of ontleningen te spreken, maar alleen over het ambacht van het vertellen, verwijs ik naar de vertelling van de Lastdrager en de drie Dames van Bagdad uit de Arabische nachten. Ook deze vertelling begint met drie lustige dames en een man, een sjouwer belast met de taak boodschappen van gegoede lieden naar hun huis te dragen. Maar deze anonieme persoon slaagt waar Alberich faalt.

Na de drie jonkvrouwen en hun weelderige huis aanschouwd te hebben, en hij weet dat de gekochte voorraad wel bestemd moet zijn voor een gelag, weet hij hen over te halen hem bij hen te laten blijven, want, zoals hij zegt: 'Het vermaak van vrouwen is nooit volmaakt zonder het gezelschap van een man.' Hulde aan het oord van de verbeelding waarop geen religie greep heeft. Hij vlijt zich neer op de schoot van de drie naakte dames nadat zij zich in een dronken bui in een zwembad met fontein hebben geworpen en *tollt und neckt* en bijt hun *den nacken*; betast *neckend* hun borsten (het Duits is uit het begin van *Das Rheingold* – een zwierige verleidingsscène). Er komt geen seks aan te pas, alleen een licht sadomasochistische scène wanneer de dames de drager beginnen te slaan, nadat hij hun verschillende woorden onthult voor hun geslacht, dit overigens op hun nadrukkelijke verzoek. Eén voor één kleden ze zich uit, waarna ze met een juichkreet in het water springen en zich tussen de borsten en de dijbenen wassen. Bij het zien van een van hen declameert hij de volgende regels (in vrije vertaling want ik citeer uit mijn hoofd):

Als ik je lijf vergelijk met een twijg
Dan doe ik het onrecht aan
Want een twijg is het mooist als hij bedekt is
En jij wanneer je van je kleren bent ontdaan.

Na zich op zijn schoot te hebben geworpen, wijzen zij naar hun vagijn en vragen of hij weet hoe die vleselijke, honingdroppende es heet. Bij elk woord dat hij noemt, krijgt hij een klap: 'Foei, schaam je je niet?' Hij wordt op een speelse manier bont geslagen.

Na dit kleurig, vleselijk, woorddronken tafereel belanden we via drie kale derwisjen (alle drie blind aan één oog!), die gastvrijheid bij de orgiënde dames zoeken, bij de vermomde kalief Haroen a-Rashid en zijn vizier Dja'far, die bij het huis van de drie dames aankloppen, aangetrokken door en geschrokken van het gelach van de vrouwen binnenin, in een wereld van incest, demonen, bovenwolkige paleizen, liefde, ongehoorzaamheid, gedaanteverwisselingen, magie, boete, vergelding, ontrouw; om dan weer terug te keren in hetzelfde huis waar het allemaal zo vrolijk begon, maar dat nu in een gruweloord is veranderd – het zwembad rimpelt nog na, een kleine Rijn. Zowel de drie derwisjen als de drie dames vertellen hun verhaal. De kalanders, zoals de kale, eenogige asceten worden genoemd, verhalen hoe zij hun ene oog zijn kwijtgeraakt; twee van de dames onthullen de oorzaak van hun dagelijkse geseling van twee teven en de derde dame vertelt hoe zij aan haar littekens is gekomen.

Achter elke gevel schuilt gelach en achter elk gelach schuilt een reden en achter elke reden schuilt een verhaal en in elk verhaal schuilt een wereld van wonderlijkheden. Ook in dit verhaal is er sprake van het overtreden van een regel, die op de muren van het huis geschreven staat: WIE SPREEKT OVER WAT HEM NIET AANGAAT, HOORT WAT HEM NIET AANSTAAT.

En wat zowel de derwisjen als de dames aangaat: ook hun ellende en straf zijn het gevolg van de overtreding van een regel, de schending van hun overeenkomst.

De wereld stort in elkaar als wetten niet worden geëerbiedigd. Alberich had zijn nieuwsgierigheid naar het waterrijk boven Nibelheim moeten beteugelen; de demonen (djinns) die zich bemoeien met mensenlevens worden in de Arabische vertellingen getroffen door vallende sterren – een Koranisch concept: djinns die de hogere hemelsferen betreden om de gesprekken van de engelen af te luisteren worden met radjm (steniging) van nadjm (sterren) bestraft.

En zo had de vermomde kalief Haroen niet moeten vragen naar de vreemde, brute gebruiken van de drie dames (het martelen van de teven, het gezang, de flauwtes, de littekens – leest u het verhaal maar eens). Herbert von Karajan heeft gezegd: 'Waar gaat *Der Ring* anders over dan over de schending van natuurlijke wetten?'

Merk nog een andere overeenkomst op: Wotan gaat verkleed als een zwerver, met een hoed met brede randen, om zijn geschonden gelaat te bedekken; de kalief Haroen zwerft door de straten van Bagdad verkleed als een reiziger uit den vreemde op zoek naar gastvrijheid.

De grote gevolgen van zo'n overtreding, een verdragsschending, worden breed uitgemeten, misschien zelfs overdadig, maar we accepteren het, laten ons graag betoveren. Waarom? Omdat de verteller gelooft in zijn vertelling, omdat hij zijn vak beheerst, omdat hij via bijna subliminale middelen ons voorbereidt op alle wonderbaarlijkheden die zullen volgen. Omdat hij de gave heeft in structuur te denken, zijn stramien te behoeden voor rafels; hij weet waar we naartoe gaan, omdat hij daar al is, terwijl wij nog de eerste stappen nemen; en zonder dat wij het weten geeft hij zo veel vrij. En vooral Wagner is bijzonder gul, omdat zijn kunst ten opzichte van de literatuur het voordeel van de simultaniteit bezit.

Wij zien die voorspiegelingen achteraf, bij de zoveelste herlezing of herbeluistering. Het gaat om de textuur. Het is proustiaans genoeg: kunst is geen beleving, maar altijd een herbeleving. Liefde op het eerste gezicht is zoet, oneindig veel zoeter kennis op het een na laatste gezicht.

Zo is het ook in de Arabische vertelling. De oogkassen van de drie derwisjen keren terug in de tombe waarin een broer en een zus, in een raamvertelling, zich terugtrekken om hun incestueuze liefde te botvieren – Arabische Siegmund en Sieglinde –; de put, in weer een andere raamvertelling, waarin de benijder de benijde werpt; in de onderaardse kamer, in het verhaal van een van de derwisjen, waarin een demon een vrouw gevangenhoudt, haar dwingt zich aan hem over te geven, een slavin van de seksuele macht waarvan Alberich droomt, maar die hij nooit bereikt; in die ene kamer, in het verhaal van een andere derwisj, die onder geen beding geopend mag worden.

En dan de gedaanteverwisselingen. De pochende Alberich die zich in een draak en een pad verandert kan nog een puntje zuigen aan de strijd tussen de demon en de tovenares in weer een andere raamvertelling van het hoofdverhaal, waarin beiden het hele spectrum van bestiale vormen uitproberen – van aap tot zwijn.

Wotan is vermomd om onherkenbaar (maar niet altijd onherkénd) de aarde te bewandelen en de gebeurtenissen alsnog te keren, *wie zu hemmen ein rollendes Rad* (het rad van fortuin tegen te houden). Haroen ar-Rashid vermomt zich om 's nachts door Bagdad te struinen om kennis te nemen van de moeilijkheden van zijn onderdanen en de volgende ochtend hun problemen op te lossen. *Stambuling haround*, zoals James Joyce dat noemt in die andere ringvertelling *Finnegans Wake* (1939): 'haroend stambulere', een samentrekking van 'Istanbul', 'ambuleren' (wandelen), 'strompelen', 'rond' en 'Haroen'.

Het is zijn bezoek aan de drie dames met hun lastdrager en zijn uitgesproken nieuwsgierigheid die het verhaal werkelijk de heuvel af duwen, met geen Sisyfus aan de voet. Alleen lijkt Haroen de gebeurtenissen ten goede te keren: hereniging, verzoening, vergeving.

Gelukkige afloop? Nee, niet echt. De werkelijke overwinnaar in zo veel vertellingen van Shahrazade is de dood (*Das Ende, das Ende!* roept Wotan wanhopig uit), 'de verwoester van paleizen', zoals hij ergens met Koranische eloquentie wordt genoemd. En paleizen zijn precies wat de reuzen in het Walhalla gebouwd hadden.

'Totdat de dood hen overviel', heet het nogal laconiek in sommige verhalen uit de *Duizend-en-een-Nacht*, een lugubere echo van de vaste coda van elke nacht: 'En de ochtend overviel Shahrazade…'

Bepaalde attributen van Wagners verhaal komen ook in *De Arabische nachten* voor. De meerminnen en -mannen vinden we in 'Djoelnaar', waar ze onder water kunnen ademen dankzij de zegelring (!) van Salomon, waarin de geheime namen van God gegraveerd zijn, een soort runen. In 'Djaudar en zijn broers' komt een *tarboesh* voor, een soort fez, die de drager onzichtbaar maakt. En de gouden appels vinden een drogparadijselijke galm in het eiland Waq Waq waar de bomen vruchten dragen in de vorm van onsterfelijke vrouwen – ongetwijfeld een parodie op de Koran waarin de hoeri's worden voorgesteld als vruchten die God opnieuw tot bloeien heeft gebracht.

Personen worden smaakvol en treffend neergezet. Niet zelden met humor. Zie en hoor bijvoorbeeld Fafner die de opgewonden bruut Donner toeroept: *Ruhig, Donner!! Rolle wo's taugt* ('Rustig, Donner! / Rol waar het nut heeft'). De confrontaties tussen Mime en zijn broer Alberich zijn in *Das Rheingold* al zo prachtig uitgewerkt (Alberich die Mime bij zijn oor vasthoudt en hem knijpt), maar ze worden kluchtig in *Siegfried*, waarbij Mimes afwisselende onderkruiperigheid, venijn en huichelende verbijstering vermakelijk zijn:

Alberich: *Wohin schleich'st du*
Eilig und schlau,
Schlimmer Gesell?

Mime: *Verfluchter Bruder,*
Dich braucht' ich hier!

En dan natuurlijk Alberichs spotlach offstage als Siegfried Mime doodt. Merk op hoe vaak Wagner lachen overdrachtelijk gebruikt: ogen lachen, licht lacht en wat al niet zó vaak dat het sporadisch lachen van de personages daartegen nogal hol klinkt.

De tour de force is, wat mij betreft, Loge. Aan het eind van *Das Rheingold* besluit hij zich terug te trekken uit de kring van goden (*zur leckenden Lohe! mich wieder zu wandeln*) en daarna zullen we hem moeten missen als personage. Toch klinkt hij in de rest van de opera wel door, behalve in de eerste akte van *Die Walküre*, omdat de liefdesgloed daarin een zelfverterende zinderendheid behoeft waartegen zijn Zauberfeuer niet op kan. Zijn sluwe, springerige motief doet ons steeds de oren spitsen: wat voert hij nu weer uit, wat voor plannen smeedt hij? Er is een suggestie van diepere sluwheid in die grillige noten. Hij is de enige die ontsnapt, de enige verloste. Waarom?

In de opera komen alle vier de oerelementen voor: water, lucht, aarde, vuur. Dat de kwintessentie, het vijfde element, afwezig lijkt, komt alleen doordat het zo overheersend is. Namelijk het element klank, het auditieve element. Opgenomen in het notenweb van Wagner transcendeert hij letterlijk naar een werkelijkheid buiten de fysieke. Siegfrieds dood lijkt een zekerheid, niet wanneer Hagen hem begroet op de tonen van het vervloekingsmotief, maar wanneer hij, getransformeerd tot Gunther door de Tarnhelm, Brünnhilde bezoekt: op dat moment wordt zijn hoornroep (die klinkt in de werkelijkheid van het verhaal) overgenomen door de trompetten in het orkest, deze klinken door het flakkeren van het vuur heen.

Shahrazades verhalen zijn vergeven van de ontrouwe, wellustige vrouwen, wat een slechte strategie lijkt om haar toehorende vorst van zijn vrouwenhaat te genezen, maar zij kan dat doen, omdat zij de belichaming vormt van vrouwelijke deugdzaamheid en genie. Niet de hoofdmelodie telt uiteindelijk, maar het bijna over het hoofd geziene, het bijna terloopse contrapunt: de prismatische glinsteringen waaruit de magie van immer ongrijpbare kunst bestaat.

Siegfried, net als zovele helden uit de *Duizend-en-een-Nacht*, is geen held van daadkracht, maar gunsteling van omstandigheden, zijn levensdraad wordt liefdevoller gehanteerd door de Nornen dan die van anderen. Hij is nog een kind; *Das ist kein Mann!* roept hij uit als hij het harnas van de slapende Brünnhilde verwijdert, voordat hij haar wakker kust: hoewel hij verlangt naar zijn moeder, blijkt dat verlangen slechts maar een woord, want vrouwelijke anatomie heeft hij nooit aanschouwd. Hij verdient ons begrip alleen omdat een kind recht heeft op zijn nukken en jeugd op haar fouten. Laten we niet vergeten dat het een vogeltje is dat hem uit het woud haalt en hem naar het blakke licht van Brünnhilde leidt. Hoe het vogeltje dat weet? Vogels zijn de dragers van zielen en dragers van zielen weten wat mensen en monsters verborgen houden. Dat vogeltje weet weliswaar de weg, maar weet niets van vrouwelijke vormen. Dat is het vergeven.

Wagner, een meesterwever: die gouden levenszelen komen mij verdacht sterk voor als de lijnen van een notenbalk.

Die Walküre

Wanneer op het einde van *Das Rheingold* de goden het Walhalla over een regenboogbrug betreden, zingt Wotan de volgende vervoerde woorden:

Het oog van de zon straalt in de avond;
In een schitterende gloed prijkt de luisterrijke Burcht...
De nacht nadert: tegen zijn nijd
Biedt hij ons bescherming.
Zo groet ik de burcht,
Veilig voor angst en gruwel –
Volg mij, vrouw: woon met mij in Walhalla!

En hij neemt Fricka bij de hand. Bij deze woorden klinkt voor het eerst het motief dat, zoals we pas in *Die Walküre* zullen bemerken, voor het zwaard Nothung staat. Dit verbindt het eerste alvast met het tweede deel. Er staat iets te gebeuren en de regieaanwijzing van Wagner geeft dan ook het volgende aan: [Wotan] *Wie von einem grossen Gedanken ergriffen, sehr entschlossen.*

'Het oog van de zon' duidt op het oog van Wotan zelf, dat hij opofferde (voor kennis of voor de liefde van Fricka? Wagner geeft beide opties) en dat de zon werd; er is een obsessie met ogen en licht (in de hele cyclus eigenlijk van *Der Ring des Nibelungen*); er is een impliciet zwaard (het muzikale motief); er is de duisternis. En er is het stralende oog. Vergelijk dit met de volgende monoloog van Siegmund uit *Die Walküre:*

Een zwaard beloofde mijn vader mij;
Ik zou het in de hoogste nood vinden...
Waar is je zwaard?...
Wat flakkert ginds uit vonkelstralen op?
Wat een gestraal breekt er uit de essenstam.
Een schicht bestraalt de blinde ogen,
Lustig lacht daar een blik.

Is het de blik van de luisterrijke vrouw?...
Nu verbleekt het stralen, het licht dooft,
Nachtelijk donker dekt mijn ogen toe

Nog is het zwaard niet gematerialiseerd, al weerklinkt zijn motief herhaaldelijk. (Een van de geneugten van het gebruik van leidmotieven bij
Wagner is dat de luisteraar meer weet dan de personages zelf; het versterkt de tragiek: zij zitten gevangen in een web van noodlottige omstandigheden én een web van muzikale motieven.)

Dit is een onderhuidse verbinding tussen de twee opera's; het trekt een
parallel tussen Wotan, zwaard en Siegmund – en inderdaad zal Siegmund
niet alleen het zwaard vinden dat Wotan in de essenstam heeft gestoken,
maar hij zal ook diens zoon blijken te zijn.

Het verschil zit hem in de muzikale textuur, die is in *Die Walküre* complexer dan bij *Das Rheingold*. Wagner was gegroeid als componist en waar
in het eerste deel het netwerk van motieven nog doorzichtig en enigszins
simplistisch was, getuigt onze opera van een symfonische rijpheid en rijkdom. Het is zeldzaam dat kunst en biografie zo perfect samenvallen: de
tussentijdse ontwikkeling van Wagner als kunstenaar en het temporele
verloop tussen de gebeurtenissen in *Das Rheingold* en in *Die Walküre* hadden niet overtuigender kunnen zijn.

Das Rheingold begint met de vervloeking van de liefde door de nachtelf Alberich en *Die Walküre* met een verliefdheid tussen twee mensen of halfgoden. Met de intrede van het menselijke element, maakt ook de liefde haar
intrede. *Das Rheingold* speelt zich af in een wereld van goden, nimfen, reuzen, dwergen en aardmannetjes. In *Die Walküre* hebben we behalve Siegmund en Sieglinde ook Hunding, de heer der honden, met als apotheose
de metamorfose van de Walküre Brünnhilde naar een vrouw – een metamorfose die zich vervolmaakt in *Götterdämmerung* wanneer zij de lichamelijke liefde heeft leren kennen. Aanwezig, maar dan onzichtbaar en slechts
als leidmotief, is Siegfried, van wie Sieglinde zwanger is. Wat het zwaard-
motief voor *Das Rheingold* is als link naar het vervolgdeel is Siegfrieds motief de verbinding met het volgende deel: een mooi voorbeeld van muzikaal enjambement.

Hartstochtelijk en kosmisch (de elementen) stormt de liefde de opera
binnen: verjaagd en achtervolgd door donder en wind valt Siegmund uitgeput en dorstig neer bij het huis van Sieglinde. Het is liefde op het eerste
gezicht, een coup de foudre, zo innig en zo intens dat de muziek die frac-
tie van een seconde moet uitspinnen om de intensiteit ervan te kunnen

weergeven: alleen met een breekbare melodie op een cello, die solo omhoog zweeft om dan tegemoet gewaaid te worden door zijn gezellen alsof ze bang zijn dat hij vallen zal. (Hier perfectioneert Wagner wat hij al deed in *Der Fliegende Holländer* wanneer de titelheld Senta voor het eerst ziet.) De aanvang is karakteristiek voor de hele opera: de oerkrachten waartussen het kloppen van een liefdevol hart zich niet laat verstommen. Die Walküre is een intieme opera, ondanks zulke *showpieces* als de onverwoestbare Walkürenritt; dit is in wezen een symfonisch gedicht en wordt te vaak log uitgevoerd, terwijl het etherisch zou moeten klinken. Je hoort er het hinniken en briesen van de paarden in, je ziet de wind in hun manen, het slaan van hun vonkende hoeven. Het is waar dat het op de rand van kitsch kan balanceren, maar dat is de uitdaging voor de dirigent. Tempo is hier alles, en klankkleur. Mozart heeft gezegd dat in muziek ritme alles is, Beethoven dat het om melodie gaat. Ik weet niet met wie Wagner het eens was, ik denk dat hij beide in zich wilde verenigen.

De intimiteit van de opera toont zich ook in de structuur, die bijna schematisch is. In de eerste akte is er het liefdesduet tussen Siegmund en Sieglinde; zowel Siegmund als Sieglinde heeft een vertellende monoloog. In de tweede akte is er de dialoog tussen Wotan en Fricka en de lange vertellende monoloog van Wotan. Verder is er de dialoog tussen Siegmund en Brünnhilde (de Todesverkündigung). In de derde akte is er een treffen tussen Wotan en Brünnhilde, voordat hij haar tot vrouw en in slaap kust; Wotan sluit af met een magistraal afscheid van Brünnhilde en het tovervuur laait op (een link naar het einde van Walhalla in *Götterdämmerung*). Dit afscheid is geen vertelling, maar wel een beschrijving van zijn emotionele landschap:

Dit stralende ogenpaar
Dat mij zo vaak in stormen glanzend toeblikte,
Toen wanhopig verlangen mijn hart verzengde,
Naar werelds genot mijn wens reikte,
Uit een wilde en verwarde angst

(Alweer die ogen! Behalve dat het structureel functioneel is en symbolisch voor de ring, heeft het beeld ook te maken met Wagners beperkte metaforiek.)

Dit vormt een lyrische antithese met zijn sombere stemming tijdens zijn verhaal in akte II, die alleen de geharde wagneriaan zal kunnen waarderen:

Toen de lust van jonge liefde verbleekte
Verlangde mijn gemoed naar macht:
Door de woede van plotselinge begeerte voortgejaagd
Overwon ik de wereld voor mij...
De liefde kon ik echter niet laten

Precies: *Die Walküre* is een opera over de liefde.

De liefde tussen Siegmund en Sieglinde is misschien voor moderne sensitiviteiten wat ongemakkelijk omdat zij incestueus is, verbonden in de baarmoeder en verbonden in het vlees. Dit hoeft ons echter niet af te schrikken, het motief van incest komt in de meeste mythen voor, de Bijbel niet uitgezonderd. Opvallend is de aanleiding tot incest. Bij Oedipus is dat de oplossing van het raadsel van de Sfinx: pas nadat hij dat heeft opgelost, pleegt hij, onwetend, incest met zijn moeder. In een mythe van de Algonquin-indianen pleegt een jongeman incest met zijn zus pas nadat hij enigma's heeft opgelost hem voorgelegd door een uil. Siegmund bezwangert zijn zus pas nadat hij het zwaard uit de boomstam heeft getrokken, een daad die alleen hij kan voltrekken. Zoals Sieglinde vertelt:

Het zwaard zou aan hem toebehoren
Die het uit de stam trok.
Hoe koen ze zich ook inspanden, geen van de
Mannen kon zich het wapen toe-eigenen

De culturele en antropologische implicaties hiervan zijn mij niet duidelijk, maar geïnteresseerden kunnen het werk van Claude Lévi-Strauss raadplegen. (De seksuele symboliek van het zwaard moge duidelijk zijn en er is ook een liveopname van deze opera waarin de sopraan, die Sieglinde vertolkt, een geïmproviseerd orgasmatische kreet laat horen, als het zwaard uit de stam wordt getrokken.)

Incestueus of niet, het liefdesduet van S&S is zo niet van een hallucinante schoonheid, dan wel zelf een hallucinatie. Wanneer de maan doorbreekt en het paar beschijnt in de duisternis van het woud, begint de muziek zijde te weven, in een pianissimo heerlijkheid die ons lijkt terug te voeren naar de oerrimpelingen van de Rijn aan het begin van *Das Rheingold*:

Winterstormen weken voor de wonnemaand,
In een milde schijn licht de lente op;
Op tedere briesjes licht en liefelijk

Wiegt hij zich om wonderen te weven...
Wijd geopend lacht zijn oog

[Commentaar overbodig.]

Dit maanzilveren visioen van licht en lucht krijgt een antithese in akte II,
wanneer de vluchtende Sieglinde begint te ijlen, voordat ze neervalt in
Siegmunds schoot:

Waar ben je, Siegmund? Zie ik je nog,
Dierbare geliefde, luisterrijke broer?...
Ah daar! Ik zie je! Gruwelijk aangezicht!
De honden blekken de tanden naar je vlees;
Zij slaan geen acht op je edele gezicht;
Hun ferme gebit pakt je bij de voeten,
Je valt – ...

Ze worden achtervolgd door de honden van Hunding, wiens hoorns
doemvol weerklinken, een echo van de donder en stormen die Siegmund
aan het begin van de opera voortjagen.

Een andere parallel met het liefdesduet is de *Todeserkündigung*, wanneer Brünnhilde als in een visioen aan Siegmund verschijnt om aan te
kondigen dat zij hem naar Walhalla zal brengen, met andere woorden dat
hij zal sterven. Zij spiegelt hem een paradijs voor van genot en hedonistische aantrekkingskracht, compleet met *Wunschmädchen*, Germaanse hoeri's: let op de zacht dansende klarinetten wanneer deze wensmeiden ter
sprake komen. Hij bedankt echter voor de eer, wanneer hij begrijpt dat
hij dan Sieglinde moet achterlaten. En bij zijn woorden: *nach ihnen folg'
ich dir nicht* weerklinkt op de strijkers (ik denk altviolen) het huiverende
noodlot-motief; een siddering tussen de schouderbladen, het op hol slaan
van het hart.

Deze verdubbelingen, parallellen en antithesen zijn zeer toepasselijk in
een verhaal van incest, van een innige en innerlijke verbondenheid, want
dat is wat liefde is (dat Siegmund en Sieglinde tweelingen zijn, lijkt mij
symbolisch hiervoor). Maar tegelijkertijd en paradoxaal genoeg blijkt
liefde ook een resultaat van een verbroken verbond.

Alleen door de heilige huwelijksband tussen Hunding en Sieglinde te
verbreken, kan Siegmund haar liefhebben. Hunding wendt zich tot Fricka, de hoedster van de echt, om hem te wreken. Fricka weet Wotan zover

te krijgen dat hij belooft Siegmund niet te beschermen. Hun dialoog is amusant realistisch en ik heb mij altijd afgevraagd of Wagner hierin niet wat autobiografische wrevel heeft verwerkt ('Je trouwe gemalin bedroog jij onophoudelijk'). Wotan heeft wijsheid gekregen van de aardegodin Erda in ruil voor 'liefdestover' (lees: seksuele liefde) en het is de liefde, zoals hij hierboven zelf zegt, die zijn zwakke plek is. Hij ziet geen kwaad in wat Siegmund en Sieglinde hebben gedaan:

Wat voor kwaad heeft dat paar aangericht
Dat door de lente in liefde werd verenigd?
Liefdes magie betoverde hen,
Wie zou er moeten boeten voor minnes macht?

Fricka houdt echter voet bij stuk en zij heeft gelijk. Wat Wotan vergeet, is dat het zijn verbroken contract met de reuzen Fafner en Fasolt (die Walhalla voor hem hebben gebouwd) was, die de schemering inluidt van de goden. En wat wilden de reuzen hebben? Freia, godin van de liefde. Fricka, als een echte echtgenote, heeft hem door:

Je verwerpt alles wat je ooit eerbiedigde;
Verbreekt de banden die je zelf hebt gebonden

Zoals hij nu inziet is hij, die ooit door verdragen heerste, nu knecht geworden van die verdragen:

Ik moet verlaten wie ik liefheb
Doden wie ik bemin
Bedriegen en verraden wie mij vertrouwt

Vertrouwen en liefde delven het onderspit tegen droge verdragen. De enige overlevende in *Der Ring des Nibelungen* is Alberich, 'de duistere vijand van de liefde', degene die liefde heeft afgezworen. Weliswaar weet hij een kind te verwekken, maar in ruil voor goud en niet, zoals Wotan, voor kennis. In een werk dat handelt over ethische kwesties, lijkt alleen het materiële van duurzame waarde.

Ook Brünnhilde zwicht voor de macht van de liefde en verbreekt daarmee zowel haar band met Wotan (zij is zijn dochter) als hun verbond. Ik heb niet geteld, maar het woord *Band* en alle variaties daarop komen talloze malen voor in *Die Walküre*. Wanneer Wotan met zijn speer het zwaard

Nothung in stukken slaat, vormen de fragmenten ervan niets anders dan een symbool voor een versplinterde wereld. En dat Wotan het zelf doet is al veelzeggend: er is een curieuze drang naar megalomane zelfdestructie in deze god met menselijke trekken.

In zijn tomeloze woede jegens Brünnhilde, is het nu de beurt aan Wotan om haar te herinneren aan hun verbond. Zij heeft zijn nadrukkelijke bevel voor Hunding te strijden genegeerd, zij is een bevel van hem ongehoorzaam geweest ('Wat ben je anders dan de blinde / willekeur van mijn bevel?'). Wat zij heeft gedaan – en hiermee weet zij hem uiteindelijk te vermurwen – is zijn *wens* ten uitvoer brengen, niet zijn bevel. Aanvankelijk had hij haar gevraagd aan de kant van Siegmund te vechten, maar hij nam zijn beslissing terug. Dan zegt Brünnhilde: 'Toen Fricka u een vreemdeling maakte voor uw eigen voornemens.' Touché.

Het is een grimmige wereld waarin liefde leidt tot een breuk: liefde is verlies van controle en in dit geval een verstoring van kosmische ordening. '*Das Ende! Das Ende!*' roept Wotan getergd uit en alles zal ook onherroepelijk leiden naar dat einde. De storm aan het begin van de opera is de verwoestende kracht van de liefde in een wereld die draait op verdragen ('*Was du bist, bist du nur durch Verträge,*' zegt Fasolt tegen Wotan in *Das Rheingold*); maar een verdrag en liefde sluiten elkaar uit. Liefde is rebellie, anarchie en kan niet gedijen in een hiërarchische wereld. De grenzen tussen Nibelheim, Riesenheim en Walhalla zijn vervaagd.

Die Walküre begint met het element lucht en eindigt in vuur. Loge wordt opgeroepen om het magische vuur te ontsteken rondom de slapende Brünnhilde en hij gehoorzaamt: 'Zoals ik je aan mij bond, zo roep ik je vandaag aan!'

Wie kiest voor de liefde eindigt in vuur, de hel. Het is treurig, maar niet anders.

De vierde gongslag

Volk van Peking!
Dit is de wet: Turandot de Pure
zal de bruid zijn van de man van koninklijken bloede
die de drie raadsels weet op te lossen die zij hem opgeeft.
Maar wie de beproeving aanneemt en haar niet doorstaat,
moet zijn trotse hoofd aan het zwaard onderwerpen!

Aldus verkondigt een mandarijn deze wrede regel. Aangezien prinses Turandot niet alleen puur is – zeg maar gerust frigide -, maar ook een *divina
bellezza, mervaiglia*, 'een goddelijke schoonheid, een wonder', stromen de
overmoedige prinsen toe, ondanks het treurige lot van de voorgangers.
Want de raadsels van *Turandot* zijn duisterder dan de nacht. Zoals aan het
begin van de opera de Perzische prins zal ondervinden. De mandarijn zet
zijn verkondiging voort:

De Prins van Perzië
had het geluk niet mee:
bij het rijzen van de maan
zal hij door de hand van de beul
sterven!

Het bloederige en barbaarse karakter van de zwanenzang van Puccini
(1858-1924) is, na de eerste vier luide akkoorden waarmee de opera begint, meteen neergezet. In november 1924 stierf de componist aan keel-
kanker, na vier jaar eraan te hebben gewerkt. De opera zou onvoltooid
achterblijven; de laatste twee scènes waren nog in schetsmatige staat. Het
was aan de componist Franco Alfano om, in opdracht van de dirigent
Toscanini, die schetsen te orkestreren en te vervolmaken. (Een andere
voltooiing, door de moderne Italiaanse componist Berio, werd enige tijd
geleden in de Stopera opgevoerd.) Men hoeft geen getraind oor te hebben om te bemerken dat er in de harmonieën en de orkestratie wel een

breuk te horen is, een groot verschil met het filigrein en de glans van de meester zelf. Het is de apotheose waarin de protagonisten – het hele toneel en het publiek – in een trance van liefde terecht moeten komen. Een liefdesduet dat alle andere liefdesduetten moest overstijgen; want *Turandot* gaat over de humaniserende kracht van liefde. De futiele nieuwsgierigheid naar hoe Puccini zelf het gedaan zou hebben is een aangename prikkeling voor de liefhebber. Niet om Alfano tekort te doen, maar zijn einde mist het kleurendom van al het voorafgaande. Het lijkt alsof de dood hem heeft gered van een zware opgave die hij zichzelf had gesteld. Hij heeft nogal geworsteld met de afloop, die zijn versie van Wagners *Liebestod* moest worden, ontdaan van alle duisternis. Zoals hij in een brief aan zijn librettisten schreef: 'Het moet een groots duet worden. De twee mensen [Calaf en Turandot] die, als het ware, buiten de wereld staan, worden tot mensen getransformeerd door liefde en deze liefde moet bezit nemen van alles op het toneel.'

Dit, nu, is niet gelukt.

Maar laten we niet op de zaken vooruitlopen.

Goed!

Turandot is gebaseerd op een toneelstuk van de achttiende-eeuwse Carlo Gozzi, zijn zogenaamde 'dramatische fabels', die een synthese probeerden te vormen tussen oosterse vertellingen en de figuren van de *commedia dell'arte*. Voor *Turandot* putte Gozzi uit de Perzische vertellingen met de titel *Duizend-en-een-Dag*, die in de achttiende eeuw, kort na de vertaling (begonnen in 1704) door Antoine Galland van *Duizend-en-een-Nacht*, in een Franse editie van Pétis de la Croix verschenen. Dit riekt naar imitatie en niet naar authentieke vertellingen – maar dat terzijde. Het bewuste verhaal heet in de Nederlandse vertaling door C.F. van der Horst, die in 1928 bij Uitgeverij C.A. Mees, in Santpoort, verscheen: *Geschiedenis van prins Chalaf en van de prinses van China*. 'Chalaf' stamt van het Arabische *kalaf* en betekent 'verknochtheid'. En verknocht zal hij geraken.

De commedia dell'arte-elementen heeft Puccini overigens weggelaten. Het is China wat de klok slaat, China zoals Puccini zich dat inbeeldde, en 'klok' is hier het juiste woord. Hij heeft zich in zijn weelderige orkestratie de nodige moeite getroost om zo veel mogelijk verschillende klokgeluiden weer te geven op verschillende ingenieuze wijzen. Zo had hij voor zijn andere meesterwerk *Tosca* lange tijd op een plein zitten wachten om de precieze toon van de kerkklokken te noteren die het 'Te Deum' luidden.

De pracht en fonkeling van een verbeeld, sprookjesachtig Peking klinken bij hem als het auditieve equivalent van Klimts *Mozaïsche kleurenschikking*. Voorts heeft hij, volgens kenners, op zijn minst acht authentieke Chinese melodieën gebruikt (zoals hij dat had gedaan met Japanse deuntjes in *Madama Butterfly*). *Turandot* is een opera die de interesse voor oriëntaalse muziek uit de negentiende eeuw verenigt met de revolutionaire tonaliteiten van de westerse twintigste eeuw.

Het Oosten was onontgonnen gebied voor de verbeelding en in de kloof die feiten en fantasie scheidt, schuilt de duisternis voor kleurrijke en wellustige projecties. Het gaat uiteindelijk altijd om kleur en seks. In het hoempapa van belcanto en de walsen van de aria's uit andere Italiaanse opera's is het niet moeilijk om de oudste beweging van de wereld te herkennen. En wat te denken van de hoge C van de tenor en de hoge E van de sopraan als climax?

Puccini gaat veel verder: erotiek en geweld; opoffering en bloed. En natuurlijk ongemakkelijke ritmes en tegen elkaar in dreunende cadansen. Ka Dansen.

Het *verismo*, 'naturalistische opera', dat beoogde niet de vocale virtuositeit op de voorgrond te laten treden, maar de persoonlijke ervaring van het publiek aan te spreken, ook of misschien vooral door de onderwerpkeuze, kon Puccini niet meer boeien. Verismo ging over actuele onderwerpen, het lot van simpele boeren en corrupte politici bijvoorbeeld. Opvallend genoeg moest hij teruggrijpen op sprookjes om met contemporaine muzikale verworvenheden te kunnen experimenteren. Dit roept de vraag op – die hier niet beantwoord hoeft te worden – of sprookjes de vrijplaats bij uitstek zijn voor experimenteerdrift of dat experimenten een hang naar sprookjes zijn. In beide gevallen gaat het om het doorbreken van wat we maar veristische beperkingen zullen noemen.

En net zoals in veel sprookjes speelt het getal drie een belangrijke rol in *Turandot*. Of beter: lijkt het een belangrijke rol te spelen.

Er is het vermakelijke, sarcastische, wrede en melancholische trio Ping, Pang en Pong, respectievelijk grootvizier, hofleverancier en hofkok. In het oorspronkelijke toneelstuk waren zij figuren uit de *commedia dell'arte*. Zij proberen Calaf ervan te weerhouden de gong te bereiken, cynisch en afgestompt als zij zijn door al de doden en het bloed:

Stop! Wat doe je? Halt!
Wie ben je, wat doe je
Wat wil je? Ga weg!
Ga; dit is de poort

Van het grote slachthuis!
Dwaas ga weg!

Dit allemaal gezongen op scherzando manier, met xylofoon en al (Puccini vraagt om een uitgebreide percussieafdeling); je ziet synesthetisch de drie figuren om hem heen springen en hem omringen. De zwarte humor van het stuk komt goed naar voren in de raad die het trio aan de prins geeft. Ze zingen gezamenlijk en afwisselend, maar ik geef hun verbrokkelde zinnen hier samengevoegd weer:

En dit alles voor een prinses!
Poeh! Poeh!
En wat stelt zij voor?
Een vrouw met een kroon op haar hoofd
En in een mantel met franjes!
Maar neem haar fraaie kleren weg
En alles wat je dan vindt is vlees!
Slechts rauw vlees!
Dat je niet eens kunt eten!

En dan komt de grootvizier Ping met inderdaad goede raad, vergezeld van een verleidelijke celesta:

Laat de vrouwen met rust!
Of neem honderd echtgenotes,
Want uiteindelijk heeft de meest sublieme
Turandot van de wereld
Maar één gezicht, twee armen,
En twee benen, ja zeker mooi, koninklijk
Ja, zeker zeker mooi, ja, maar altijd dezelfde!
Met honderd vrouwen, o domkop,
Zul je benen in overvloed hebben
En honderd zachte boezems
Verspreid over honderd bedden!

Als dat geen waar woord is! Onnodig te zeggen dat Calaf zich hierdoor niet weerhouden laat; ook niet als ze besluiten hem gedrieën toe te spreken:

Een nacht zonder lichtstraal
En de zwarte pijp van een schoorsteen

Zijn helderer dan de raadsels van Turandot.
IJzer, brons, muren, rotsen,
De hardheid van je hoofd
Zijn minder hard dan de raadsels van Turandot.

Tijdens dit gezang tikt de xylofoon er mild en lustig op los, alsof het instrument op de koppige schedel van Calaf slaat; enige redelijkheid erin wil timmeren met zachte hamers.

Het is na de wijze raad van Ping boven dat Ping, Pang en Pong gestoord worden door de odalisken van Turandot die hen vermanen stil te zijn omdat de prinses slaapt wat de begeleidende instrumenten elk op een eigen ritme spelen. Het is een prachtig voorbeeld van de muzikale experimenten die Puccini in zijn opera toepaste: de invloed van Stravinsky's *LeSacre du Printemps* (1913) is merkbaar.

Drie keer roept Calaf de naam van Turandot en wanneer haar motief op de trompetten weerklinkt, wordt hij weergalmd door de stem van de vermoorde Perzische prins. De *geest* van de stem moet ik zeggen, want de geestenwereld speelt ook een rol in deze opera. Al eerder wordt hij toegesproken door de spoken van Turandots slachtoffers; dit is wat de fantomen van de doden zingen:

Treuzel niet!
Als je haar roept, zal zij verschijnen
Die ons gestorvenen
Nog steeds doet dromen.
Laat haar spreken!
Laat ons haar horen!
Ik heb haar lief! Ik heb haar lief! Ik heb haar lief!

Drie keer, maar dan antwoordt de eigenwijze Calaf: Nee, nee, alleen ik heb haar lief. Een vierde herhaling.

Waarom de geestenwereld? En waarom een vierde kreet?

Verder moet de prins die de uitdaging wil aangaan drie keer slaan op een gong die voor het paleis staat. Maar bij het magistrale einde van de eerste akte, wanneer de drie gongslagen weerklinken, gongslagen die op het toneel plaatsvinden en dus 'buiten' het orkest vallen, is er nog een vierde gongslag te horen, opgenomen door het orkest. Waarom een vierde? Daar komen we later wel op.

Wanneer Calaf de keizer om toestemming vraagt de beproeving te doorstaan, doet hij dat drie keer. Dit is heel ritualistisch en de bellen en klokken en de dreunen die weerklinken zijn adembenemend. Ook de keizer probeert Calaf ervan te weerhouden de uitdaging aan te gaan:

Een verschrikkelijke eed dwingt mij
Getrouw te zijn aan het wrede pact.
En de heilige scepter die ik vasthoud
Druipt van het bloed.
Genoeg bloed! Jongeling, ga!

Waarop Calaf antwoordt: *Zoon van de Hemel, ik wil de proef doorstaan!* De keizer zwicht want Calaf is, zoals hij het zo fraai verwoordt, *ebbro di morte*, 'dronken van de dood'.

En dan zijn er natuurlijk de drie raadsels. In een van de meest exalterende passages uit de opera waarschuwt Turandot, voordat zij hem de raadsels opgeeft, dat hij het lot niet moet tarten, want *l'enigmi sono tre, la morte una*, 'drie raadsels, één dood', waarop Calaf antwoordt: *No, no! Gli enigmi sono tre, una è la vita!* 'Nee, nee! Er zijn drie raadsels, en er is maar één leven.' Het is op het derde raadsel dat al zijn voorgangers zich hebben stukgebeten. Calaf zal zegevieren, dat staat vast, maar niet vóórdat hij het derde raadsel heeft opgelost.

Hier komen de drie raadsels:

I

In de donkere nacht vliegt een iriserend fantoom,
Rijst en spreidt de vleugels
Boven het oneindige zwart van de mensheid.
De hele wereld roept het aan
En de hele wereld smeekt het af.
Maar bij het morgenrood verdwijnt het fantoom
Om in elk hart herboren te worden.
En elke nacht wordt het geboren
En elke dag sterft het.

Het nacht- en ochtendmotief hier is toepasselijk, zoals we zullen merken. Je zou er ook een beeld van Turandot zelf in kunnen zien, gehuld zoals zij is in brokaat en mantels met franjes verfraaid met Chinese motieven, zoals draken en dergelijke, maar – goed, ik zal de lezer niet langer in spanning laten wachten. Het antwoord is: *la speranza*, de hoop. 'Ja, de hoop die immer bedriegt.'

II
Het gloeit als vlammen
Maar is geen vlammen.
Vaak is het een razernij.
Het is de koorts van begeestering en passie!
Onbeweeglijkheid verandert het in verkwijning.
Als je ten onder gaat of verscheidt, wordt het koud.
Als je droomt van overwinning, laait het op, laait het op!
Het heeft een stem die je bevend gehoorzaamt
En de levendige gloed van een zonsondergang!

(Overigens: het Italiaanse woord voor zonsondergang is *il tramonto*. Wat een verrukkelijk woord!) Ook in dit raadsel zou je een metafoor kunnen zien voor Turandot; het is waar dat zij de ijskoningin is, maar zij zet zovele mannen in lichterlaaie dat het heel goed de paradox zou kunnen zijn die de prinses zelf is: ijs dat vuur voortbrengt. Het antwoord is echter: *il sangue*, bloed.

(Even terzijde: mocht de lezer zich afvragen waarom ik her en der steeds het Italiaans citeer, welnu: de opera is in het Italiaans en in mijn geest klinkt altijd die taal als ik denk aan die opera of vals eruit zing of wanneer die opera, zoals nu, door mijn geest zweeft. Het zijn van die harde, maar fluweelzachte nagels die de beste opera's in je hoofd kunnen slaan, een perfecte hand-in-handomstrengeling van taal en muziek, van twee facetten van klank. Opera's gezongen in vertaling, hetgeen wel eens gebeurt, zijn een gruwel. Vooral de Engelsen hebben daar een handje van.)

Het volk dat toehoort moedigt de 'oplosser van raadsels' aan, waarop Turandot onmiddellijk uitroept: 'Slacht dat tuig af!' Heel toepasselijk.

III
IJs dat je vuur geeft
En door je vuur
Nog meer ijs wordt!
Blank en donker.
Als het je wil bevrijden
Dan maakt het je nog meer tot een slaaf.
En als het je aanvaardt als slaaf
Maakt het je tot een Koning.

De oplossing van dit raadsel – en dat is begrijpelijk – bewaar ik tot het einde. Deze passage van de drie enigma's is ijzingwekkend, de percussie dreunt en hamert, de klarinet kronkelt sluw en nerveus, vilein bijna (Puccini was altijd goed in passages voor de klarinet, beluister *Tosca*, akte II: scène 1), en de strijkers krassen tekens in het hart. Nu zou, volgens het verschrikkelijke pact, Calaf Turandot tot vrouw mogen nemen, maar zij verzet zich. 'Nooit zal ik de jouwe zijn!' roept zij uit. Maar Calaf weigert haar tegen haar zin tot vrouw te nemen, hij wil haar 'in vuur en vlam van de liefde' hebben en daarom stelt hij haar het volgende voor: als zij zijn naam voor het morgengloren kan raden, dan zal hij bereid zijn om te sterven, dat wil zeggen als zij achter zijn naam kan komen. Eén raadsel tegenover drie. Alweer een vierde herhaling. Dit is de aanleiding voor de beroemde aria 'Nessum dorma', 'niemand zal slapen', de showpiece voor menige tenor. Niemand mag slapen van de prinses voordat zijn naam aan haar onthuld wordt, anders zal heel Peking de dood vinden. En dit is wat Calaf zingt:

Jij ook, o prinses,
In je koude kamer,
Bewaakt de sterren die beven
Van liefde en hoop.
Maar mijn geheim ligt in mij verborgen,
Niemand zal mijn naam ontdekken.
Nee, nee, alleen op jouw lippen zal ik hem onthullen,
Wanneer het licht gloort.

Nogmaals: dit is een sprookje en het thema van de naamsonthulling komt in vele sprookjes uit verschillende culturen voor. Repelsteeltje is misschien wel het bekendste voorbeeld. *Lohengrin* van Wagner is een voorbeeld uit de opera. Liefde is een raadsel dat verscholen ligt in een naam. En naam is hier wellicht synoniem met identiteit. En een simpel syllogisme zou zijn: liefde is identiteit.

Tegelijkertijd is de dood een raadsel dat verscholen ligt in een naam: als Calafs naam wordt ontdekt, zal hij sterven. Dan is onthulling van identiteit, om een andere sluitrede te gebruiken, de dood. Er is hier natuurlijk iets anders aan de hand, het gaat hier om de bekende koppeling van Eros & Thanatos, liefde en dood. Een orgasme wordt de kleine dood genoemd en wat Calaf 'bevend van liefde' noemt en 'op haar lippen mijn naam onthullen' is een zucht naar Eros. Het zal ook, zoals gezegd, een fysieke daad zijn die Turandot letterlijk doet smelten.

Wat een omweg om klaar te komen!

Een ander drietal vormen Calaf, zijn vader Timur en zijn slavin Liù. Timur is blind geworden (hij zal het daglicht nooit meer zien) en in de chaos van het koor aan het begin van de opera hervindt zijn zoon hem. Die blindheid is toepasselijk want de opera speelt zich 's nachts af en is gehuld in andere schimmige duisternissen: de geestenwereld, zoals gezegd. Timur leefde in de veronderstelling dat zijn zoon gestorven was. Hij is vergane glorie:

De strijd verloren, een oude koning
zonder rijk en een vluchteling,
hoorde ik een stem die mij zei:
'Kom met mij mee, ik zal je gids zijn...'
Het was Liù.

Dit geeft aan dat Calaf, tegen de regels in, naar Turandots hand zal dingen zonder dat hij nog van koninklijken bloede is. Dit lijkt een inconsequentie van de librettisten Giuseppe Adami en Renato Simoni, aangezien Calaf, wanneer hij zijn vader in de bloeddorstige menigte aan het begin van de opera terugvindt, hem aldus vermaant:

Zwijg! Wie jouw kroon heeft overweldigd
Zoekt mij en vervolgt jou.
Er is geen toevluchtsoord voor ons, vader, op deze wereld.

Hij moet, zoals dat heet, zijn *low profile* behouden. Door de uitdaging aan te gaan, laat hij zijn identiteit vallen. Maar het is niet consequent, zoals we zullen zien. Het is de aanzet tot het grootste raadsel – het vierde raadsel – dat Calaf aan Turandot zal geven.

Een tedere hartensnaar van de opera vormt de deemoedige slavin Liù: zij is de offerande van de opera. Zij neemt Timur bij de hand als hij uitgeput ter aarde stort, veegt zijn tranen weg en bedelt om aalmoezen voor hem. Waarom wil zij zo veel ellende met de onttroonde koning delen? Omdat, zingt zij, Calaf ooit in het paleis naar haar had geglimlacht – toen werd liefde in haar hart ontstoken. Ik weet niet of Puccini een voorkeur had voor zulke serviele vrouwen, maar de lyrische melodieën die hij haar geeft, in het bijzonder die van haar laatste aria, een spookdoortrokken lyriek, komen mij voor als een schuldbewust eerbetoon aan en een requiem voor zijn eigen dienstmaagd Doria Manfredi, die zelfmoord pleegde door gif in te nemen, nadat Puccini's vrouw haar van overspel met hem had beschuldigd. Het arme meisje stierf als maagd, zoals een autopsie, op instigatie van haar ouders, uitwees. (Niet dat Elvira Gemignani, de felle vrouw van de rokken-jagende echtgenoot, geen redenen zou hebben gehad om hem te wantrou-wen.)

Haar smeekbede aan Calaf om de uitdaging niet aan te gaan, is verte-derend:

Heer, hoor mij aan.
Liù kan het niet meer verdragen,
Haar hart staat op breken.
Wee mij, hoevele wegen
Met jouw naam in mijn ziel,
Met jouw naam op mijn lippen.
Maar als jouw lot
Morgen wordt beslist,
Zullen wij sterven op de weg van ballingschap.
Hij zal een zoon verliezen...
En ik de schaduw van een glimlach.

Dat *l'ombra d'un sorriso* is goed getroffen: niet alleen als metafoor voor haar herinnering aan dat korte ogenblik van gekrulde lippen, maar ook voor haar eigen schimmenwereld. De opera is gehuld in de nacht, een duisternis vol schimmen en stemmen van onzichtbare koren. Pas op het einde zal de ochtend rijzen – wanneer alle raadsels zijn opgelost. Welis-waar rijst de maan in de eerste akte, om de executie bij te lichten, maar hij verspreidt slechts een flauw schijnsel. De hymne aan de maan door de bloedbeluste, naar een onthoofdingsspektakel verlangende bevolking is *haunting*:

O zwijgzame!
Jouw begrafenis
Verlicht de grafakkers!
O bloedeloze, lugubere!
O afgehakt hoofd!
Kom, o uitgemergelde minnaar van de doden!
Zie, daarginds, verspreidt een schijnsel
Zijn zwakke licht!

En de kinderen die het volgende charmante versje zingen, benadrukken de onvruchtbaarheid van de nacht en de dood van het licht:

Ginder over de bergen van het Oosten
Zong de ooievaar.
Maar april herbloeide niet,
Maar de sneeuw ontdooide niet.
Hoorde je niet van de woestijn tot de zee
Duizend stemmen fluisteren:
'Prinses, daal neer naar mij!
Alles zal bloeien, alles zal stralen!'

Hier wordt Turandot gelijkgesteld aan de bloedeloze maan, want ook zij is een minnares van de dood. Later komt dit terug wanneer Turandot, wanneer zij zijn naam moet raden, tegen Calaf zegt dat hij bleek ziet. Zijn antwoord luidt:

Je eigen schrik
Ziet de bleekheid van het morgengloren
Op mijn gezicht.

Met andere woorden: het is projectie. Het is haar angst die hem in een bleke maan verandert: nog een overeenkomst tussen de twee. (Er is hier overigens sprake van een amusante inconsequentie, waarop ik later terug zal komen.) De maan als metafoor omschrijven als 'bloedeloze' brengt op een treffende en paradoxale manier de twee overheersende kleuren samen: wit en rood. Er vloeit nogal wat bloed in de opera – een verwijzing naar ontmaagding –, de oplossing van het tweede raadsel is bloed, in het eerste raadsel komt het woord morgenrood voor; aan het begin van de tweede akte is er sprake van 'de rode feestelijke lantaarns' (bedoeld wordt het huwelijksfeest, mocht Calaf overwinnen), in het eerste raadsel wordt er gesproken over het morgenrood en zo zijn er nog wat voorbeelden. Wit komen we dus tegen in de maan, in de 'witte lantaarns van de begrafenis', zoals Ping zingt in de tweede akte, de bleekheid van zowel Turandot als van het morgenlicht op het gezicht van de prins, in het raadsel over ijs dat wit suggereert en ik meen dat de sluier van Turandot eveneens wit is. Merk tevens op hoe het woord 'zwart' wordt gebruikt in de vertaalde fragmenten. Het 'oneindige zwart van de mensheid' vormt de achtergrond van de opera.

Ook hier weer de link van Eros & Thanatos: de rode lantaarns van het huwelijk en de witte lantaarns van de begrafenis.

De opkomst van het kinderkoor suggereert verder, op muzikaal niveau, dat het licht van de maan (een maansikkel, want hij is uitgemergeld) aan het doven is. Er zijn meer van die raadselachtige koren in de opera: alsof de schaduw van kovel en zeis over Puccini viel tijdens het componeren. De reactie van Calaf op het smeken van Liù vertoont een bepaalde harteloosheid en egoïsme. Hij mag dan wel verliefd zijn geworden op Turandot – die hij daarvoor nog een crudela noemde en wilde vervloeken –, maar hij is bereid zijn vader en zijn verzorgster in de steek te laten, na van vreugde te hebben gehuild om het weerzien met hen:

Vader! Luister naar me! Ik ben het!
En gezegend zij...en gezegend zij
Het leed voor de vreugde die een
Barmhartige God ons nu schenkt!

En Liù herkent hij niet eens. Natuurlijk, een argument kan zijn dat hij de uitdaging aangaat voor het heil van het Pekinese volk – zijn motieven zijn echter niet zo onzelfzuchtig. Dit maakt hem, ironisch genoeg, menselijk. Hij is de meest overtuigende tenorrol die Puccini heeft geschreven, juist vanwege deze onaantrekkelijke eigenschappen.

Dit is een aspect waaruit blijkt dat Calaf en Turandot *doppelgängers* zijn. Ze hebben meer gemeen dan op het eerste gezicht lijkt. Beiden hebben ooit een keizerrijk verloren en beiden hebben een voorkeur voor raadsels. Beiden veronachtzamen harten die voor hen huiveren. Beiden onttrekken zich aan hun omgeving. Dit is wat Puccini bedoelde met 'twee mensen die buiten de wereld staan'.

Naast dit drietal is er dan nog Turandot – ongenaakbaar, kil, hooghartig. Hoewel zij de spil is van de opera, kan zij beschouwd worden als het element dat het trio Calaf-Timur-Liù tot een kwartet maakt. Het was een briljant idee van Puccini om haar in de eerste akte niet te laten zingen: wij *zien* haar enkel synesthetisch wanneer haar majesteitelijk motief weerklinkt in het koper – een suggestie van glans. Zij verschijnt om met een gebaar het vonnis te voltrekken. Dit is toepasselijk, omdat Calaf verliefd wordt op haar geur en haar gezicht niet kan zien, omdat zij, zoals tegen het einde van de opera blijkt, gesluierd is. Calaf zingt dan ook:

Voel je het niet? Haar parfum
Vult de lucht, vult de ziel.

Dit is opvallend, want later zal er sprake zijn van 'de geur van kussen'. (Alle zintuigen komen aan bod in deze opera, in opvallende combinaties.) En in antwoord op de bloesemloze april waarover de kinderen zingen onder begeleiding van klokken, zingt het trio Ping-Pang-Pong het volgende:

Alle dingen in de tuin suizelen,
De gouden klokjes tinkelen...
Zij verzuchten woorden van liefde...
Met dauw beparelen de bloemen zich.
Glorie, glorie aan het schone, ontblote lichaam
Dat nu ingewijd is in het onbekende mysterie!
Glorie aan de bedwelming en aan de zegevierende liefde

Even apart van het pleonasme 'onbekende mysterie', is er ook hier weer sprake van synesthesie: de geur van bloemen en het geluid van klokken (mooi gebruik van het dubbelzinnige 'klokjes') komen hier samen. Je hoort hier de geest van Puccini aan het werk met al zijn associaties – een zeldzaam genoegen. Het gelui van huwelijksklokken en de geur van kussen – nee, de geur van seks. Grof gezegd: die vrouw moet een beurt krijgen en dan is China van zijn ellende bevrijd. Dat kinderkoor blijkt het gestorven verlangen van de dode minnaars te zijn.

Turandot zal voor het eerst zingen in de tweede scène van de tweede akte. Daarin zal ze, in een magistrale aria, haar mannenhaat verklaren en – willen we freudiaans zijn – haar castratielust; want dat onthoofding voor castratie staat ligt voor de hand. Het blijkt een vorm van avatarisme, als keizerin is zij de dochter van de hemel, maar het doet feministisch aan, een vorm van vergelding voor eeuwenlange vernedering. Dit is een opera ironisch genoeg geschreven door een componist bekend om zijn mediterrane machismo – hij was een liefhebber van auto's en jagen. ('Dit is iets om op te broeden, zoals de haan tegen de kippen zei.')
Zo begint Turandot haar toespraak:

In dit paleis, duizend en duizend jaren geleden,
Weerklonk een wanhopige kreet.
En die kreet, van geslacht naar geslacht,
Heeft in mijn ziel een toevlucht gevonden.
Prinses Lu-Ling,
Mijn verheven en zoete stammoeder die regeerde
In je donkere stilte in pure vreugde
En onbuigzaam en standvastig

Verachtelijke onderdrukking tartte,
Vandaag herleef jij in mij!

Maar dan valt de koning der Tartaren haar keizerrijk binnen:

In die tijd, zoals iedereen zich kan herinneren,
Heersten angst en verschrikking en wapengekletter.
Het keizerrijk werd veroverd! Het keizerrijk werd veroverd!
En Lu-Ling, mijn stammoeder, meegesleept
Door een man zoals jij, zoals jij een vreemdeling,
In die gruwelijke nacht
Waarin haar jonge stem werd verstomd!

Behalve de afkeer van seks, die zij associeert met geweld of gelijkstelt aan verkrachting, speelt ook vreemdelingenhaat of -angst mee. Calaf is niet de enige vreemdeling. Aan het begin van de eerste scène van de tweede akte verlangen Ping, Pang en Pong ernaar terug te keren naar hun respectieve idyllische huisjes met blauwe beekjes en omringd door bamboe: *E potrei tornar laggiù*, 'en ik zou daarheen terug kunnen keren'. Ook zij zijn vreemdelingen. Turandot zorgt door haar verwerping van het mannelijk geslacht ervoor dat elke man zich ervan bewust wordt een vreemdeling te zijn – op de eerste plaats een vreemdeling voor de vrouw.

Het leven wordt, sinds de geboorte van de prinses, gereduceerd tot drie gongslagen. Het uitzinnige volk roept de beul Pu-Tin-Pao op om de hakbijl te slijpen. De slijpsteen moet 'vuur en bloed voortspuiten' – vuur is de oplossing van het tweede raadsel en bloed is wat het bleke gezicht van het ijskoude maangezicht van Turandot ontbeert en wat er rijkelijk vloeit. Zoals de beulsknechten zingen: 'Waar Turandot regeert, is er geen gebrek aan werk.' (En hoe ijzig zij ook moge zijn, haar lippen zijn rood – daar vloeit nog bloed.)

In dezelfde scène halen Ping & Pang & Pong, de Siamese drieling, herinneringen op aan al de prinsen die Turandot vol vreugde heeft laten ombrengen, tegelijkertijd de wereld vol dwaze minnaars betreurend. Onder hen was er de prins van Sagarika uit India, die 'oorringen droeg als kleine belletjes' – zulke details moeten Puccini hebben verleid tot het gebruik van verschillende soorten klokken en bellen. Deze prins droeg zijn lot aan zijn oren, maar hij hoorde het niet. En het tinkelen van deze oorbellen is een voorgalm van de gongslagen. Onthoofd.

Zij tellen het aantal slachtoffers van Turandot. In het jaar van de Muis (volgens de Chinese astrologie) waren het er zes. In het jaar van de Hond werden het er acht. In het huidige jaar van de verschrikkelijke Tijger zullen het er dertien zijn – Calaf meegerekend, want zij zijn overtuigd van zijn dood. Calaf zal alleen de dertiende zijn als hij sterft, maar dat zal niet gebeuren. Van acht naar dertien is het vijf – dus het houdt op bij vier. Alweer de vier. Nóg een overeenkomst tussen Calaf en Turandot.

De intense haat en afgronddiepe woede van de prinses die werk verschaft aan de beul weet Puccini weergaloos te verklanken, van de schreeuw tot en met haar doorleefde leed (want leed ligt aan de basis van woede). De schreeuw is een paukenslag die een spijker slaat in het gehoor, de herinnering aan Lu-Ling is een tedere fluistering van houtblazers, strijkers en de triangel. En wanneer zij haar woede en minachting uit jegens de minnaars die haar begeren, zingt zij op precies dezelfde melodie, alsof de stem van Lu-Ling daadwerkelijk uit haar opklinkt:

O prinsen die in lange karavanen
Uit elke streek van de wereld
Hier komen om jullie geluk te beproeven,
Ik neem wraak op jullie, op jullie
Voor haar puurheid, haar kreet en haar dood!
Geen man zal mij ooit bezitten!

Zij triomfeert te vroeg en dat het een erotische daad is die haar van haar haat, of van haar bezetenheid door Lu-Ling, zal verlossen, maakt de zelfopoffering van Liù, zoals eerder is opgemerkt, dramatisch gezien problematisch. Dat Puccini met zijn muzikale brille zulke zwakheden weet te vermommen, pleit voor zijn begaafdheid, want hij heeft geworsteld met het personage, dat in het oorspronkelijk sprookje (niet in het toneelstuk van Gozzi) prins Calaf juist verraadt, uit wraak voor haar afgewezen liefde – een al te realistisch detail.

Maar voor Puccini moest en zou Liù sterven, de persoonlijke redenen zijn hierboven al vermeld; ter rechtvaardiging van haar zelfmoord in de opera voerde hij aan dat haar dood Turandots hart zou vermurwen. In de opera blijft daar echter niets van over.

Nadat heel Peking wakker heeft gelegen op zoek naar de naam van Calaf, op straffe van dood, volgens het decreet van Turandot, worden Timur en Liù gevangengenomen omdat P & P & P hen hebben zien praten met hem. Dan treedt de slavin naar voren:

Ik ben de enige die de naam kent die jullie zoeken.
Ik ken zijn naam...
Maar het is mijn grootste genot
Om hem geheim te houden
En hem alleen voor mijzelf te houden!

Ondanks martelingen geeft ze het geheim niet prijs (Liù tegen haar martelaar: 'Je dienares smeekt je om vergiffenis, maar ik kan niet gehoorzamen.') en het is op dit moment dat er een andere schreeuw weerklinkt: de schreeuw van Liù. Anders dan de schreeuw van Lu-Ling, zoals die opwelt in Turandot, een kreet van woede en haat, is dit een schreeuw van liefde. En merk het andere verschil op: waar de jonge stem van de stammoeder werd verstomd door de overvallers, vraagt Liù zelf om haar mond letterlijk te snoeren, zodat Timur haar leed niet horen kan. Zij offert zich niet alleen op voor Calaf, maar ook voor Timur. De associatie van vadergeliefde komt ook al voor in *Madama Butterfly*, wanneer op het einde van deze opera na de zelfmoord van de gelijknamige vrouw niet het thema van Pinkerton, haar ontrouwe man, weerklinkt, maar die van haar vader.

Zulke heimelijke en onverklaarde liefde
Is zo groot dat deze martelingen
Zoet zijn voor mij
Want ik breng ze als offer aan mijn heer...
Want door te zwijgen
Geef ik hem jouw liefde...
Hem geef ik jou, prinses,
Terwijl ik alles verlies!
Zelfs mijn onmogelijke hoop!
Bind mij vast! Martel mij!
Geef mij martelingen en kwellingen!
Ah! Als hoogste offerande
Van mijn liefde!

Dit is masochisme, geen twijfel mogelijk. Lijden en liefde, dood en liefde, bloed en liefde, opoffering en liefde: de keerzijde van liefde is niet haat, zoals Turandot niet begrijpt, maar pijn en levenloosheid. Haar hartverscheurende aria voordat ze een dolk in zichzelf steekt eindigt in een treurmars die door het hoofd blijft spoken en bevat weer interessante toespelingen op de drie raadsels, evenals de inconsequentie die ik eerder noemde:

Jij, die omgord bent door ijs,
Door zovele vlammen overwonnen,
Zelfs jij zult hem liefhebben!
Nog voor het morgenrood verschijnt
Zal ik vermoeid mijn ogen sluiten
Opdat hij weer overwinnen zal...

Voor het morgenrood verschijnt? Maar het ochtendlicht scheen toch al op het gelaat van Calaf, zoals Turandot opmerkte toen zij opkwam, niet lang voor Liù's dood? Opmerkelijk is dat Timur, knielend bij haar lijk, haar probeert te wekken met de woorden dat het al licht is. De man is blind. Licht in deze opera is niet meer en zeker niet minder dan een metafoor. Het gaat om een verlangen naar licht in een duisternis van raadsels – raadsels voor de personages én voor de luisteraar. In dit verband is het interessant te horen wat er gebeurt als het lijk van Liù eerbiedig wordt weggedragen en wat Timur – de blinde hond van een geleidepuppy – zingt:

Ah! Laten we nog een keer zo lopen,
Met jouw hand in mijn hand.
Ik weet heel goed waar je heen gaat.
En ik zal je volgen om mij naast je te leggen
Onder de nacht die geen ochtend kent.

Zij worden nu in dezelfde duisternis verenigd.

Wanneer Liù sterft, valt zij voor de voeten van Calaf. Aan het begin van de opera is het zijn vader die, op de grond gevallen, herkend wordt door zijn zoon. In de voorgeschiedenis van de opera vindt Liù Timur wanneer hij op de grond valt. Wanneer Liù valt is het een draagbaar die haar opraapt. De val en de dood worden zo geassocieerd: de blindheid van Timur suggereert dat hij in een draagbare dood leefde, totdat de slavin zich over hem ontfermde. Zij gaf hem liefde en met haar zal hij nu sterven. Hij zegt ook dat hij dacht dat zijn zoon Calaf gestorven was: Calaf staat zowel buiten de dood als het leven voor zijn vader – uiteindelijk laat hij hem in de steek om, dronken van liefdes geur, Turandot te overwinnen. Nog een indicatie voor wat Puccini bedoelde met zijn uitspraak dat Calaf en Turandot buiten de wereld staan. En nóg een voorbeeld van hun weerspiegelingen.

Liù, de personificatie van schuldeloze, opofferende liefde, moet wel sterven, opdat de liefde herboren kan worden in Calaf en Turandot. Een vorm van avatarisme. Calaf heeft zijn naam als levensvoorwaarde; Liù de minne.

Zelfs de minneminachtende Ping, Pang en Pong fluisteren dat zij voor het eerst de dood aanschouwen zonder te smalen. Dit is een dood die voortkomt uit liefde. Met de dood aanschouwen zij ook voor het eerst de liefde. Liù belichaamt de uitspraak in een andere opera van Puccini: *Chi ha vissuto per amore, per amore si mori*: 'Wie voor de liefde heeft geleefd, sterft voor de liefde.'

De transformerende krachten van de liefde blijken tot de dood te leiden. Het sterven van Liù is het werkelijke hoogtepunt van de opera, hierin wordt de transcendentale werking van de liefde kenbaar – niet vermenselijking, maar ontmenselijking, i.e. de dood. Liefde als het licht van de duisternis – niet de dood in de duisternis.

Hoe dit ook moge klinken, Puccini's muziek weet het aannemelijk te maken. Zijn muziek is om van te houden. Of hij er werkelijk in geloofde en of hij dit overtuigend had kunnen maken door voltooiing van de partituur, zal een onbeantwoorde vraag blijven. Hij stierf tijdens het schrijven – in het harnas. Hij werd overvallen door de dood of de liefde: Eros & Thanatos vlogen bij hem vleugel in vleugel en hun vleerslag weerklinkt in Turandot. We hebben hier te maken met een componist overwonnen door zijn eigen kunst. Zijn werkelijke, enige liefde was muziek.

Opvallend in dit verband is de rol van het koor. Het koor speelt de hoofdrol in de eerste akte en in de tweede treedt het meer op de achtergrond. Vanaf het moment dat Turandot haar gezang laat horen, treedt het koor meer op de achtergrond. Aan het begin roept het om de dood van de Perzische prins, totdat het hem ziet en, door zijn schoonheid vermurwd, begint te roepen om genade. Het koor lijkt de demonen van Turandot te belichamen – de demonen, totdat zij de manestraal van genade leren kennen. Opvallend is dat in het libretto staat dat hij bleek is – bleek als de maan.

De rol van het koor, hoe groot ook op het einde van de opera, verbleekt. Ongetwijfeld heeft dit te maken met de orkestratie van Alfano. De kus waarmee Calaf prinses Turandot ontdooit, haalt het zoete gif weg uit muziek en koor. Calaf onthult zijn naam; Turandot geeft zich aan hem over; het volk is opgelucht. De zon, 'licht van de wereld en liefde', rijst.

Einde.

Opmerkelijk is hoe de verschillende koren zijn ingedeeld. Er is een koor van beulsknechten, van het volk, van kinderen en van schimmen. Vier verschillende koren. Vier blijkt het magische getal. Wat één gongslag niet al teweeg kan brengen. Misschien verklaart dit de aanwezigheid van de al genoemde schimmige koren: de zielen van gestorven minnaars;

de onzichtbare odalisken van Turandot; de vrouwenstemmen die Calafs aria 'Nessum dorma' uit het niets beantwoorden. Dood is het vijfde element. Puccini wilde twee wezens die buiten de wereld stonden weer transformeren tot mensen. Hij werd zelf tot lijk.

Een onvoltooide opera als *Turandot* is een oneindige opera. Luistert u zelf maar, dan weet u meteen wat de oplossing is van het derde raadsel. Want dat ga ik niet verklappen.

Elegie op een kind

Net als in de meeste van Janáčeks opera's vervullen in *Jenůfa* de vrouwen de hoofdrol. De creatieve uitbarsting die op deze opera volgde, was het resultaat van de liefde die de componist opvatte voor de veel jongere Kamila Stösslová, een getrouwde jongedame die hij in een spa ontmoette. Zijn werk na deze ontmoeting kan beschouwd worden als een lange liefdesverklaring aan haar, met als hoogtepunt het tweede strijkkwartet *Intieme Brieven*, liefdesbrieven in muzieknoten. En zelfs in zijn gewelddadige laatste opera en kroon op zijn oeuvre *Uit het dodenhuis* (*Z Mrtvého Domu*, 1927, naar Dostojevski), die zich in de gevangenis afspeelt en geheel wordt bevolkt door mannen, wist hij een vrouw binnen te smokkelen: een lyrische sopraan vertolkt hier de rol van een jonge gedetineerde. Prikkelend is dat hij ook plannen had – onuitgevoerde plannen – om van *Anna Karenina* van Tolstoj een opera te maken.

Janáček is niet de eerste kunstenaar wiens werk als een liefdesverklaring kan worden beschouwd, maar geen enkele andere – *Lolita* van Vladimir Nabokov daargelaten – is zo onbarmhartig. Een liefdesverklaring is wat anders dan verheerlijking en Janáček vergeet de duistere kanten niet. Als er één componist van de schaduw bestond, dan is hij het wel. En vergeet niet dat schaduwen evenveel kleuren herbergen als de optische kleuren van het licht.

Als het doek opent bij *Jenůfa* (1904) van de Tsjechische componist Leoš Janáček (1854-1928) zien we vrouwen die bezig zijn met het sorteren van aardappels, waarvan ze de ogen eruit halen en die ze in een mand gooien. De gelijknamige heldin staart met een pot bloeiende rozemarijn op schoot naar de horizon in afwachting van de terugkeer van haar geliefde Števa, van wie ze heimelijk zwanger is. In de prelude horen we haar vertwijfeling in een crescendo en tegelijkertijd haar hoop en liefde; typerend voor Janáček worden beide gevoelens verklankt in dezelfde melodie:

De avond nadert
Maar Števa is nog steeds niet terug.

De hele nacht was ik angstig en bang
En daarna weer toen de morgen aanbrak!
O Maagd Maria, als je mijn gebed niet hebt verhoord,
Als ze mijn lief hebben gerekruteerd,
Zodat wij niet kunnen trouwen,
Dan treft mij schaamte om de vervloeking van mijn ziel.
O Maagd Maria, wees mij genadig!

Welke andere componist zou het durven zijn opera met aardappels aan te vangen? Pietro Mascagni (1863-1945) verving in zijn beroemde eenakter *Cavalleria rusticana* (1890) de worsten uit het boek waarop de opera is gebaseerd door de edelere wijn, terwijl Mascagni beschouwd wordt als exponent van het verismo, een naturalistische stroming in de Italiaanse opera. Dit bewijst twee dingen: dat we niet moeten vertrouwen op 'stromingen' en dat Mascagni niet van worst hield of worst in elk geval ongeschikt achtte voor muzikale doeleinden.

Janáček durfde het wel aan een huiselijk verhaal als basis te nemen voor zijn eerste meesterwerk en het resultaat is indrukwekkend. Zijn keuze voor onderwerpen is altijd opmerkelijk geweest. *Het sluwe vosje* (*Pøíhody liky vystrousky*, 1923) baseerde hij op een strip uit de lokale krant over de schelmenstreken van een vosje – het idee werd hem aangereikt door zijn dienstmeid: 'O meneer Janáček, waarom maakt u niet een opera van deze strip?', waarop hij nogal nors gereageerd schijnt te hebben; *Osud* (1907), een experimentele opera, is hallucinant en bevat vreemde tijdsprongen en is moeilijk vatbaar, maar zij bevat glorieuze passages; over *De zaak Makropoulos* (*Vĕc Makropulos*, 1925) leest u verderop in dit boek; de titel *De excursies van Mr Brouček naar de maan* (*Vlety pana Brouèka*, 1917) zegt al genoeg. In deze opera worden de sferen waarin de maan als een trage tol in het heelal ronddraait verklankt in heerlijke, nukkige walsen. Komt dit bekend voor? Jazeker, Janáček liep vooruit op de film *2001: A Space Odyssey* (1968) van Stanley Kubrick, waar het wentelen van satellieten en ruimteschepen begeleid wordt door de wals 'An dem schönen blauen Donau'.

Het moge duidelijk zijn dat aardappels voor een componist als deze een peulenschil waren.

Jenůfa is letterlijk een huiselijk verhaal, want het grootste gedeelte speelt zich binnenshuis af en 's avonds, hetgeen de claustrofobie van de wereld en de traditionele gevangenschap van Jenůfa in het huis van haar stiefmoeder de Kosteres accentueert. Het onderwerp is nogal provinciaals; een favoriet fragment is de burgemeesters vrouw die de bruidsjurk van Jenůfa becommentarieert, begeleid door col legno spelende strijkers (met de strijkstok op de snaren slaan) en zo'n techniek zou hij in *Het sluwe vosje* gebruiken om het gekakel van kippen weer te geven. Je ziet de kippennek van de vrouw meteen voor je! De muzikale behandeling van het stuk is echter verre van provinciaals, ondanks de volksmuziek die hij in de opera opnam. Deze nationalistische interesse in volksdeuntjes deelt onze componist met andere Slavische componisten – hij is er nooit geheel van afgekomen; zij heeft zijn muzikale idioom bepaald. Het is daarom begrijpelijk dat deze opera de internationale doorbraak van Janáček markeerde.

Zoals gezegd wacht de zwangere Jenůfa op de terugkeer van Števa in het vurig verlangen met hem te trouwen. Hier wordt het rozemarijnmotief geïntroduceerd, direct verbonden met het doemzwangere hoofdmotief dat de opera opent en waar ik later op terug zal komen – kommer en vreugde vormen hier een januskop:

Ik dacht net aan mijn rozemarijnplant,
Dat hij aan het verwelken is,
Dus ben ik naar de vallei gegaan om hem water te geven.
Je weet wat ze zeggen, grootmoeder,
Als ik hem laat verwelken
Dan zal alle vreugde in de wereld ook verwelken.

De rozemarijn (letterlijk 'zeedauw', het eerste deel van het Latijnse *ros marinus* werd verward met 'roos', vandaar) is het zinnebeeld van haar verlangen naar en liefde voor het nog ongeboren kind. We horen hier voor het eerst een zweem van haar innige tederheid die tot volle bloei komt in de violen als zij haar baby in de wieg bewondert. De broze tederheid van de muziek is soms bijna ondraaglijk – Janáček werkte tien jaar aan de opera, tien jaren om pijn te transformeren tot ontroering.

Wanneer Števa met een gevolg van rekrutanten terugkeert is hij dronken; want hij viert dat hij niet in het leger hoeft en zijn dronkenschap verdriet Jenůfa ten zeerste. De dialoog tussen de twee gaat als volgt:

Jenůfa:

Števa!
Števuska!
Ben je weer dronken?

Števa:

Já, já! Já, já!
Já napil'? Já napil'?
Wie, ik? Ik? Ik dronken?
Heb je het tegen mij, Jenufa?
Besef je wel dat mijn naam Štefan Buryia is?
Eigenaar van een molen van meer dan vijf hectares?
Daarom glimlachen de meisjes naar me!
Een van hen heeft mij dit boeket gegeven.

De hooghartigheid en beschonken zelfoverschatting van deze man worden verklankt door de strijkers, pauken en de triangel; de triangel is van belang, want hij weerklinkt opnieuw wanneer Števa geld op de grond strooit om met zijn rijkdom te snoeven en toont tegelijkertijd de glitter en glans van de pocherige rijkeluiszoon. Die glitter en glans zullen spoedig verbleken. Evenals zijn toorts die in de violen weerklinkt. Binnen enkele maten weet Janáček zijn karakter neer te zetten: de muziek treedt als het ware naar voren, de ritmes worden staccato en een wals treedt in bij de woorden 'Daarom glimlachen de meisjes naar me'. De wals zal later terugkomen, maar met andere implicaties. Hij zet een lied in en het koor voegt zich bij hem: een volkslied dat hij Jenůfa brengt als huldeblijk, omdat het haar favoriete lied is. Zo lijkt het op het eerste gehoor.

De jaloerse halfbroer van Števa, Laca genaamd, wordt eerder geïntroduceerd. Hij is heimelijk verliefd op Jenůfa en hoopt dat Števa gerekruteerd zal worden, zodat zij niet met zijn halfbroer kan trouwen. Van kinds af aan heeft hij zich achtergesteld gevoeld bij de aanstaande bruidegom. Zijn muziek klinkt dan ook woedend, de strijkers krassen erop los, een toepasselijk gekras, want het anticipeert op het slijpen van zijn mes en wat hij met dat mes zal aanrichten.

Jenůfa voelt een angst voor Laca: zij heeft het over zijn 'vorsende blik die in het hart kan doordringen'. Haar geestelijke afwezigheid bij het sorteren van de aardappels wordt door de grootmoeder opgevat als luiheid, maar alleen hij ziet dat het verlangen is naar de terugkeer van haar geliefde. Hij verwijt de grootmoeder dat zij Števa altijd heeft bevoordeeld:

O ik weet dat ik niet je echte kleinzoon ben!
Daaraan herinnerde je mij elke keer
Als ik als kleine wees naar je toe kroop
Toen je Števa op je schoot aan het knuffelen was;
Je streelde zijn haar waarvan je zei:

'Zo goud als de zon!'
Je gaf mij geen aandacht,
Hoewel ik ook een wees was.

De gouden lokken zijn hier belangrijk, want het lied dat voor Jenůfa gezongen wordt, compleet met gefluit en geklap en gedans, bevat de volgende regels:

Het is een lange weg naar Nové Zámkù;
Daar wordt een toren gebouwd van galante jongelingen.
Bovenop zetten zij mijn geliefde neer
En veranderden hem in een gouden papaverbol.
Van boven viel de gouden papaver neer,
En mijn schatje nam het op haar schoot.

Dit is geen aubade voor Jenůfa, maar een lofzang van Števa op zichzelf; zij delen een bepaalde arrogantie, want de molenaar zegt over haar dat ze haar hoofd rechtop houdt 'als een papaverbol'. Hij is bedwelmd door alcohol en door zijn eigendunk. Door de schoot van zijn grootmoeder waarop hij gevleid werd. De jongeman is nogal met zichzelf ingenomen. Zijn blonde lokken, zijn verwendheid, zijn glitter en rijkdom komen hier samen. Maar ook zijn val, die onmiddellijk hierop volgt: de val in de schoot is hetzelfde als de val van een toren.

De Kosteres blijkt echter over een harde schoot te beschikken. Zij komt op; de regieaanwijzing in het libretto zegt: 'zij stopt de muziek met een gebaar van haar hand' – dat wil zeggen niet de muziek die Števa met zijn trawanten aan het maken is, maar de muziek van de opera zelf stopt en neemt een andere wending. Dan komt haar glorieuze en onverbiddelijk ontroerende monoloog. Zij spreekt hierin over de vader van de losbol Števa en de ellende die zij door hem moest ondergaan. Haar strengheid en de redenen ervoor worden hier invoelbaar:

En zo zal het ons leven lang gaan,
En jij, Jenůfa,
Mag het geld dat hij op de grond gooit oprapen.
Jullie Buryja's zijn allemaal hetzelfde!
Hij had precies hetzelfde gouden haar
En een fraai lichaam;
Ik wilde hem hebben
Zelfs voordat hij de eerste keer trouwde

En toen hij een weduwnaar werd.
Mijn moeder probeerde mij tegen te houden,
Waarschuwde mij toen al dat hij een nietsnut was.
Maar ik wilde niet naar haar luisteren.
Maar ik boog later mijn hoofd niet
Toen hij elke dag dronken werd
En later elke dag,
Hij maakte schulden
En strooide met geld!
Ik begon hem te vertellen wat ik ervan vond
En hij sloeg mij, hij sloeg mij,
En vele nachten bracht ik
Verscholen in het veld door.

Tijdens deze monoloog hoor je een melodie die probeert los te komen; je hoort de koperblazers bonken tegen de tremolo's en het staccato van de strijkers. En wanneer de muziek eindelijk bevrijd wordt, ontlaadt ze zich niet in berusting, maar in een opstand van hoge trompetten bij de woorden: *Počala jsem mu předhazovat* – 'Ik begon hem te vertellen wat ik ervan vond.' De trots en opstandigheid van de Kosteres, opstandigheid zowel tegen haar moeder als tegen haar man, worden hier duidelijk. Door de hele opera heen verklankt de muziek de emotionele toestand van de personages. Zij verleent ze diepgang en becommentarieert ze af en toe. Tijdens de dans en het lied van Števa weerklinkt er een kindertrompet: dit om zijn kinderlijkheid te benadrukken. Een fagot, loom en met dalende tonen, verklankt zijn bezopenheid (weer dronkenschap – zie het essay verderop over zijn een na laatste opera *Věc Makropulos*).

Het is, denk ik, om deze reden dat veel zinsneden herhaald worden. Die herhalingen heb ik in de vertaling niet meegenomen, noch komen zij voor in het oorspronkelijke toneelstuk. Ze zijn herhalingen die Janáček zelf toevoegde. Onwaardige handen hebben geprobeerd deze herhalingen weg te halen en in de muziek te snijden, zoals ze hebben getracht de grillige instrumentatie te 'verfijnen'. We hebben hier echter niet met stotteringen te maken, maar met de ruimte die de componist moest scheppen voor de muziek zonder dat er stiltes vielen. We hebben hier niet met een componist te maken die niet wist hoe te orkestreren, maar die eigen opvattingen had over instrumentatie. Veelzeggend is dat de piccolo en de trombone zijn favoriete instrumenten waren: er is geen opvulling bij hem tussen hoge en lage klanken en die leegte, een afgrond, is precies wat die vermaledijde handen hebben proberen te vullen. Niet wetende dat de afgrond het lievelingsoord van schaduw en duisternis is – een oord waarin Janáček graag neerdaalde.

Na zijn dood werd een fragment in zijn kleren gevonden, waarin onder andere stond: 'Waarom ga ik de donkere, bevroren cellen van criminelen binnen, met de dichter van *Misdaad en straf*? Binnen in de geesten van criminelen en daar vind ik een vonk van God. Je kunt de misdaden niet van hun voorhoofd vegen, maar je kunt de vonk God, eveneens niet wegnemen.' Hij doelt hier op zijn laatste opera *Uit het dodenhuis*.

Dat van God zal wel: wat de luisteraar echter vindt is het ontgeestend licht van Janáčeks muziek. Hij had duisternis nodig om vuur voor zijn muziek te stelen: het koper glimt af en toe fel op tussen de duisternis van celli en contrabassen. Componeren moet voor hem een mystieke bezigheid zijn geweest.

Terug naar de Kosteres.

Trots en opstandig, maar ook onverbiddelijk en onbarmhartig. Ze verbiedt Jenůfa te trouwen totdat Števa zich betert en een jaar de alcohol laat staan. Een jaar! Een. Jaar. Niet. Drinken. Dit tot grote vreugde van de jaloerse en plagerige Laca, die Jenůfa hiermee treitert. Hij trekt haar hoofddoek met een zweepstok van haar hoofd en het getingel in het orkest beschrijft zijn kinderlijk gedrag, om gelijk weer over te gaan op het dreigende motief dat de prelude opent.

Hoe snel werd Števa's verwaandheid afgebroken,
Hoe liet hij voor de Kosteres zijn staart hangen! –

smaalt Laca en hij pakt het boekje op dat zijn halfbroer heeft laten vallen. Hij probeert ze in haar korset te steken en haar jaloezie te wekken, maar slaagt in geen van beide. Iago heeft in *Otello* (1887) van Verdi een zakdoek als instrument van jaloezie; Scarpia in *Tosca* (1900) van Puccini een waaier en Laca gebruikt een ruikertje.

Zijn plagerijen worden ernstiger en zijn jaloezie en woede nemen toe – en weer weerklinkt het onheilspellend motief uit het begin.

A on na tobe nevidi nic jiného,
Jen ty tvoje jablůèkové líca.
Alles wat hij in je ziet,
Zijn je appelrode wangen.

Hier spreekt Laca de waarheid, want Števa heeft eerder gezegd geheel verrukt te zijn van Jenůfa's wangen (freudiaanse billen). De dubbelzinnigheid van dreiging en verlangen, die door de gehele opera in de muziek te horen is, manifesteert zich hier fysiek: Laca benadert Jenůfa trillend van woede, met in de ene hand de ruiker en in het andere een mes. Dan snijdt hij haar in de wangen. Om haar aantrekkelijkheid voor Števa weg te nemen.

Zoals in de tweede akte blijkt, weigert Števa inderdaad met Jenůfa te trouwen, omdat ze verminkt is. Zij is ondertussen in het geheim bevallen en wordt verborgen gehouden door de Kosteres onder het voorwendsel dat zij naar Wenen is gegaan. De huiselijkheid van de eerste akte wordt hier claustrofobisch, want de ramen zijn altijd dicht. Net zoals de eerste akte begint deze met een biddende Jenůfa. Direct is aan de muziek te horen hoe het kind van haar een en al tederheid heeft gemaakt.

De Kosteres, die heimelijk heeft afgesproken met Števa, geeft Jenůfa een mok te drinken; zij valt in slaap en zal later met hoofdpijn ontwaken. Ondanks alle smeekbedes van de Kosteres weigert Števa met Jenůfa te trouwen of het kind te erkennen – hij wil er wel voor betalen. Om de schandvlek weg te wissen, de baby die een week jong is en die zij 'de vrucht van zonde noemt, net als de ziel van Števa', gaat de Kosteres de snijdende kou in om het kind te doden. Er moet een drug in het drankje hebben gezeten, anders is het niet te verklaren dat de Kosteres haar ervan kan overtuigen dat ze al twee weken in koorts ligt te ijlen, nadat het kind was overleden.

De gruwelijk moord krijgen we niet te zien, enkel indirect te horen wanneer Jenůfa haar zorgen uitspreekt over wat er met het ontvoerde kind is gebeurd. De hoge tonen, de strijkers en de ijzige trompetten, snijden door het hart – en door deze koude klinkt tegelijkertijd de warmte van de liefdevolle Jenůfa door; ze heeft de baby zelfs naar de nietsnut Števa genoemd:

Moeder ik heb zo'n hoofdpijn,
Alsof mijn hoofd van steen is.
Help me. Waar ben je, moeder?

Dat haar hoofd voelt alsof het van steen is, is behalve een uitdrukking op een lugubere manier dubbelzinnig, zoals we zullen zien.

Ik zit altijd in dit kleine kamertje,
Moet me hier altijd verbergen,

Zodat niemand mij kan zien.
En moeder blijft me maar verwijten maken,
Steekt mij doorns in het hart.
Het is nacht nu
En ik mag de vensters openen.
Overal is het donker,
Alleen de nieuwe maan schijnt neer over ons arme mensen
En ontelbare sterren...

Net zoals in Turandot van Puccini wordt de duisternis nauwelijks belicht door de maan en net zoals bij Puccini brengt het vage schijnsel van de maan tederheid en barmhartigheid naar voren. Terwijl Jenůfa naar duisternis en sterren kijkt, komt de muziek tot rust in de solo van een viool, het verlangen van Jenůfa naar Števa: als hij maar kwam en de baby zijn blauwe ogen kon zien openen. Langzaam rolt en rommelt de onrust via de bassen naar boven als zij merkt dat de baby weg is. Zij vreest dat hij meegenomen is door de mensen en dat hij het koud heeft. Dan weet zij haar kalmte te hervinden en begint te bidden tot Maria.

De opera begint met een biddende Jenůfa, evenals akte twee, en nu begint ze weer te bidden. Zelfs haar streng gelovige stiefmoeder spreekt haar hierop aan. Jenůfa is in wezen een smekeling – precies zoals de slavin Liù in *Turandot* een smekeling is. En een smekeling is afhankelijk van goden en personen – niet van daadkracht. Zij is niet zonder intelligentie: in de eerste akte heeft zij een herder leren lezen en schrijven; haar houding ten opzichte van Laca en haar liefde voor Števa zijn tekens van een superieur karakter.

Dit is iets wat zij deelt met de Kosteres – denk aan haar smeekbede aan Števa. Er zijn meer raakvlakken: beiden geven zich over aan een dronkenlap en geldverkwister, beiden worden onheus bejegend door de mannen. Alleen waar de Kosteres eelt op haar ziel lijkt te hebben, opstandig is, daar koestert Jenůfa nog jonge verwachtingsvolheid en door liefde gevoede hoop. De vraag is of Jenůfa net zoals de Kosteres geworden zou zijn als zij met Števa getrouwd was.

In elk geval is de Kosteres ook in het reinigen van de besmette eer afhankelijk van iemand anders en wel van Laca. Nadat de Kosteres hem de waarheid heeft verteld, stemt hij erin toe met Jenůfa te trouwen en Jenůfa – accepteert.

Op hun huwelijksdag wordt het lijkje van de baby gevonden en komt de waarheid aan het licht. De Kosteres bekent de moord; haar stiefdochter vindt begrip voor de liefde die de Kosteres ertoe dreef deze gruweldaad te plegen en vergeeft haar. De afsluitende muziek, wanneer Jenůfa zich overgeeft aan Laca, is bijzonder dubbelzinnig:

O Laca, mijn ziel,
Kom, o kom!
Een grotere liefde leidt jou nu naar mij,
De liefde die God behaagt!

Wat mag dat eigenlijk wel zijn: liefde die God behaagt? Seksloze liefde? Opvallend is dat aan het begin van de laatste akte, bij de voorbereidingen op het huwelijk, de regieaanwijzing gewag maakt van een pot rozemarijn op tafel. Zou dit erop duiden dat zij Števa nog niet vergeten is?

Of die rozemarijn in volle bloei staat of niet, is niet duidelijk. Wel is duidelijk dat misschien niet de vreugde uit de wereld is verdwenen, maar wel uit Jenůfa. Zij is een gebroken vrouw; ze heeft haar littekens. En wie anders dan een smekeling wil God behagen?

De mannen in *Jenůfa* hebben niet de sympathie van de componist, hoewel de jaloezie en begeerte van Laca in de eerste akte bijzonder indringend worden verklankt. Zowel Števa als Laca is voor een tenor geschreven om te benadrukken dat een keuze tussen hen arbitrair zal zijn. Het is voor deze hartstocht dat Janáček kiest. Števa is een rijke verkwister en pimpelaar (hoewel hij natuurlijk wel medelijden opwekt wanneer de stiefmoeder hem een jaar wil droogleggen) en Laca een afgunstige kwajongen (hij stopt wormen in de pot rozemarijn zodat ze afsterven). De muziek voor eerstgenoemde is vol bravoure en dansant; de muziek voor laatstgenoemde zindert en huivert van hartstocht – ondanks zijn wreedheid, die een gevolg is van zijn na-ijver, klopt in hem een overtuigende hartstocht.

Hoewel Janáček, anders dan in het toneelstuk waarop hij zich baseerde, de nadruk van de Kosteres naar Jenůfa verlegde, domineren toch beide vrouwen het verhaal. Een belangrijk motief verbindt hen en verschuift de aandacht van de luisteraar naar de ware kern van de opera.

Het gebruik van leidmotieven bij *Janáček* is niet eenduidig en emotioneel-dramatisch complex. Het is niet illustratief en zeker geen brandmerk. Natuurlijk, sommige elementen zijn illustraties, bijvoorbeeld wanneer in de eerste akte een triangel de munten vertegenwoordigt waarmee Števa strooit – maar zoals al gezegd, dat getingel staat ook voor de glitterende rijkdom van Števa. In de laatste akte horen we die triangel opnieuw, wanneer de meisjes rond de bruid dansen en we begrijpen dan dat ook hier met geld wordt gestrooid, zonder dat dat tekstueel tot uitdrukking komt.

Een belangrijk motief horen we al bij aanvang van de opera: een roffel op de xylofoon die gedurende de eerste akte een paar keer herhaald wordt. Dit motief lijkt aanvankelijk het draaien van de molenwieken te illustreren – en tegelijkertijd het levensrad, het verstrijken van de tijd. Wanneer Laca zijn mes slijpt, horen we de xylofoon weer. Nergens klinkt dit motief zo dreigend als wanneer Laca met een mes de wangen van Jenůfa verwondt. In dit geval krijgt de xylofoon gezelschap van de timpani, die nog doemvoller rollen. In de tweede akte nemen de timpani deze slagen helemaal over en pas aan het einde van deze akte wordt de betekenis van deze donderslagen duidelijk. Wanneer een raam openwaait roept de Kosteres, haar handen nog koud van de moord:

Wat klaagt en huilt daar buiten?
Hou mij vast, wil je?
Blijf bij me!
Doe het raam dicht!

Jenůfa:
O wat een wind en ijzel!

De Kosteres:
Het is alsof de dood naar binnen heeft gegluurd!

Hiermee wordt de suggestie gewekt dat de schaduw van de zeis al valt over een van de vrouwen (het doet denken aan het vleugelgewiek dat Herodotus hoort in de opera *Salome* (1905) van Richard Strauss en dat veroorzaakt wordt door de engel des doods). Want laten we eerlijk zijn: een opera waarin de held(in) niet sterft is als een dorp zonder kerk. Of zou het?

Het belangrijkste muzikale thema verbindt Jenůfa en de Kosteres. Deze min of meer cyclische melodie horen we voor het eerst op de hobo in 5/4-maat in de eerste monoloog van Jenůfa, wanneer zij, in afwachting van de terugkeer van Števa, voor de tweede keer de Maagd Maria aanroept ('O Panno Maria'). Op een ander moment in de tweede akte horen we de melodie weer, maar dan op de trombone, namelijk wanneer de Kosteres tevergeefs Števa probeert te bewegen een blik te werpen op Jenůfa, die met haar kind ligt te slapen. Blijkbaar droomt de arme Jenůfa nog steeds van Števa en bidt zelfs in haar dromen om een huwelijk met hem. Haar droom blijkt echter een nachtmerrie, in haar slaap roept ze dat er een steen op haar valt. Het motief keert in de laatste akte terug, tijdens de bruiloft, wanneer de Kosteres klaagt over pijn.

Het is natuurlijk haar gewetenswroeging die haar kwelt. Staat het motief voor Maria, of voor verwachtingen en dromen, of voor straf? Nee, het is het motief van de onzichtbare hoofdrolspeler in de opera: het kind. In alle gevallen verwijst het motief naar het kind: als zij de Maagd Maria aanroept is Jenůfa al zwanger. Zij ligt naast de baby te slapen als het motief weerklinkt en de pijn van de Kosteres heeft te maken met de moord op de baby. In de sneeuw: de dood van onschuld.

Janáček geeft via de muziek aan hoe het karakter van Jenůfa zachtaardiger wordt zodra ze moeder is: de agressie van het orkest luwt op het moment dat de muziek zich rond Jenůfa schaart die vertederd naar haar baby kijkt. Janáček heeft nooit zulke lieflijke en hartverwekende muziek geschreven als hier; de verzuchting van Jenůfa '*On je tak mil*' ('Hij is zo lief') is van een ongekende broosheid en komt in een variant terug wanneer de Kosteres klaagt over pijn.

Die tederheid concentreert zich niet op Jenůfa, maar op het kind, en dat blijkt wanneer het bewuste motief ergens anders weerklinkt. Dit wordt nog versterkt door de muziek als de waarheid over het kind en zijn dood aan het licht komt en, na alle vergiffenis, de bruiloftsgasten weggaan en Jenůfa en Laca alleen achterlaten. Het crescendo klinkt al als een afsluiting, waardoor het duet tussen de bruid en bruidegom dat daarop volgt als een epiloog opgevat kan worden. Voor Janáček is de opera blijkbaar afgelopen als het kind en de waarheid terecht zijn gekomen.

Jenůfa blijkt een elegie op een kind te zijn, en ook die elegie is een vrucht van liefde – niet van zonde. (Tijdens het schrijven van de opera stierf de dochter van Janáček en enkele jaren daarvoor had hij ook al een zoon verloren.) We moeten niet vergeten dat het kind de enige volledige bloedverwant is van Jenůfa.

Het bijna ondraaglijk lyrisch hart van de opera bevindt zich in de tweede akte en deze akte draait om de baby. De werkelijke tragedie van de opera kunnen we alleen horen (het kind zingt niet) en het is ook de held van de opera die het moet ontgelden, al gebeurt dat niet aan het einde, zoals de conventie dicteert, niet zichtbaar en zonder sterfaria. De hele tweede akte is zelf een sterfaria. Alleen een meester van het orkest kan zoiets bereiken.

De nachtmerrie van Jenůfa met de stenen suggereert haar vrees voor de straf voor haar ontucht. En inderdaad willen de gasten, wanneer zij het lijk van de baby onder ogen krijgen, Jenůfa stenigen. Zij wanen zich zonder zonden.

Dit gebeurt uiteindelijk niet, maar de straf heeft zich wel al de hele tijd voltrokken. Achteraf begrijpen we wat de slagen van de xylofoon, en later van de timpani, te beduiden hadden en de snerpende trompetten natuurlijk, die bij Janáček klinken als de herdersfluit van de duivel en niet als de bazuin van een engel. Het orkest is opgetreden als een menigte met stenen. Dit wil niet zeggen dat Janáček een moreel oordeel velt. Integendeel: het is het mooiste voorbeeld van een dubbel tijdsschema in een opera. Het verhaal is al verteld door het orkest, de muziek heeft Jenůfa al gestenigd. De handeling op het toneel loopt niet synchroon met die in de muziek. Muzikale tijd gehoorzaamt nu eenmaal aan andere regels dan de menselijke tijd. Het einde wordt wrang: wat voor geluk wacht Jenůfa na de dood van haar kind?

Jenůfa is een toonbeeld van Janáčeks muzikale genie, dat zich bewoog tussen conventie en moderniteit. Conventie is een orthodoxe omgang met de traditie en moderniteit een pragmatische behandeling van conventies. Het duet van Jenůfa en de Kosteres in de tweede akte is een apotheose van belcanto, maar een belcanto dat gehoorzaamt aan dramatische logica, niet aan virtuoos-technische regels. De virtuositeit van Janáček is onzelfzuchtig. Weinig componisten weten zoveel te geven zonder zelfvoldaan of snoevend over te komen.

Vanwege zijn intense onrust, die niet alleen hoorbaar is in zijn ongebreidelde instrumentatie maar lichamelijk voelbaar voor de luisteraar, is Janáček moeilijk te plaatsen. De ontembaarheid van zijn muziek komt niet voort uit een strijd tussen traditie en moderniteit, maar tussen moderniteit en individualiteit, tussen de verbrokkelde muur van de traditie en de percussie van een kunstenaarshart. Janáček verdient onze bewondering vooral omdat hij in zo'n situatie zijn muzikaal genie niets in de weg liet staan.

Zijn muziek klinkt alsof iemand je geselt met zijn hartslagen. Tussen de lyriek van *Het sluwe vosje* en de gewelddadige mokerslagen van *Uit een dodenhuis* raast zijn ruteloze geest.

Als er ooit een muzikaal toverwoud bestond, dan is het *Het sluwe vosje* wel. Hierin weet Janáček zowel het zoemen van muggen en het kwaken van kikkers als de intrede van de herfst in prachtige muziek te vatten. Overal hoorde hij muziek, zijn muzikaal idioom baseerde hij op de ritmen en melodie van de gesproken taal. Janáček is een bijenkorf van muziek: alles wat erin gaat wordt honing en de luisteraar verandert hij in een imker. Geen enkele andere componist weet zulke muzische mede te brouwen. Mede is een heilige drank. En zijn roes is goddelijk.

Balling in het paradijs

The flower of beauty, fleece of beauty, too too apt to, ah! to fleet,
Never fleets móre, fastened with the tenderest truth
To its own best being and its loveliness of youth.

Gerald Manley Hopkins
The Leaden Echo and The Golden Echo

Voor zover ik weet is Leoš Janáček (1854-1928) de enige operacomponist die een dronken vrouw opvoert, en het moet gezegd: het resultaat is bekoorlijk. Vanaf het moment dat Emilia Marty begrijpt dat ze haar drijfveren en daarmee ook haar geheim moet prijsgeven, trekt ze zich terug om zich aan te kleden en te eten, zoals ze zelf zegt; als ze daarna, aangekondigd door een tintelende fanfare op de trompetten, weer opkomt (haar zoveelste opkomst), is ze echter aan de whisky. 'Dit is om mij zelfvertrouwen te geven,' zegt ze en ze is nogal tipsy. Tipsy, want vrouwen raken nooit aangeschoten, en haar zang vanaf dit punt is een scherzando dans van grillen en giechelende humor. Je zou wensen dat vrouwen van vlees en bloed zo'n charmante dronk hadden – maar vrouwen van vlees en bloed zijn helaas niet door Janáček gecomponeerd.

Verdi (1813-1901) verklankte de opkomende dronkenschap van Falstaff in de gelijknamige opera (1893) met een lang zinderend crescendo, maar Janáček verklankt (en verbeeldt) de hele schakering van dronken emoties, van de lach tot de stille overpeinzing. Sopraan Elisabeth Söderström zal voor mij en ongetwijfeld andere Janáček-fanaten altijd verbonden blijven met deze rol en andere vrouwelijke rollen uit zijn opera's. Haar opnames voor Decca onder leiding van de dirigent Sir Charles Mackerras met de Wiener Philharmoniker, die een glorierijke lans hebben gebroken voor de Tsjechische componist, zijn onovertroffen. In de dronken scène zingt Söderström alsof het orkest haar volgt in haar dartele intoxicatie, alsof haar grillen de muziek leiden. Dit is natuurlijk vooral de verdienste van Janáček en zijn gevoel voor ritme en pas, maar de rol lijkt werkelijk speciaal voor haar geschreven. Ook andere opera's van Janáček zingt ze weergaloos: de overspannen sensualiteit van Katja (*Kát'a Kabanová*, 1921), de gefrustreerde liefdeszucht van Jenůfa (*Jenůfa*, 1904) en de fatale vrouw Emilia. Het is de opname met haar en Sir Charles Mackerras die ik de geïnteresseerde lezer zou willen aanraden.

Věc Makropulos heeft bij mij altijd associaties met de laatste opera van de maestro opgeroepen: niet alleen omdat Janáčeks opera ontegenzeggelijk buffo-elementen heeft en omdat beide opera's een doortimmerd libretto hebben op literair conventionele leest geschoeid (de thriller voor de één en de pastorale klucht voor de ander), maar vooral omdat beide werken ons de componisten tonen als meesters van de schelmse instrumentatie en van een onzelfzuchtige virtuositeit. De orkestrale vernuftigheden scheren langs het oor, zonder het te verzwelgen.

En over instrumentatie gesproken, laat ik hier meteen zeggen dat ik het niet eens ben met kenners die de orkestratie van Janáček soms *clumsy* noemen. Nu is het waar dat *Věc Makropulos* de meest 'welbespraakte' opera van Janáček is en je de instrumenten minder hoort zwoegen en zweten dan in, bijvoorbeeld, *Z Mrtvého Domu* (*Uit het dodenhuis*, 1928), maar de buitenissigheden zijn niet onhandig; ze lijken mij meer een uiting van Janáčeks koppige weigering zich aan enige conventionele beperking te onderwerpen. Stond Richard Strauss (1864-1949) er niet op dat je kon horen dat een van de drie vrouwen in zijn symfonisch gedicht *Don Juan* (1888) rood haar had? (Prostituees in die tijd droegen namelijk rode pruiken.) *Věc Makropulos* is, anders dan de overige opera's van Janáček, gevrijwaard gebleven van 'schoonheidsoperaties' door andere, veel minder getalenteerde handen. Janáčeks korzelige muziek laat zich moeilijk in traditionele klederdracht steken; muziek die nachtzwart is met een gloed van hellegoud treedt wel vaker buiten haar oevers. Zelfs in de lyrische passages, zoals de 'liefdesdialogen' (een vermomd liefdesduet) tussen Emilia Marty en Gregor, klinken ongemakkelijke ondertonen door, maar dat is in dit geval, zoals we zullen zien, toepasselijk.

Al vanaf het begin heeft Janáček een rotsvast geloof in zijn heldin Emilia Marty, de vrouw van 337 jaar, geboren in 1575. Of is het 1585? Zelf geeft ze in de dronken scène twee verschillende antwoorden, wat niet gezien moet worden als een fout van de schrijver; het geeft juist een vleugje realisme aan een fantastisch concept: we geloven wel dat Marty ergens de tel is kwijtgeraakt. Op het moment van haar loslippige dronkenschap wordt ze ondervraagd door de advocaat Kolenatˇ, die zijn toga aan heeft. '*Vypa-*

dáte jak funebrák!' ('U ziet eruit als een begrafenisondernemer!' Het is van het grootste belang dat de lezer de woorden in het Tsjechisch proeft. Janáček baseerde zijn ritmes en melodieën op de Tsjechische spraak; hij had altijd een notitieboekje bij zich waarin hij de intonaties van bepaalde zinsneden opschreef.) zingt Emilia spottend, maar het is waar: de ondervraging, eerder een terechtstelling, zal uiteindelijk naar haar dood voeren, naar een lyrische afscheidsrede en een huiveringwekkende sterfscène.

Maar daarvoor leren we Emilia's karakter kennen en dat is allesbehalve aantrekkelijk: een verwende, egoïstische diva, die om het document met het geheim van de onsterfelijkheid te bemachtigen letterlijk over lijken gaat. Maar de muziek (lees: Janáček) houdt vanaf het eerste moment van haar. En op het einde weet hij aannemelijk te maken waarom zij alle liefde verdient.

Emilia Marty wordt in de eerste scène geïntroduceerd door Kristina, de dochter van Vítek de klerk, die voor Kolenat˝ werkt. Zij heeft zelf ook aspiraties om operazangeres te worden. Een liefelijke bries blaast door het orkest op het moment dat Kristina (ook Krista genoemd) opgewonden haar vader vertelt hoe wonderbaarlijk de vrouw Emilia is:

Papa, die Marty is ongelofelijk.
O papa, papa,
Ik ga dat hele opera idée laten vallen.
Zij is de beste zangeres van de wereld!
Ik laat het hele toneel vallen,
Ik kan niet doorgaan...
Ik ben gewoon niet goed genoeg!
God, zij is – God, zij is zo mooi!

Op de vraag hoe oud Marty is, antwoordt Krista dat niemand dat weet.

Opvallend is dat Emilia, wanneer zij opkomt, zegt zich Kristina nog te kunnen herinneren. Merkwaardig voor een vrouw die weinig oog heeft voor anderen en zelfs harteloos lacht dat zij geen moer geeft om 'haar jongeren'. Kristina is namelijk een afspiegeling van Marty. Dit wordt uitgewerkt in de dialogen tussen Kristina en haar jonge vriend Janek. De dialogen tussen deze twee in de tweede akte weergalmen de gepassioneerde dialogen tussen Emilia Marty en Albert Gregor, die verliefd op haar raakt. Merk op dat Kristina, wanneer zij hun kuise verhouding wil verbreken, omdat zij zich alsnog helemaal aan het zingen wil wijden, de verliefde Janek aanspreekt met 'mijn kind' en met 'gek'. Het woord hlupáku (gek, dwaas) ligt bestorven op Marty's lippen, en zij behandelt Gre-

gor ook als kind: als hij haar na haar optreden bloemen en een juwelen-
doos geeft, wil ze hem zelfs een oorvijg geven. Ze drijft hem tot wanhoop:

Ik hou van je...
Je glimlacht?
En toch hou ik van je!
Pas op, Emilia. Je stoot me af,
Maar zelfs dat -
Zelfs daar geniet ik van.
Je boezemt mij angst in,
Maar zelfs dat vind ik behaaglijk.
Ik heb de neiging je te wurgen
Als je mij vernedert,
Ik heb de neiging om –
Emilia,
Ik zal je waarschijnlijk vermoorden.
Je hebt iets afstotelijks,
Je bent kwaadaardig, laag,
Weerzinwekkend.
Een bruut zonder gevoelens.
Niets betekent iets voor jou.
Zo koud als een mes.
Alsof je net uit het graf bent opgestaan.
Het is pervers om van je te houden.
En toch hou ik zoveel van je
Dat ik het vlees van mijn botten kan wegscheuren.

Nu is Gregor een kind van Marty, zij is, zoals ze dat zo prachtig zingt,
zijn *pra-pra-prapra-pra-pra-babicka* (over-over-overover-over-over-groot-
moeder) en dat verklaart meteen de duistere ondertonen van hun lyrisch
samenzijn. Gregor: *Budete mne milovat?* ('Wil je de liefde met mij bevrijden?') Marty: *Nikdy, rozumíš? Nikdy!* ('Nooit, hoor je! Nooit!'). Marty
heeft alle reden om verontwaardigd te zijn: er is een zweem van incest in
Gregors verlangen naar haar.
     Het spiegelmotief wordt verder uitgewerkt wanneer Kristina in de
tweede akte op dezelfde troon gaat zitten als later Marty; en uiteindelijk
pleegt Janek zelfmoord, niet omdat Kristina hem heeft laten vallen, maar
uit liefde voor Marty, die hem ook voor haar kar weet te spannen. Met
haarspelden tussen de lippen, haar lokken kammend, reageert zij op het
nieuws van zijn zelfmoord: *Bah, tolik se jich zabíji!* ('Poeh! Al die mannen

die maar zelfmoord moeten plegen!') Verbouwereerd zegt Prus, die het afscheidsbriefje van zijn zoon in zijn hand houdt: *A vy se můžete česat?* ('En jij kunt daar je haren zitten kammen?') *Mám snad bìhat rozcuchaná?* Antwoordt Emilia: 'Moet ik er dan helemaal in de war mee rondlopen?'

Volgens Kristina is het voor een vrouw als Marty – die haar grote voorbeeld is – onmogelijk om van iemand te houden Maar ze heeft wel van iemand gehouden, namelijk Josef Prus, de man aan wie zij het geheime document heeft gegeven: met hem heeft ze niet oud willen worden, maar immer jong willen blijven.

Als zij Janek en Kristina samen ziet, vraagt zij of zij al in het paradijs zijn geweest, waarmee ze bedoelt of ze al van elkaar hebben genoten. Dat is niet zo, maar, zoals Marty opmerkt tegen Kristina, de hlupá: wat nog niet is, kan nog komen. Inderdaad, Marty met haar ontelbare kinderen moet vaak in het paradijs zijn geweest. Zoals ze spottend tegen Gregor zegt:

Ha ha ha
Ik geef er geen moer om dat je mijn zoon bent!
Weet ik veel
Hoeveel duizenden koters van mij
Over de wereld rondzwerven.

Deze eenzame balling in het paradijs, die de enige man van wie ze hield heeft verloren, begrijpt dat ze nu de hel nadert. Die hel, zoals zal blijken, is niet het vuur waarin het document van Makropoulos in vlammen opgaat. We begrijpen nu iets meer van wat Janáček zo aantrok in deze vrouw, 'zo koud als ijs'. De dood is koud, zoals het zaad van de duivel.

Vergeleken bij de statigheid van Marty, zelfs als ze dronken is, zijn de mannen nogal onbeholpen types: praktisch (Kolenat̆), sullig (Jeroslav Prus, die voor seks met Marty het geheime document afstaat en daarna klaagt dat het was alsof hij met een lijk lag – dat haalt je de koekoek!) en onhandig: Gregor. Hoewel hij verliefd is en verliefdheid onhandigheid met zich meebrengt, laat hij zich door haar schofferen en gebruiken. En hij maar denken dat zij van hem houdt. Het is echter in een ander verband dat Janáček zijn benepen karakter toont. Twee keer is er sprake van een zoektocht in andermans bezittingen: in de eerste akte dwingt Gregor zijn advocaat Kolenat̆, onder dreiging van ontslag, in het huis van Prus op zoek te gaan naar het testament (waaraan het document van Makropoulos, de věc Makropoulos uit de titel) zonder dat ze enig bewijs hebben dat het daar daadwerkelijk ligt, behalve Emilia's beschrijving van de verbergplaats. En de tweede keer, in de laatste akte, doorzoeken zij de spullen van

Marty als deze zich heeft teruggetrokken voor een persoonlijk onderhoud met de fles. De muziek in de eerste en laatste akte is identiek: een staccato motief op de violen, een soort snuffelende dans, die de muizigheid van Gregor (en de andere mannen met hem) goed verklankt.

Goed, hij doet het uit liefde voor Marty, die hem misbruikt – de sympathie ligt toch bij haar en niet bij hem.

Zoals al gezegd heeft de opera buffo-elementen en het zijn vooral de mannen die als kinkels in een klucht rondom de stralende Marty blunderen. Ik moet dit anders formuleren: het zijn geen echte blunderaars, het is alleen dat de muziek zo aan de kant staat van Emilia, dat de andere personages dreigen te verbleken, ware het niet dat haar muzikale luister op hen afstraalt. Makropoulos is een obsessieve opera, geheel rondom Emilia geweven – van de flarden middeleeuws aandoende fanfares die haar verre verleden verklanken tot aan haar zelfverkozen dood. Ze is op verschillende niveaus een diva. Dit is metamuziek: hoeveel belcanto opera's zijn er niet voor historische diva's geschreven?

Er zijn verschillende opkomsten voor Marty, alle even betekenisvol. Zij is de diva (godin) en het leven is voor haar een kwestie van enter en exit. De twee schoonmakers aan het begin van de tweede akte vertellen ons dat zij vijftig keer terug werd geroepen na afloop van haar optreden. We hoeven ze niet op hun woord te vertrouwen, want we krijgen in dezelfde akte bewijs genoeg te zien van haar talenten, als zij de mensen om haar heen bespeelt, vaardig als een femme fatale, plagerig als de vrouw die weet hoeveel te beloven en hoe weinig te geven. De afsluiting van deze akte heeft iets theatraals, het is alsof het orkest een vallend doek verklankt. Marty, die rilt van de kou, valt plotseling in slaap; ze zinkt in een graf van sluimer, om daarna weer te herrijzen. Het verrukkelijke is dat ze ook begint te snurken!

Het is een soort terugkeer naar de bewusteloze toestand die aan haar eeuwige jeugd voorafging, zoals ze vertelt in de laatste akte: 'En een week of langer, was ik bewusteloos.' Op dit moment luwt de muziek tot een zachte fluistering, een korte huivering onder Marty's mooie melodielijn (*Pak jsem byla tyden / či jak dlouho bez sebe...* – let erop!): het klinkt alsof Janáčeks orkest hier een hartslag mist. Het wordt even donker, net zoals het orkest samen met de Rijn verduistert op het einde van de eerste akte van *Das Rheingold*, als het goud aan zijn dochters is ontstolen.

Haar echte optreden begint namelijk in de magnifieke laatste akte. Het is niet voor niets dat we zien hoe de kamermeid de haren van Marty kamt ('Voorzichtig, je trekt mijn haren eruit!' schreeuwt Emilia): het is een voorbereiding op haar laatste verschijning. En daarin zal zij geen rol hoeven spelen, zij moet, zoals dat heet, 'zichzelf zijn', haar identiteit bloot geven: geen wonder dat ze de whisky nodig heeft. Het is ook hier dat ze voor het eerst Grieks zal spreken, de taal van haar vader, Hieronymus Makropoulos, de lijfarts van keizer Rudolf II. Het is hier, denk ik, dat we de verklaring vinden voor Janáčeks grote empathie voor Elina Makropoulos (haar oorspronkelijke naam).

Ach, mensen, mensen!
Toen de keizer oud begon te worden
Bleef hij naar het levenselixer zoeken
Zodat hij weer jong kon zijn.
Het was toen dat mijn vader naar hem ging
En hem deze magie voorschreef,
Dit recept –
Zodat hij driehonderd jaar zou kunnen leven,
Driehonderd jaar van jeugd.
Maar keizer Rudolf was bang en zei:
'Probeer het uit op je eigen dochter,
Probeer het eerst uit op je eigen dochter!'
En dat was ik!
Ik was toen zestien jaar
En hij probeerde het op mij uit.
Een week of langer was ik bewusteloos –
Daarna werd ik weer beter.

En de keizer?

Niks.
Hoe kon hij weten
Dat ik driehonderd jaar zou leven?
Hij sloot mijn vader op in een toren
Als een zwendelaar.
En ik vluchtte met het geheim naar Hongarije,
Ik weet niet meer precies waar.

Emilia was een onwetend proefkonijn. Zij heeft nooit om de eeuwige jeugd gevraagd. Zij zakt in elkaar nadat zij haar zwanenzang heeft uitgekreten: haar naam Elina Makropoulos, alsof zij daarmee ook haar levensvoorwaarde opgeeft. Zo bekeken is wat er volgt niet een sterfzang, maar een zang uit het hiernamaals. Dit wordt door andere dingen versterkt.

Ten eerste dat haar branden in het vuur al metaforisch verklankt wordt wanneer zij zegt van dorst te versmachten: *Já shoøím!* ('Ik ga in vlammen op!') roept ze uit, en de uitbarsting van het orkest geeft aan dat het meer is dan enkel een uitdrukking dat haar whisky op is.

Het tweede en meest belangrijke is de omkering die op een gegeven moment plaatsvindt. Wanneer de mannen eindelijk inzien dat zij de waarheid spreekt, omdat zij in een 'schim of een geest' verandert volgens het libretto (de elixer is uitgewerkt), geeft het libretto aan dat er groen licht op het toneel én op het publiek moet schijnen. 'Ik kon de hand van de dood mij voelen aanraken,' zegt zij en voor het eerst in de opera zingen de mannen gezamenlijk, ze vormen een klein koor. 'Jullie zijn slechts voorwerpen en schimmen' – zo ziet zij de mensen om haar heen en een koor backstage bevestigt haar woorden: 'We zijn slechts voorwerpen en schimmen!' Dit is niet het koor van alle doden waarmee haar lange leven gevuld is, maar de stem van het publiek – en de galm van de personages om haar heen. Met andere woorden: de dood is nabij, maar het is zij die leeft, terwijl de andere personen, inclusief wij, het publiek, naar het rijk der schimmen worden verbannen.

Ik vraag mij af of Puccini deze opera kende, want ook in zijn *Turandot* zweven de schimmen stemmig, maar onzichtbaar rond. Ook de onthulling van een naam speelt in die opera een rol, maar dat is een bekend motief uit alle wereldsprookjes. Opmerkelijker zijn de verschillen tussen de diva zo kil als ijs en de ijsprinses en de respectieve muzikale behandeling van de twee personages. Waar Turandot door een kus smelt, verschrompelt Emilia omdat ze uitgedroogd is. Geen bloed stroomde er door haar aderen, maar een magisch elixer. Pas nu horen we haar bloed warm in het orkest en de melodieën circuleren.

Ik kon de hand van de dood mij voelen aanraken.
Het was niet zo verschrikkelijk.
Sterven of leven, het is allemaal eender, het is hetzelfde.
Het is een grote vergissing om zo lang te leven!
Oh als jullie maar wisten hoe makkelijk het voor jullie is om te leven!
Jullie staan zo dichtbij het leven!
Jullie zien enige betekenis in het leven!
Leven heeft voor jullie enige waarde!
Dwazen, wat zijn jullie gelukkig!
En dat allemaal door het idiote lot van een spoedige dood.
Jullie geloven in de mensheid, liefde, deugd, grootsheid.
Jullie willen niets liever.

Maar mijn leven is tot een einde gekomen.
Jezus Christus! Er komt niets meer.
Hoe gruwelijk is deze eenzaamheid!
Uiteindelijk komt het op hetzelfde neer, Kristinka, zingen en stilte.
Er is geen vreugde in goedheid, er is geen vreugde in slechtheid.
Vreugdeloos is de aarde, vreugdeloos de hemel!
Wanneer je dat weet, dan sterft je ziel in je af.
(leest uit het recept voor het levenselixir.)
Hier staat het geschreven: *Égo Hieronymus Makropoulos,*
iatros kaisaros Rodolfú...[Gr.: 'Ik, Hieronymos Makropoulos, ge-
neesheer van de keizer Rudolf.']
Ik wil het niet meer!
Hier, een van jullie mag het hebben.
Jij, Kristinka? Ik heb je minnaar van je beroofd,
Je bent mooi. Neem jij het maar.
Je zult beroemd zijn en zingen als Emilia Marty!
Neem het, meisje! Neem het, meisje!
(Krista verbrandt het document.)
Pater Hemon!

Doek.
Pater Hemon, hos eis en uranois: Onze Vader die in de hemelen zijt...

Alles in de opera heeft naar dit punt toegewerkt. De eerste twee akten zijn
realistisch en vooral een voorbereiding op het einde waarin, zoals in goede detectives, alle lijnen bij elkaar komen, hoewel in de muziek het fantastische probeert door te breken; maar wanneer in de laatste akte het
fantastische de handeling overneemt (de levenselixer, de bewusteloosheid
voorafgaand aan haar eeuwige jeugd, de transformatie van vrouw naar
een levend-dode) staat er een al te menselijk en realistisch aspect centraal:
de ondraaglijke eenzaamheid van Emilia Marty. Dat is wat er telt voor Janáček: haar koud, maar zo pathetisch kloppend hart. Niet de ambitie van
Kristina ('Het is allemaal tevergeefs, Krista, of je nu zingt of zwijgt'), niet
de oppervlakkige verliefdheid van Gregor, die uiteindelijk meer gemoeid
is met zijn te winnen zaak en landgoed, noch de zelfmoord van Janek, die
niet meer is dan onschuld op twee voeten.
    Misschien komt het door de zanger in bovengenoemde opvoering,
maar ik stel mij hem altijd voor met een bril. Zo stel ik mij ook voor dat
hij zich heeft opgehangen en ik zie de bril bengelen aan zijn neus. 'Vader,
wees gelukkig, maar wat mij betreft...' – zijn hele afscheid krijgen we niet

te horen. Het is gruwelijk genoeg en het zou het hart moeten treffen, maar het treft noch Martha, noch de muziek/componist. Een teken van de overtuigingskracht van Janáčeks muzikale gaven. Wie wordt er niet verliefd op zo'n femme fatale geschapen uit aardse klanken en betoverende noten en met zo'n gulle dronkenschap en die bovendien nog snurkt? Was God een componist als een Janáček of een Puccini geweest, dan had ik in hem geloofd.

Een vrouw als Emilia Marty, een diva in gedrag en gemoed, moet wel eenzaam zijn. Ongevraagd eeuwen jong, een vluchteling, haar vader en haar enige liefde verloren, een gevierde zangeres, een vaste bezoeker van het paradijs, met een hart van ijs begraven in een bekoorlijk lichaam, vermenigvuldigster van de wereldbevolking: wat een lang leven je niet allemaal aan kan doen.

Het is makkelijk om in het vuur, waarin op het einde het document geworpen wordt, de hel te zien; het libretto geeft ook aan dat op dat moment het groene licht moet veranderen in rood. Maar zoals hierboven uiteengezet, is dat hellevuur niet enkel voor haar bestemd. Dat rode licht beschijnt ook ons. Haar laatste woorden zijn: Pater hemon, onze vader. Zij heeft al eerder dit gebed in het Grieks opgezegd, maar in dit geval roept zij niet God aan, maar haar vader Hieronymus Makropoulos. En waar het orkest ons hart blijft bekrassen in een fenomenaal einde, heeft Emilia bij haar vader rust gevonden. De vrouw is niet 337 jaar oud geworden: zij is altijd een meisje van zestien gebleven in een wereld die zijn betovering is kwijtgeraakt.

En al is dat vuur wel de hel, voor haar zal het een welkome afwisseling zijn na zo veel bezoeken aan het paradijs.

– INTERMEZZO IN WATOU–

Villanella

Als het nieuwe seizoen komt,
Als de kilten verdwenen zijn,
Zullen wij tweeën, mijn schone lief,
De meibloem gaan plukken in de bossen.

Onder onze voeten stropen we de parels af,
Die men in de ochtend ziet trillen,
Om de merels te gaan horen
Fluiten.

De lente is gekomen, mijn schone lief,
Het is de maand van gezegende minnaars;
En de vogel, die met satijn zijn vleugel beglanst,
Zegt zijn verzen op aan de rand van zijn nest.

O! Kom toch op deze mossige oever zitten
Om te spreken over onze schone liefdes,
En zeg mij met je stem zo zoet:
Voor altijd!

Ver, heel ver van onze weg afgedwaald,
Doen wij de verscholen haas vluchten,
En in de spiegel van de bronnen bewondert
Het damhert zijn grote overhangende gewei;

Dan keren wij, geheel gelukkig, geheel voldaan,
Naar huis en dragen, met verstrengelde vingers,
In manden aardbeien mee
Uit de bossen.

Théophile Gautier (1811-1872)

Triomf van de rechterslaapbeenkwab

Bij aankomst stap je op 'De Doden', op het dak van restaurant 't Hommelhof stap je op 'hier was ik nu, ongaarne', en op andere dakpannen op 'alleen jij ontsnapt (omdat ik het wil tegen beter weten in)'. Over het kerkhof komt met wind en boomgesuis een onbestemde stem – en je kijkt op, maar daar zijn alleen 'de wolken die bergen schuiven'. De gedaante van Hugo Claus, uitgesneden op een plaat en verbonden met een betonnen knotwilg waarop een spiegel staat, biedt niet veel hulp: een sleutelgat dat uitkijkt op een deel van het plein (Hugo Clausplein) en een weerspiegeling van een ander deel. Naast Claus staan deze regels:

Van het eigengereide
naar het merkbare
gaat de beschrijving
Woorden
gekleurd of niet
worden sleutels

Van Hugo Claus. Cryptisch? Of misschien een aanwijzing?

Een aanwijzing, beste lezer, want we zijn in Watou en als er ergens woorden als sleutels dienen dan wel hier, een uithoekdorp in West-Vlaanderen, aan de grens met Frankrijk. Een plaats op de snede, om het zo maar te zeggen, en waar beter de grenzen tussen woord en beeld af te tasten.

De dichter Gwij Mandelinck is de sleutelbewaarder van Watou. Elk jaar organiseert hij in zijn dorp een tentoonstelling waarin poëzie en beeldende kunst met elkaar versmelten. Dit keer is S.M.A.K., het Stedelijk Museum voor Actuele Kunst van Gent, zijn partner. Hij vroeg museumdirecteur Jan Hoet een keuze uit de collectie van het museum te maken, en de werken te paren aan gedichten.

Mandelinck woont in een huis aan een dreef die naar een uitzicht van Franse heuvels leidt, zo ijl dat het lijkt alsof het elk moment vervagen kan, zo gehuld is het in dromerig mauve. Hij spreekt dan graag van 'verdwijn-kunst', een kokette uitspraak niet zonder knipoog. Al heet wat ik nog maar gemakshalve een tentoonstelling zal noemen, de negende in Watou, Voor het verdwijnt en daarna, naar een titel van een bundel van Rutger Kopland. Dit project is geboren uit een liefde, wat zeg ik, een manische hartstocht voor het beeldend vermogen van het woord. Er zijn vijf grote locaties, onderverdeeld in 35 ruimten – oude stallen, een kerk, hilden (zoldering in schuur waar hooi en dergelijke opgeborgen wordt), kavaljes (vervallen huizen) en andere tijdsprooien, een schimmige tocht op zich, door muffe oudheid, langs geklauwde muren, een weinig verlicht door licht dat grimmelt (waarin stofdeeltjes bewegen). Maar dit is niet een wandeling van de voeten, maar van de zintuigen. De opzet is de bezoeker een hallucinante ervaring te geven, de suggestie van een afdaling in het onderbewuste.

In de verschillende plaatsen klinken oneindig herhaalde stemmen van dichters, hangen plakkaten met gedichten, zijn kunstwerken te bezichtigen, misselijkmakende stank op te snuiven – of beter van niet. Een lege klerenkast helt vervaarlijk over een rood kindertruitje op de grond dat de armen gespreid heeft als geschrokken, alsof het zich wil onttrekken aan de gaap van de kast. Bij dit werk van Mariusz Kruk (*Zonder titel*) klinkt de stem van dichter Eddy van Vliet die het gedicht 'De Kast' voordraagt: 'De kast kraakt. (...) Italiaans linnen smeekt om geknecht door laarzen/ langs bevroren paden te gaan'.

De trap op en in een kleine kamer liggen op de grond twee figuren gemaakt van kleurige dekens: een geknielde man houdt een tros druiven op naar een ander silhouet dat op het punt staat met een schop zijn offerende handen af te hakken. Op de muur twee ijsjes en een vlinder, ook van stof. Dit werk van Maurizio di Elletrico (*Zonder titel*) is de verbeelding van een nachtmerrie, gemaakt van de huid van onze slaap zelf, de deken, die ons zou moeten beschermen tegen de kwade dromen die 's nachts op onze borst komen zitten.

In de volgende ruimte heeft Ricardo Brey vier bogen van ijzerdraad gespannen, waaronder oude jassen verspreid liggen en oude dassen; op de muur hangen twee grote horens: een karkas van een prehistorisch dier dat in ontbinding is, de jassen als afgevallen schubben, de glanzende dassen als darmen. Hierbij hoort het gedicht 'Something rotten' van Eriek Verpale: 'Er is iets niet in orde met het geluid/ dat uit de stenen komt./ Iets vreemds en onverwachts horen wij daarin...'

Hier aangekomen denk je terug aan de eerste ruimte en wordt al een bepaalde lijn duidelijk. Want hing daar niet het schilderij *Magdalena* van Marlene Dumas, een naakt meisje-vrouw, met lang haar; en lag daar op de grond niet Innards van Mike Kelly, vreemde wollen voorwerpen als hoofdbrekend kinderspeelgoed? Van de naaktheid van een afgedankte en verbeeldingrijke kindertijd naar de nachtmerries van het opgroeien, de beangstiging van een grote wereld (rode trui en kast), naar de onbeschermde werkelijkheid van volwassenheid, waar zelfs de slaap ons nergens voor behoedt, naar het rotten en ontbinden van ouderdom.

Dit is nog pas het begin, maar de toon van iets lugubers is al gezet, hoewel verzacht door een suggestie van het kinderlijke, en dit alles versterkt door de dichtersstemmen die je van de ene ruimte naar de andere volgen, soms met elkaar versmelten. Je waart rond in het hoofd van een dwaas, een schizofreen.

Dat kinderlijke en gruwelijke vind je ook terug bij het beeld van Johan Tahon Halo-Vow, een misvormd, geamputeerd wit lichaam met een reuzenflessendop op de borst. Enige liefelijkheid wordt verschaft door het gezichtje van deze wangestalte, ware het niet dat het halsje doorboord wordt met een staaf, die haar schraagt en doodt tegelijkertijd. En wij horen de stem van Anna Enquist ('Als niet wanhoop met windkracht tien/ in haar rug staat, wat houdt haar in gang?... ogen likken de gevels, de keel/ is gulzig naar lucht...') alsof ze het vonnis herhaalt dat deze verschijning tot dit lot veroordeeld heeft.

Wanhoop ook bij Edward Lipski's *Bird*, een grote vogel geheel van zwarte veren (zelfs de snavel) die aan het plafond hangt. Aan de muur 'De Albatros' van Hugo Claus – een gedeelte ervan zijn we al eerder tegengekomen, bij aankomst, aan het begin, op de dakpannen:

Zijn gevederde kont zakt over zijn
nest,
de Heuvel van de Verschrikking.
Zo zak jij soms op mij
als op een troon.
Zo kwaak jij soms naar mij
je lieflijk gehoon.
...
Alle bloemen zijn bastaards,
alle gesteenten mutaties,
alleen jij ontsnapt
(omdat ik het wil, tegen beter weten
in)

Niet alles is wanhoop en verschrikking; de zwaarmoedigheid wordt steeds verlicht door vrolijke details. Het Niets speelt op de horizon mee, ver weg, maar aanwezig, niet overheersend. In het werk *De tuinman en de dood* van Leo Copers (een verwijzing naar Van Eycks gedicht) in een schuur hangt een zeis die begint te draaien als je dichtbij komt, krassend over de vloer, waarop een regenboogkleurige cirkel als door kinderen getekend staat. Dat geeft reden tot opluchting, ook dat de zeis zo eenzaam staat te roteren, alsof de dood in Ispahaan aangekomen zich opeens voor het hoofd slaat dat hij zijn zeis vergeten is. De tuinman ontsnapt alsnog.

Het gaat om de metamorfose, dingen zijn bezig te verdwijnen, maar veranderen daarna. In drie glazen plakkaten (daar om te blijven!) met huldedichten gewijd aan de betreurde Herman de Coninck van de hand van Anton Korteweg, Hugo Claus en Rutger Kopland, schrijft laatstgenoemde 'zonder de dood te verwachten/ schrijf je geen poëzie' en Claus: 'Elke regel van jou voorspelde/"Vormen," zei je, "worden wormen".'

Woorden worden oorden waar het vergankelijke en tijdelijke samenkomen, een glimp opgevangen vanuit een sleutelgat, een barst, of, zoals in het werk van Oleg Kulik *Deep into Russia*, het schaamdeel van een koe, want de dichter is een koe, zoals Gerrit Achterberg dicht, die de wereld om zich heen herkauwt en verteert in de baarmoeder van verbeelding. Metafoor en metamorfose.

H.H. ter Balkt spreekt van 'duivelsnaaigaren in een kluwen' en in de paardenstal waar zijn stem weerklinkt staan manden vol loden rozen, een werk (*I Never Promised You a Rose Garden*) van Berlinde De Bruyckere. Een indrukwekkend beeld van Jan Fabre (*Zal hij voor altijd met aaneengesloten voeten blijven staan*) staat in de Sint-Bavokerk: een spookengel van wit haar, die een lichaam roestige harnassen omkranst, staand op een onvolmaakte globe van kevers op een bevlekte spiegel: kevers die bollen rollen van uitwerpselen vormen hier een aardbol, verstild in een onbewaakt moment.

Het is ondoenlijk noch is het mijn bedoeling een volledige impressie te geven. Deze pelgrimstocht van de zintuigen naar de witte schrijnen van tussen-de-regels vormt een geheel dat in mijn beschrijvingen uiteen dreigt te vallen. De beelden zijn meestal geen illustraties bij de gedichten, noch zijn de gedichten voetnoten bij de kunstwerken. Alles is zo geïntegreerd in de omgeving dat de bezoeker niet zelden twijfelt of iets onderdeel is van de tentoonstelling of een attribuut van het dagelijks leven.

Zei iemand daar wat of is dat een dichtersstem, die met de wind meekomt en tussen de bladeren en getjilp glipt? In de vijver, waar, naar ik vernomen heb, vissen vroeger nog lustig wilden opspringen, drijven drie putten van reuzenwasknijpers naast een laag watermos, alsof de vijver, verheugd om deze drie graag geziene gasten, de tafel heeft gedekt. Zijn die putten er altijd?

En die beroeringen in de hop-, aardappel- en bietenvelden, alsof kinderen er doorheen rennen? En die bolderkar, is dat een plakkaat met een gedicht of een richtingsbord? En die oude vrouw op de bank, voor het gedicht 'De Doden' (Hugo Claus) dat op de weg geschreven staat?

En de zon kwam af en toe zijn opwachting maken, bescheen dit of gene, en waar zijn schicht nodig was, maar niet kwam, werd met kunstlicht een wonderlijke imitatie gegeven, zoals bij de opgestapelde jutezakken van Barry Flanagan *Light on Light on Sacks*, die in een hoek dommelen: een straal licht als een kier voor een voyeur. Het lijkt alsof de stem van Kees Ouwens uit die zakken komt, een schijnscheur in het ontoegankelijke: 'Waarom zouden wij bij herhaling naar onze gronden zijn/ teruggekeerd, waar niets was dan het steeds/ weer eendere dat wij al kenden.'

Mandelinck lijkt de aandacht te willen vestigen op wat poëzie maakt, *the stuff of poetry*. De kunstwerken mogen dan verdwijnen, maar als de zintuigen eenmaal op scherp hebben gestaan, zullen ze voortaan niet rechtlijnig lopen, maar zich verspreiden over alle vertakkingen van de aandacht. Dit is niet om te zeggen dat er een dichter in elk van ons schuilt, wel een kiem van verbeelding – de menselijke triomf over tijd en ruimte – en allen hebben wij een rechterslaapbeenkwab, die wonderbuidel van visioenen en hallucinaties in onze hersenen – een doos van een zachtmoedige Pandora, een ware grabbelton voor muzenzonen.

Er is geen vrijheid in de zandwoestijn,
Al staan er nergens hekken, nergens palen.
Het is maar beter – als je vrij wilt zijn -
Om sierlijk door een labyrint te dwalen.
(Gerrit Komrij)

Watou biedt geen vlucht uit een labyrint, maar maakt bewust van dat andere labyrint van zinnen en zintuigen, waar onachtzaamheid de sierlijkheid dreigt log te maken.

In het Blauwhuys staat een viertal glazen kronkeltafels, twee ervan bedekt met graniet, en daarop staan kleurige groenten (*Chambres d 'Amis* van Mario Merz). Het is bijna een middeleeuws tafereel, de voorbereiding van een oogstfeest, en je verwacht dat elk moment de boerinnen zullen komen, dat de knecht op de zoldering stem en schoot van het boerenmeisje ligt te dempen. Zomerse tableaux vivantes van Koplands winterse droefenis:

Er liggen dingen op die tafel, maar
waarom – het is winter en het ligt daar
weer, wat oude aardappels, grijze
peterselie,
een dorre ui, een dode goudplevier
het slaapt in een bevroren wereld, in
een boomgaard, een moestuin, een
greppel
droomt het te zijn gevonden,
meegenomen

Ze zijn meegenomen, verdwenen door de opening in het kunstwerk van Flanagan, een olifantesk voorwerp van negen ton dat op de Franse grens staat, een rechthoek die zich geleidelijk vormt tot in een spiraal, die leidt naar de zonnemistige heuvels van Frankrijk.

Wat er ook verdwijnt, het verdwijnt in een spiraal van verandering, verwisseling tot het oneindige. Geen reden tot weemoed. Er staat daar een fles 'gebottelde gedichten' (Marcel van Maele), en die is in Watou geopend en de inhoud flardt rond, van de boomkruinen tot de velden en in de ochtend is er een gevoel van gemis. Natuurlijk! Je hoort alleen het kirren en koeren van duiven en het kwetteren van mussen, maar ze lijken zo nietszeggend, zo ononderbroken door de stemmen van de dichters.

Dit krantenstuk zal vergaan, een stuk papier dat kreupel over een plein zwikt naar dat onbekende hiernamaals waar efemere stukken in hun eigen inkt oplossen, maar dan zult u, goede lezer, al rondlopen in dat ruimtelijk gedicht dat Watou heet en waar, was ik een dichter of een beeldend kunstenaar geweest, ik mij bijzonder vereerd had gevoeld als ik een regel in dat poëem van de vier elementen had bijgedragen. Een stem te hebben in dat bacchanaal van de verbeelding vol slingers en festoenen, de herdenking van het zintuiglijk woord.

Maar ik ben geen dichter, ik ben slechts een minnaar die dronken en verzadigd van een feest is teruggekeerd dat in mijn dromen en bloed nog nagalmt en naschokt. Ga nu voor het te laat is, want niemand weet hoe lang het vreugdebier van de zomer op zich laat wachten, en laat uw zinnen uit hun voegen barsten.

Hier broedt men kuikens uit

In het Vlaamse plaatsje Watou zijn voor de twintigste keer poëzie en beeldende kunst een verbintenis aangegaan.

Niet zonder trots sprak de burgemeester van Poperinge (de stad die al vereeuwigd is door Shakespeare in Mercutio's dubbelzinnige uitspraak: *'O that she were an open-arse, thou a poperin pear'*) – een Poperingepeer over de wereldfaam van Watou. En inderdaad: de Japanner en de groep Amerikaanse vrouwen die de klamme hitte vulde met nasaal gegak en drukke gsm-gesprekken, waren speciaal gekomen voor de opening van de twintigste poëziezomer in dat kleine dorpje, een stip op de landkaart. De Japanner, galeriehouder uit Tokyo, probeerde Gwij Mandelinck, dichter, initiatiefnemer van het evenement en verantwoordelijk voor de keuze van de gedichten, over te halen een Watou in Japan te organiseren. Mandelinck weigerde, ongenegen 'zijn' Watou in de steek te laten en daarbij is het Watou dat de wereld naar binnen haalt en niet omgekeerd. Jammer dat Mandelinck de uitnodiging afsloeg, want ik moet zeggen dat een Wah Tung, compleet met de clichés van kersenbloesems en vijvertjes en ronde heuvels en *namban nioboe* (kamerschermen) en bedachtzame haiku's bijzonder aantrekkelijk klinkt. En daarbij zal de internationalisering van Watou, dat gevisualiseerde gedicht, dat poëem van de vier elementen, met reuzenschreden voortgezet worden: volgend jaar, dat mag ik alvast onthullen, zullen buiten-Europese landen, waaronder Noord-Afrika, deelnemen aan wat het ritueel van de zintuigen genoemd kan worden.

Dit jaar zijn veertig kunstenaars en vijftig dichters uit zestien landen een liaison aangegaan met het dorp; anders dan voorheen hebben de meeste kunstenaars werk gemaakt in, voor en geïnspireerd door Watou – en, naar het zich liet ruiken, door de nectar van de endemische muze: het hommelbier. De gedichten en kunstwerken zijn verspreid over acht locaties, een straffe wandeling voor geharde zolen. De tentoonstelling kreeg de titel *Storm Centres*, een term uit de economie voor kleine landen en/of taalgebieden die 'vaak haarden zijn van creatieve onrust' (uit de inleiding van de dikke catalogus). Deelnemers komen onder andere uit Bulgarije, Noorwegen, Kosovo, Servië, Denemarken en natuurlijk België en Nederland: landen uit de periferie, net zoals Watou zelf in de periferie ligt. Ook is er zoveel mogelijk gekozen voor jonge kunstenaars, een handreiking naar de toekomst. Nieuw en onvermoed talent: Erwin Mortier en Patricia de Martelaere blijken ook gedichten te schrijven en zijn aanwezig met (nog) ongepubliceerd werk.

De artistieke grensverlegging is een viering van 'de complexiteit en dialectiek' van een veranderend Europa (Jan Hoet, directeur van het Stedelijk Museum voor Actuele Kunst, Gent, het S.M.A.K., een vermeldenswaardig acroniem). Meer dan ooit is de kunst volgens hem kwetsbaar, want onzeker van haar functionaliteit. De demografische veranderingen in Europa door de gestage stroom immigranten hebben ook hun invloed op de kunst en meer dan voorheen schijnen jonge kunstenaars op zoek te zijn naar identiteit, een ankerplaats, een context. Die context wil Watou, al was het maar tijdelijk, bieden. Watou is een pleisterplaats, geen eindhalte, en als immigranten, zoals Salman Rushdie zegt, mensen zijn die de zwaartekracht hebben overwonnen, niet mensen met wortels bengelend aan de voetzolen, dan is elke zoekende kunstenaar een immigrant en kan nu in Watou even op adem komen en zich de aardse omarming laten welgevallen.

De Belgische kunstenaar Koen van Mechelen (*Cosmopolitan*) heeft een kippenren gebouwd waar de Mechelse Koekoek, een indrukwekkende grijze haan, omringd wordt door een harem hennen, om een Gallus Domesticus Cosmopolitan te scheppen. Sommige eieren zijn al uitgebroed en tussen het dons en wit vallen een paar zwarte kuikentjes op.

De Noorse Marianne Wiig Storaas verkent verschillende kunstdisciplines, van schilderijen tot zang, alsook haar Hollywoodpotentie: foto's van haar in verschillende poses hangen verspreid over Watou. Bij haar schilderijen, gebaseerd op foto's van zichzelf, hoort het gedicht 'De courtisane' van Rainer Maria Rilke: 'Knapen, de hoop van menig oud geslacht, /gaan als aan gif te gronde aan mijn mond.' Voor haar geen onduidelijkheid over context en identiteit – nog minder over functionaliteit.

De ruimtelijke verhuizing en haar gevolgen komen naar voren in het werk van de Kosovaar Sislej Xhafa en de Iraanse Soheila Najand. In de installatie van laatstgenoemde (*Shisheye Omr* [*Life Glass*]), een rembrandtesk verlichte kast, gevuld met glazen kruiken gevuld met specerijen, zweemt de sentimentaliteit van heimwee: het moederland dat verpulverd en daardoor langer houdbaar wordt om het nieuwe leven te kruiden en te variëren. Tegenover deze kast golft een doek waarop blauw werd gepro-

jecteerd, een zee van mogelijkheden of een hemel van mogelijke vluchten. In elk geval constante vergankelijk- en veranderlijkheid.
Gelukkig weet Watou op de beste momenten de politieke implicaties te ontstijgen. Want de zoekende kunstenaar zoekt niet naar een plaats, maar naar een tijd. De verandering van de omgeving is niet belangrijk, maar de verandering van de kunstenaar zelf. Niet de verplaatsing van M naar B (moederland naar buitenland), maar de metamorfose, of metempsychose, als u wilt, van R naar V (van rups naar vlinder). Zoals Kopland zegt in 'De Landmeter':

Hij wil weten waar hij is, maar zijn
troost is
te weten dat de plek waar hij is niet
anders bestaat
dan als zijn eigen formule, hij is een gat in de vorm van
een man in het landschap.

Dit gedicht, samen met 'Afdaling op klaarlichte dag (2)' ('als jullie de lichamen zijn/ van haar en mij/ waar hebben jullie ons gevonden/ waar brengen jullie ons heen/ waar laten jullie ons gaan') begeleidt werk van Co Westerik, in een etherische ruimte, van een broze lichtheid.
Of zoals de verspreking ('humus' 'humain') en de stok in het prachtige gedicht van Huub Beurskens 'Dode bladeren':

...Maar ook van het verspreken
leren wij kennelijk nog niet af te zien
van onszelf
gedane, onhoudbare beloften, dacht
ik toen
hij onder klaterend applaus de zaal
uitging
steunend op een tot stok bewerkte tak
die
in elk najaar, met of zonder regen, ooit gewoon
elk blad los en in een bos dood vallen
liet.

'Humus' en 'humain' staan dicht bij elkaar, want waar de mens is daar is ook vergankelijkheid, de dood, in weerwil van de troost die Anton Korteweg in het gedicht 'Epicurus' ons biedt: 'Dood, om maar iemand te noemen,/ hoeft ons geen angst aan te jagen:/ zijn wij er, hij kan er niet zijn dan,/ is hij er, ontbreekt het aan ons.'

De dood is prominent aanwezig in Watou en met recht, want zoals de verteller van Nabokovs *Pnin* het verwoordt: '...een van de belangrijkste kenmerken van het leven is afzonderlijkheid. Tenzij we omhuld worden door een laag vlees, sterven we. De mens bestaat alleen in zoverre hij afgezonderd is van zijn omgeving. Dood is ontkleding, dood is gemeenschap. Het is heerlijk om op te gaan in het landschap, maar dat te doen betekent het einde van het tedere ego.' En waar kunstwerk en omgeving en woord perfect samenvallen (het doel en de grootste verrukking van Watou), wanneer elk afstand doet van het tedere ego om op te gaan in een samensmelting, daar heerst de dood, zoals in de locatie de Douviehoeve.

Daar staat de installatie van de Portugese kunstenaar Rui Chafes *La blessure tranquille du Oui, le couteau du Non* (De stille wonde van het Ja, het mes van het Neen): stalen, min of meer mesvormige constructies die bevestigd zijn aan pilaren en die doen denken aan doodskisten. De duisternis en stilte daar zijn gewijd, plechtstatig, een tempel van donkerte, maar bij nadere beschouwing blijken de doodskisten open te zijn. Dood is niet een kwestie van hier en daar, zoals het gedicht van Samuel Beckett ('Neither') bewijst, dat bij dit werk hoort. De dood is niet zozeer overwonnen, als wel ingelijfd in Watou dat op het midden van onze levensweg is aangekomen. Er zijn openingen gevonden naar wat ik maar een hiernamaals zal noemen, een naleven. Kunst biedt naast *Blakes doors of perception* een zolderraampje en wij hoeven, volgens de Deense kunstenaar Erik A. Frandsen, de hoop niet te laten varen. Zijn sterk werk (*Ghost, Shadow*) toont een wereld na of parallel aan deze tastbare, waarin voortleven een kwestie is van perceptie: het negatief van een foto, planten die witgeschilderd zijn en neonlichten die de bewegingen beschrijven van een vrouw die zich ontkleedt. Zeker, dood is ontkleding, al was het alleen maar ontkleding van onze gangbare manier van kijken, een verstoring van de ordelijke samenwerking van de zintuigen. Dat is wat Watou uiteindelijk ook beoogt, geboren als het is uit het woord. Het woord is de kwintessentie, het vijfde element. Het woord is misschien wel het enige hiernamaals dat ons leven heeft; het neemt geen genoegen met een enkel zintuig en vereist bovendien een extra zintuig, ergens tussen de schouderbladen, dat een huivering teweegbrengt bij de ervaring van de complexe staat die schoonheid wordt genoemd. '*Poetry indeed seems to me more physical than intellectual*,' zei de Engelse dichter A.E. Housman al.

Maar deze zintuiglijke afdwalingen leiden ons onherroepelijk terug naar onze eigen, niet te veronachtzamen wereld, als we aankomen bij de gevallen engel van Karel Appel of bij *Papaver* van Panamarenko. Dit werk, een papaver – symbool van de droom – als een zeppelin, staat in een glazen bak die het gouden hopveld buiten weerspiegelt: de hemel is de aarde zelf, waar de vlieger uit het fragment van Serge van Duijnhoven ('en wie weet waar de vlieger/ heen vliegert en wie weet waar de vlieger neerdaalt/ en wie weet waar de vlieger waar-/ wie weet het; vader, waar?') ergens is neergestreken. Als we dan openingen zoeken, dan niet met de blik omhoog gericht, maar naar de horizon, zoals het werk van Raveel (*Illusiegroep*) in de laatste locatie (met het gedicht 'Aankomsthal' van Joke van Leeuwen) ons duidelijk maakt met een spel van openingen en spiegelingen. Deze kunstenaar doet zijn naam eer aan (een raveel is iemand die zijn kleren scheurt en kapotmaakt). En Watou ook: de mens is in staat oneindigheid te bereiken en de anastomosis (de samenkomst van verschillende lijnen bij elkaar) waarnaar Watou elk jaar streeft, is aanlokkelijk omdat het een belofte inhoudt die niet op het moment zelf vervuld wordt. Het uitstellen van de vervulling belooft oneindigheid.

Dat is wat Watou bijzonder maakt: je komt terug verheugd om de mogelijkheden die je daar getoond worden en niet om wat er mogelijk is gemaakt. Je beseft dat de menselijke verbeelding onbeperkt is, genoegen kan nemen met kruimels, of zelfs misschien geschikter is voor kruimels dan voor het hele brood. Het is een uitstapje voor de zintuigen en de geest.

Dit rechtvaardigt het fragmentarische van Watou dit jaar. Dat het geheel niet uiteenvalt is te danken aan de prachtige voordracht van Dirk ('ik-denk-dat-de-adempauze-tussen-die-twee-woorden-iets-te-lang-is') Roofthooft, die de gedichten voorleest. Zijn sonore stem begeleidt ons in onze afdaling als een ware zielenbegeleider: hij schalt, krast, zingt, spreekt, oreert, ingetogen of balsemend, met een meesterlijk gevoel voor melodie en nuances en suggestie. Zijn recitatie (samen met een meisjesstem) van Beckett is hypnotiserend; bij Van Duijnhoven zingt hij (met dezelfde meisjesstem) en breekt opeens af, zodat het meisje alleen doorgaat. Wij weten waarom: die broze stem geeft het op, want Dirk is in huilen uitgebarsten. De taal van Peter Verhelst, ontvleesd, ontleed, beschenen door laboratoriumlicht, krijgt het gesis en geronk van het leven mee. En van het leven hebben we nooit genoeg, zoals Watou, ondanks de zeis die daar af en toe glinstert, weer bewijst.

Dood. Heb geen angst. Talm niet
voor mijn deur. Kom binnen.
Lees mijn boeken. In negen van de tien

kom je voor. Je bent geen onbekende.
Hou mij niet voor de gek met kwalen
waarvan niemand de namen durft te noemen.
Leg mij niet in een bed tussen kwijlende
kinderen die van ouderdom niet weten wat ze zeggen.
Klop mij geen geld uit de zak
voor nutteloze uren in chique klinieken.
Veeg je voeten en wees welkom

De burcht van Blauwbaard

De volgende regels uit Gorters 'Mei' zijn een overpeinzing waard:

er is iets dat mij bekoort
In ieder ding, en die dat weet, hij gaat
Altijd langs watren, door jong gras, en laat
Zijn voeten koel in dauw van wei

Met de eerste stelling kunnen we het van harte eens zijn, maar waarom zou iemand die in ieder ding de bekoring ziet geen droge voeten houden en zijn oog uitlaten in een stenen landschap – de stad? Waarom zijn 'watren en jong gras' bekoorlijker dan de nauwe steegjes waar buurvrouwen luidruchtig zijn, de kinderen onvermoeibaar en waar de aanblik van de hemel doorkruist wordt met waslijnen?

Ik voel een gêne op het platteland, waar ik niet elke bloem, plant en boom met naam en roepnaam ken, maar is dat zoveel erger dan niet weten van welke steen de straatklinkers op een plein zijn gemaakt, rond en gebogen als de ruggen van een horde pelgrims verzonken in gebed? Is het goud en de honing van de zomer werkelijk mooier in de natuur dan in de stad, dan het botten en bloesemen van de vrouwen waaraan de blik zich vastklampt, lustiger dan elke bij aan een stamper? Is de ramsj van de herfst niet oneindig veel ellendiger in de stad, waar het spookt en regent en waar de mensen hun grondige eenzaamheid beseffen en het onvermogen om lief te hebben? En wat zouden de pollen en het stuifmeel van de winter zijn zonder het gevloek van de weergrommers ('weertje – niet? – buurman'), zonder de blosjes van de kinderen en het gelach van meisjes, dat alleen in de winter iriseert (in de herfst is dat geschater zilver)?

De waarheid is dat het verlangen van de jonge, grillige Gorter naar de natuur een gecultiveerd, gestileerd verlangen is, dat terug te voeren valt naar de pastoralen van Theocritus en Vergilius met zijn irritante herdertjes en al hun tamme volgelingen, onder wie Cervantes, P.C. Hooft – Edmund Spencer is, door zijn humor en erotische Witz, een uitzondering –

maar zelfs in Arcadië stinken geiten en zijn schapen misbaksels, wol en geanimeerd vlees op te korte pootjes. Ik wil Gorters gevoel en liefde voor de natuur niet in twijfel trekken. Wel is het zo dat pas toen hij alle conventies van zich afschudde en één en al oog en oor werd, of beter, toen zijn oor en oog een eenheid vormden, zijn genie tot rijping kwam, of het nu ging om de beschrijving van een werkkamer of van een populier. Opvallend is dat ook in 'Mei' de beschrijvingen van een kermis of een dorp ('maar de stille straat / vergaarde schemer') overtuigender zijn dan de natuurdescripties, ondanks de vele fonkeljuwelen die over dit werk verspreid zijn. Die herderinnetjes kunnen trouwens toch onmogelijk maagden zijn.

Het is verbazingwekkend hoe lang het heeft geduurd voordat dichters werkelijk gingen zien. De schilders hadden op dat vlak meer dan één lengte voorsprong. Lord Byron had alleen maar hoon over voor Coleridge, die in een van zijn gedichten sprak over 'the green evening' en Byron was een natuurliefhebber. Zijn liefde voor de natuur was echter veel kleiner dan zijn oog ervoor, want zijn beschrijvingen missen elke oorspronkelijkheid en zijn palet (purper, geel, groen en blauw) was aan deze saletjonker overhandigd door generaties dichters die niet beschreven wat ze zagen, maar wat ze lazen van andere dichters die het ook niet wisten. Er zijn oneindig veel meer kleuren en rake observaties in de klankschilderingen van Richard Strauss in zijn ondergewaardeerde *Alpensymfonie:* luister naar de zonsondergang, die een elegie is, een jammerklacht op een knekelveld van een horizon, waar de wolken ruïnes zijn en het domend licht een bloedbad is. Deze componist zag niet zozeer de dramatische, als wel de histrionische kwaliteiten van natuurverschijnselen (de waterval als klingelende nar). Daar kon Byron nog een puntje aan zuigen. En een avond kan wel degelijk groen zijn.

Zulke descriptieve platitudes zijn opmerkelijk genoeg afwezig bij de Arabische woestijndichters, die leefden van schaarse waterbronnen en overvloedig licht. Met name Dhoe Roemmah (achtste eeuw), die bijzonder wrange beschrijvingen heeft van woestijnreizen, uitgeputte kamelen met neusgaten die bloeden van het getrek aan de leidsels, dommeldronken ruiters; brak, ondrinkbaar water en ingestorte putten, waar de spin zijn tent weeft en drogende bronnen waar de zandhoenders water opslaan voor hun jongen; en – mijn favoriet – een sprinkhaan die over gloeiende kiezels glijdt en vergeleken wordt met een ruiter die een ongezadeld paard probeert te bestijgen. Over oog voor detail gesproken. Overleven in de woestijn is blijkbaar een kwestie van zintuigen. En wat is een dichter, een kunstenaar anders dan een krachtige bundeling van de zintuigen?

Alle zes zintuigen, wel te verstaan. En dat geldt ook voor ons, sterfelijke mensen.

Hoe wonderbaarlijk is de mens! Hoe nauwkeurig in evenwicht! Maar hoe breekbaar. Wie in de ban is van de zintuigen, is zich ook bewust van de constante dreiging van waanzin. Hoor haar vervaarlijk blekken achter onze kalme rug. Merk op dat de gekte van Macbeth (Shakespeare is niet te vermijden als het over waanzin gaat) niet begint wanneer hij de bloedende geest van zijn slachtoffer ziet, maar zelfs voordat hij een slachtoffer maakt, wanneer een 'dolk van de geest' hem de weg wijst naar de eerste moord (waarna hij verslaafd zal raken aan het moorden). 'My eyes are made the fools of th'other senses,/ Or else worth all the rest' spreekt hij in de beroemde monoloog. Dit is een problematische zin, genot en nachtmerrie van exegeten, maar duidelijk is dat de ordelijke samenwerking van de zintuigen hier duchtig wankelt. Waanzin is slechts een kwestie van een verstoord metabolisme, een ontregeling van zintuigen. Een kleine afwijking in de serotoninehuishouding en onze zintuigen gaan met ons op de loop. Serotonineremmers, de zogeheten 'indolen', staan garant voor een extatisch visioen van overdonderende schoonheid: laat dopamine regeren en de zintuigen dansen een stoelendans. De stof DMT, die in planten en in het ruggenmerg van de mens van nature voorkomt, wordt in grotere mate aangemaakt bij psychotische en schizofrene mensen. Deze stof, gesynthetiseerd en tegen hoge prijzen verkocht, bezorgt de gebruiker een korte, spectaculaire trip. Heb ik al gezegd dat de mens een wonder is?

Deze dreiging van krankzinnigheid is de bron van de verontrustende ondertoon van geweld en wreedheid die de poëzie van Gwij Mandelinck kenmerkt. Zijn soms alledaagse lyriek heeft de klauwen van tragiek. Of moet ik zeggen dat de schaduw van lyriek tragiek is? Beschouw het volgende gedicht, 'Pijnbank':

Je strijkt. Terwijl je voet naar binnen staat
gedraaid, lijk je ingekeerd te zijn.
Zodra je mij bedreigt gaan neus en lip omhoog.
Die geven tanden bloot. Je hoofd wordt rood
En je besprenkelt breed het pak
waarin ik zat. Je heetste binnenkant
komt stomend op mij neer. Een pijnbank
is die plank, je zet mij naar je hand.

Alledaags, nietwaar? Maar sta stil bij de voet, die naar binnen gedraaid en de vrouw die 'ingekeerd' is. Na twee geruststellende woorden ('Je strijkt') wordt al spoedig het monster geboren. Dat draaien en inkeren, het rijzen van neus en lip geven het beeld de verwrongenheid die de schilderijen van Francis Bacon kenmerkt. We zijn hier in de hel, waar niet het strijkijzer gloeit en rood wordt, maar het hoofd van de vrouw. De vrouw wordt een boschiaans schepsel in de vorm van een stomend strijkijzer, met wanstaltige, gruwelerotische connotaties ('Je heetste binnenkant'). En wat doet de dichter? Hij geeft zich over, hij laat de vrouw haar woede en walm. Dit is ontwapenend. Het gedicht blijkt een liefdesverklaring en liefde heeft wellicht meer met het oog dan met het hart te maken, Venus zij dank. Het hart is er alleen maar om op de pijnbank te worden gelegd, Cupido zij dank.

Zintuigen, Gwij Mandelinck – ah, gaat dit misschien over Watou? Jazeker. De 21ste editie van de Poëziezomer Watou is begonnen en uw onderdanige dienaar is weer in alle staten. Mandelinck mag dan, zoals altijd, afwezig zijn tussen de dichters, die dit keer niet alleen te beluisteren en te lezen, maar ook te bezichtigen zijn – tel het aantal zweetdruppels rondom de lippen van Kopland, bewonder de schatkaart van spataderen op het gezicht van Hugo Claus – maar het is duidelijk dat Watou het gedicht is dat Mandelinck nooit heeft kunnen schrijven. Het is een vierdimensionaal gedicht. Een geslaagd gedicht, dit jaar niet in samenwerking met Jan Hoet, maar met de curatoren Ann Demeester en Pier Luigi Tazzi.

Zijn woord en beeld te verenigen? Volgens Demeester is dat een onmogelijkheid, die het werk voor haar juist uitdagend maakt. Beeld is beeld en woord is woord en nooit zullen de twee samenkomen? Is dat wel zo? Er is wel degelijk een bindende factor tussen de beeldende kunst en de poëzie, namelijk het auditieve gedeelte: de stemmen van de dichters, het geluid van sommige installaties en de muziek. Ik zou de bezoekers aanraden om dit stiefkindje wat meer aandacht te geven. Maar om op beeld en woord terug te komen, ik zou zeggen: woord = beeld. Het vocabulaire van elke taal is eindig, ook al verandert een taal voortdurend, maar het metaforische gebruik van de taal is oneindig. Volgens de psycholoog Julian Jaynes (*The Origin of Consciousness in the Breakdown of the Bicameral Mind*) is het bewustzijn van de mens begonnen met de metaforische ontwikkeling van de taal. Toen de mens taal niet meer alleen als communicatiemiddel ging gebruiken, maar als een orgaan van perceptie, om de wereld met klanken te stofferen.

Wie denkt er werkelijk in woorden? Of denken wij misschien in schaduwen van woorden? Maar is de schaduw van een woord niet anders dan een beeld – en omgekeerd? Ik ben mij ervan bewust dat hierover nooit uitsluitsel zal bestaan. Het is ook geen boeiende discussie. Het doel van Watou is niet woord en beeld samen te brengen, maar om de deuren van perceptie (de zintuigen) open te zetten en 'het hart' van die zintuigen, namelijk de geest, de associatieve, promiscue geest, een vrijplaats voor losbandigheid te bieden. Met andere woorden: het is de burcht van een potente Blauwbaard, waar alle kamers openstaan en de vrouwen gelukkig en uit de dood verrezen zijn. De broer, de verlosser, is in dit geval niet welkom: hij staat voor de rede. En aan rede hebben we hier niks.

Een lege plek om te blijven is de titel van deze Poëziezomer, naar het overbekende gedicht van Rutger Kopland. Watou, dat altijd koketteerde met tijdelijkheid en sterfelijkheid, lijkt nu niet naar blijvendheid te verlangen, maar naar een thuis. Ik zeg 'koketteren' omdat er nog duidelijk poëtische sporen zijn van vorige edities. Sterker nog: het gedicht 'De Doden' van Hugo Claus ('Wij worden week, wij worden weke buit / En ons kermend verweer verstilt. / Zij komen in ons staan, als een gezicht.') dat op het plein voor de Sint-Bavokerk aan het vervagen was, als het ware in een graf van asfalt aan het zinken was, zoals het doden betaamt, is opnieuw aangebracht en ziet er jong en gladgeschoren uit. Een gedicht van García Lorca, dichter van maan en dood, bezoekt onze oren aldaar.

En ik zeg 'lijkt' omdat de zin 'een lege plek om te blijven' een contradictio in terminis is, niet alleen in de context van het gedicht. Een lege plek is niet leeg meer wanneer je er verblijft. De leegte kan alleen behouden blijven als je de plek in je gemoed opneemt. Opvallend is dat veel beeldende kunstenaars ook de onmogelijkheid van een verblijf als uitgangspunt hebben genomen. Vandaar de vele auto's die op verschillende manieren in de kunstwerken voorkomen. Zo heeft Tazro Niscino (*Zonder Titel*) op en om een auto een kubus neergezet, bedekt met een vloerkleed, met drie stoelen, een tafel waarop een schaal met appels en wat tijdschriften. Een woonkamer of een wachtkamer? Ik geef de voorkeur aan het laatste. Wie heeft ooit gezegd dat thuis is waar je van kleren wisselt? En het was Anthony Burgess, de vrijwillige balling, die zei dat 'life is not the making of beds, but the unmaking of beds.' Thuis is niet waar je naartoe gaat, maar wat je achter je laat. Het is het geluid van de deur die achter ons op slot valt. In een werkelijk prachtig en aangrijpend gedicht van Rogi Wieg ('Toen ik eindelijk huilde, barstte er / onweer los boven de stad' – onsterfelijke regels!) vindt de dichter in het leven de leegte en de bovenmenselijke moed om er een huis te vinden:

en wilde toen plotseling leven en niet meer
hangen aan een gekromde boom langs het water.

Bij dit gedicht, dat in gifgroen vanuit een donkere kelder, onder zwart licht, als lentebladeren tot leven komt, is het eerste en beste deel te zien van de installatie van de kunstenaar Bjarne Melgaard (*Slavediary*). Een zwarte sculptuur van een meisje, bespoten met graffitilijnen, dat bij de enkels neerhangt, en op de muur de tekst LIVE THROUGH: hoopgevend, want ondanks de foltering heeft het meisje zich niet opgehangen. De obsessie, het verstoppertje spelen met de dood, is altijd aanwezig in Watou, een dorp omringd door de sporen van de Eerste Wereldoorlog.

Sommige kunstenaars zijn duidelijk een gevecht aangegaan met de locaties, altijd een lust voor het oog. Jan de Cock (*Randschade – Figuur: 5*) heeft in een uitgestrekte schuur alle ruimte opgeëist. Hij heeft er een houten museum neergezet, dat nauwelijks loopruimte toelaat, compleet met suppoost. Het is een ondoordringbaar museum, ondanks de suggestie van Japanse fragiliteit die zijn architectonische vorm kenmerkt, en waarbij het de bezoeker is die bekeken wordt. Een museum als museumstuk op zich. Een intrigerend werk, deze installatie.

Marlene Dumas staat op ijle hoogten met haar werk, dat op een bijna vanzelfsprekende manier in de locatie is geïntegreerd, een mooi kleurengesprek, een etherisch lijnenspel, een lyrisch onderzoek van de geesten die in haar huis ronddwalen.

Eva-Maria Bogaert (*Erwidern*), verantwoordelijk voor een van de hoogtepunten van dit jaar, verenigt de locatie op een wondermooie en magische manier met haar werk. Dit werk is een caleidoscopische dans van synesthetische indrukken, een ballet van schutkleuren en licht en spiegelingen, een driedimensionale ballade van visueel genot en betovering, een materialisatie van een gedicht van J.H. Leopold, dat gebaseerd is op een Arabisch gedicht dat in de *Duizend-en-een-Nacht* enkele keren voorkomt. De Franse vertaling wordt gegeven:

Le ruisseau est une page á laquelle
viennent lire les oiseaux.
C'est le vent qui écrit et
c'est le nuage qui met les points.

Deze charmante bagatelle herhaalt metaforen die in de twaalfde eeuw al versleten waren, maar in de fijne, vaardige handen van Bogaert wordt het een prismatische uitbarsting die lang de krochten van de geest blijft verlichten. Een elvendans van dwaallichten.

Vereend te zijn is goddelijk en goed; vanwaar is de zucht dan
Onder de mensen dat slechts eenheid en één slechts weze?

Deze regels van Friedrich Hölderlin projecteert ze op het plafond en haar installatie is een bewijs van deze stelling.

Programmatisch voor deze Watou lijkt mij het gedicht van Gerrit Komrij, die op een televisiescherm, begraven in de grond, als Wagners Erda uit de aardlagen oprijst en ons deze ontroerende woorden uit het gedicht 'Contragewicht' toevertrouwt:

Er is een land dat ik met pijn verliet,
Er is een land dat ik met pijn bewoon.
Een derde land daartussen is er niet.

Werkelijk niet? Wacht, hier komen de wonderschone eindregels van dit sonnet:

Ik heb, om aan dit noodlot te ontkomen,
Een derde land verzonnen in mijn hoofd.
Een land vertrouwd met leugens en fantomen.
Aan diepgewortelde en zware bomen
Hangen honkvast de loden trossen ooft
Van al mijn vederlicht geworden dromen.

Let op het gebruik van het woord 'honkvast' en beschouw de 'o's' die als appels de bloeiende tak (een 'mei' geheten!) van de regel bezwaren. De geest zal nooit honger lijden na het lezen van deze regels.

Laat ik afsluiten met goed nieuws. De zintuigen zijn niet meer het exclusieve terrein van kunstenaars. En niet alleen Komrij heeft een derde land gevonden. Dat land, als de grot waarin de kinderen van Hamelen de rattenvanger volgden, is nu tijdelijk open. Kom snel, voordat ze sluit en de tovermuziek verstomt.

Dit derde land bewijst dat in ieder ding iets is dat bekoort. En dat bekoring niet afhankelijk is van dauw en gras, maar van de zintuigen. Nog meer? O ja, dat land heet Watou.

III

VALSTRUIKVAGIJN VOOR EEN VAGIJNVALSTRIK

Boekels

Ik keek toe hoe Dame Caroline
Haar donkere en mooiige haar opbond;
Haar gezicht was rozig in de spiegel,
En tussen haar vlechten gingen haar handen,
    Wit in de kaarsenschijn.

Op de tafel stonden haar flessen,
Gespond, toch zoet van viooltjes;
Haar beeld in de spiegel boog voorover
Om te bezichtigen deze lokken zo licht gelust
    Als kersentakken in mei.

De besneeuwde nacht lag schemerig buiten,
Ik hoorde de Wachters hun zachtzoete lied zingen;
Het raam wasemde bijtend van vorst;
En nog steeds strengelde, sleekte en schudde
    Zij haar mooiige haar rondom.

Walter De La Mare (1873-1956)

Het vrouwelijk orgasme

Er zijn passages, zinnen of zinsneden uit boeken die je in je jeugd gelezen hebt en die je altijd bijblijven. Misschien vervormd door het geheugen, maar het is meestal opvallend hoe selectieve Mnemosyne toch nauwkeurig kan zijn.

Ik herinner mij een zin uit de horror-roman *The Wolfen* (verfilmd in 1981 door Michael Wadleigh, met Albert Finney in de hoofdrol), over moderne weerwolven in New York, geschreven door Whitley Strieber, die ook de auteur is van *The Hunger* (verfilmd door Tony Scott in 1983, met Catherine Deneuve, Susan Sarandon en David Bowie in de hoofdrollen). In het eerstgenoemde boek overdenkt het hoofdpersonage de seksuele verrichtingen van zijn geliefde en dan komt de zin: 'Als zij klaar kwam was dat als een trein.' Nu ben ik ouder en droeviger (maar niet wijzer, al heb ik enige ervaring met orgasmes), maar ik weet nog steeds niet hoe een trein komt. Ja, op tijd of te laat, maar ik heb er niets orgasmatisch in kunnen ontdekken.

Bekoorlijk zijn de volgende regels van een anonieme Arabische dichter uit de 8ste eeuw gericht aan zijn vrouw:

En jij Umama weet niet
Dat jij alle vrouwen overtreft in nauwheid en gloed
En wat mij bekoort aan jou tijdens de gemeenschap
Is het leven van je tong en het sterven van je blik

Een grote indruk maakte de volgende zin van Vladimir Nabokov uit *Transparent things*, waarin de hoofdpersoon Hugh Person getergd wordt door de bizarre seksuele eisen van zijn overspelige vrouw, hoewel hij wel tekenen ontwaart die hem de zekerheid geven over haar climax: *...but his chief support lie in the never deceived expectancy of that daze ecstasy that gradually idiotized her dear features.*

Hier kan Meg Ryan, beroemd geworden door een orgasme te simuleren in een vol restaurant in de film *When Harry Met Sally*, nog een puntje aan zuigen. Haar simulatie was meer een imitatie van een pornofilmorgasme. In werkelijkheid zijn vrouwelijke hoogtepunten niet zo muzikaal, gestileerd en esthetisch, maar convulsief als een niesaanval; voordat die uitbarsting komt, is er altijd een kort oponthoud, een grimas van verwachting en verbazing en ik ben nog geen enkele vrouw tegengekomen die dát kan nabootsen. Hieraan kan de man zien of het klaarkomen oprecht is of niet. Het zit hem in de details. Er zijn, zoals we zullen zien, nog andere tekens waaraan een man kan zien hoe authentiek die kosmische uitbarsting is.

Het is de lezer misschien ontgaan, maar er worden al enige decennia onderzoeken gedaan naar de aard, het nut en evolutionaire functie van het vrouwelijke orgasme. Het mannelijke orgasme is eenduidig – zonder ejaculatie geen orgasme en geen voortplanting (tantraseks even daargelaten) – zoals alles aan de mannelijke seksualiteit veel eenvoudiger is. De vrouwelijke seksualiteit is echter complex en nog steeds onderhevig aan controverses, zowel fysiologisch als sociobiologisch.

Zo is het bijvoorbeeld bekend dat vrouwen in staat zijn tot meervoudige orgasmes. (Het is oneerlijk verdeeld in de wereld, o broeders.) Maar er zijn gevallen bekend van prepuberale jongens die ook in staat zijn tot multiple climaxen. De man die voor zijn puberteit gemasturbeerd heeft, weet dat orgasme mogelijk is, echter zonder ejaculatie. Hoewel getallen mij onbekend zijn, zijn er ook mannen die zich snel herstellen na elke lozing en wie weet kunnen nieuwe chemische middelen van vele mannen een priaap maken.

De onkunde en vooroordelen over de vrouwelijke seksualiteit in het algemeen en het vrouwelijke geslacht (dat meest letterlijk en figuurlijk mishandelde lichaamsdeel) en orgasme in het bijzonder, hebben ongetwijfeld te maken met mannelijk onbegrip van en angst voor de vrouw. In het Victoriaanse tijdperk probeerde men de emotionele gesteldheid van de vrouw, die onder zware religieuze en huishoudelijke restricties te lijden had, te reguleren met opiaten en vooral morfine-injecties, hetgeen het percentage verslavingen onder vrouwen hoger bracht dan die van mannen. Ook grepen vele dames van de gegoede klasse naar laudanum of de injectiespuit, niet alleen om de huiselijke sleur en verveling te doorbreken, maar ook omdat het onbetamelijk werd geacht voor een vrouw om alcohol te drinken.

Zo schreef een vooraanstaande Engelse arts, Sir Almroth Wright in 1912: 'Voor een man bevat de fysiologie en psychologie van vrouwen vele moeilijkheden. Hij is niet een weinig verbijsterd wanneer hij periodisch terugkerende fases van hypergevoeligheid, onredelijkheid en een verlies van elk gevoel voor proportie bij haar tegenkomt. Hij staat oprecht perplex wanneer hij geconfronteerd wordt met een complete verandering van karakter bij een zwangere vrouw. Wanneer hij getuige is van de neiging tot morele perversies van een vrouw wanneer zij zenuwziek is en van het fysieke amok die de pijn van een teleurgestelde liefde bij haar aanricht, is hij geschokt. En het laat een griezelig gevoel achter in zijn geest wanneer hij ziet dat ernstige en langdurige geestelijke storingen zich vormen in verband met de naderende afsterving van haar voortplantingsorganen. Geen man kan zijn ogen voor deze zaken sluiten; maar hij voelt zich niet vrij om hierover te spreken.'

Menstruatie, zwangerschap en menopauze werden beschouwd als verschijnselen die het brein van de vrouw aantastten en daarom werd door sommige artsen onderwijs voor vrouwen afgeraden, omdat hun hersenen, toch al overbelast door voornoemde zaken, geen educatie zouden kunnen verdragen.

We zijn nu misschien veel verder in het Westen, maar de aanwezigheid van bepaalde culturen die bovenstaande met graagte zullen onderschrijven, en waar wij al te vaak de ogen voor sluiten, ontslaat ons niet van de vraag of we enkel in temporeel opzicht zijn opgeschoten, of ook in culturele en intellectuele zin.

De vagina roept nog steeds veel weerzin en vooroordelen op – de *vagina dentata*, een verticale monsterbek, schijnt als een watermerk door vele geesten en denkbeelden heen. De term schaamlippen alleen al spreekt boekdelen. Een katholieke feministe heeft ooit voorgesteld om dit woord te vervangen door venuslippen, hetgeen helaas geen doorgang heeft gevonden. Ik zal deze term vanaf nu wel gebruiken.

Het is opvallend dat het hoogst vermakelijke en informatieve boek *De oorsprong van de wereld* (Arbeiderspers, herziene druk 2003), met veel liefde voor het onderwerp geschreven door de seksuoloog Jaco Drenth, niet als omslag heeft het schilderij waaraan de titel ontleend is, namelijk dat meest sensuele schilderij van Courbet, dat een schier onbedwingbare behoefte tot cunnilingus oproept (tenminste bij één toeschouwer) en dat lange tijd niet geëxposeerd werd. Wel staat een vale zwart-wit reproductie naast het titelblad. Blijkbaar heeft de uitgever het niet aangedurfd of hebben boekhandelaars, die een vreemd preutse houding aannemen, een dergelijk omslagvoorstel afgewezen. In het voorwoord van dit boek wordt vermeld dat veel vrouwen een afbeelding van hun vagina niet herkennen. Opvallend: blijkbaar hebben de permissieve jaren waarin vrouwen werd opgedragen met een spiegel hun vagijn te bekijken en lief te hebben niets opgeleverd. Misschien is het aan de man om de vagina lief te hebben en te besnuffelen tot in de details – een vagina ruikt sterker en alleen heel af en toe naar vis nadat het in contact is gekomen met sperma. De geur van een vagina wordt overigens gevormd door aminen, dat zijn afvalproducten van eiwitten. Jaco Drenths boek is een goede gids, ook voor de vrouw; het bevat niet alleen gedetailleerde illustraties, maar ook complete inwendige routebeschrijvingen ('stop uw vinger in uw vagina, ga ietsje dieper...') en zijn gevoel voor humor zweemt door zijn teksten heen: 'De baarmoeder lijkt een beetje op een geplette peer.'

Vrouwen gaan wat hun geslachtsdeel betreft ook niet vrijuit. Sommige vrouwen zijn nu eenmaal niet te vertrouwen met hun schoonheid. Dat ze zich insmeren met zalfjes en onderdompelen in reukwater, aangetrokken door exotisch klinkende namen als Coco Flanel, of Chanel, Armani, Miyaki – *que sais-je!* – en besmet door vluchtige modes en reclames, die de cosmetica-industrie verrijken en hun natuurlijke charmes verarmen, is tot daaraan toe. De modieuze mishandeling van de vagina is echter onvergeeflijk. Ik doel hier op het scheren van het schaamhaar en op het bijknippen van het schaamhaar in 'leuke' vormpjes, het meest gruwelijke van al wel de zogenoemde landingsbaan, die elke lust tot landen subiet wegneemt. Ik weet zelfs van een vrouw die het in de vorm van een roos had, tenminste, dat is wat zij zei: het leek mij meer op een slecht geschoren lammetje. Er viel niets te scoren in die roos.

Mag ik mijn goede lezers het volgende gedicht van Martin Bril 'Goed nieuws' onder de aandacht brengen:

Het einde van de kale kut

Dit zou een opdruk op een т-shirt moeten zijn en door elke wijze man gedragen worden. En dan begin ik niet eens over de onnodige, chirurgische ingrepen.

Keren wij terug naar het vrouwelijk orgasme. Elisabeth A. Lloyd heeft net een boek hierover gepubliceerd, *The Case of the Female Orgasm, Bias in the Science of Evolution* (Harvard University Press, 2005). Het doel van dit boek is tweeledig. Aan de ene kant neemt zij alle 21 verklaringen die door de jaren heen voor het vrouwelijk orgasme zijn gegeven gedetailleerd onder de loep, bekritiseert en toont de zwakheden ervan aan, voordat ze haar eigen favoriete verklaring geeft; en aan de andere kant onderzoekt ze hoe vooroordelen over de vrouwelijke seksualiteit het werk van wetenschappers zo lang heeft kunnen vertroebelen. Wij beperken ons tot het orgasme.

Het boek is een wetenschappelijke verhandeling en het contrast tussen haar sexy onderwerp en de academische toon is amusant. Het is geen gemakkelijke, maar wel een belonende zit om het te lezen en wie zich door de formele taal weet heen te worstelen, wordt af en toe beloond met beelden die opwindend zijn – op momenten dat je bedenkt waarover je aan het lezen bent en hoe close-up dit alles beschreven wordt.

Het vrouwelijk orgasme wordt gekenmerkt door een sensorisch-motorische reflex waarbij de spiergroepen van het bekken en de genitaliën zich spastisch samentrekken. Een poëtische definitie luidt als gevolg: 'een combinatie van golven van een zeer plezierige sensatie en een verhoging van spanningen, culminerend in een fantastische sensatie en een ontlading van spanning.'

Het orgasmatisch proces voltrekt zich in vier fasen. De eerste is de fase van opwinding door psychologische of fysieke stimulatie. In deze fase scheidt de vrouw via de vaginawanden vocht af; de vagina, clitoris en omringende celweefsels vullen zich met bloed, de borsten zwellen op en hartslag en respiratie nemen toe. Daarna komt de plateaufase, waarbij de seksuele opwinding intenser wordt, een plateau dat (bij een vrouw) kan leiden tot een orgasme. De derde is de orgasmische fase, die duurt enkele seconden en hierbij wordt de seksuele spanning ontladen in explosieve golven van een intens genot (hierbij wordt de tong van de vrouw soms of gewoonlijk koel). Ten slotte is er de reductiefase, een terugkeer naar de toestand vóór de opwinding, dat wil zeggen voor de man, want, zoals al gezegd, kan een vrouw meervoudige orgasmes beleven (soms tot twaalf); zij keert dan terug naar de plateaufase, vanwaar zij weer een climax kan bereiken. Er is een uitzondering: vrouwen die ejaculerend klaarkomen (of 'sprietzen') keren, net zoals de man, terug naar de fase voor de opwinding.

Wat de motorische kant van het vrouwelijk orgasmereflex betreft, spelen vijf spiergroepen een rol, al is er onenigheid over welke de meest essentiële zijn voor een orgasme. De eerste groep zijn de oppervlakkige spieren rond de vaginale opening. De tweede spiergroep ondersteunt de perineum (het gedeelte tussen vagina en anus), de celweefsels die rondom de bekkenorganen zitten en die ze ondersteunen. De derde groep bevat de 'pubococcygeïsche' spieren (spreek dit een paar keer snel achter elkaar uit), dat zijn de spieren die van het schaambeen (venusbeen bekt niet) naar het stuitje (coccyx) lopen; verder bevat de derde groep de spieren die rondom de onderkant van de vagina lopen. Door deze laatste spieren te spannen, kan een vrouw haar seksuele opwinding verhogen. Sommige vrouwen kunnen al klaarkomen door deze bekkenbodemspieren te spannen. De baarmoeder zelf behoort tot de vierde groep en ten slotte vormen de spieren die rondom de lengte van de vagina lopen de vijfde groep.

Statistieken wijzen uit dat 10 tot 15 procent van de Europese en Amerikaanse vrouwen geen orgasme beleven, ze zijn, met andere woorden, niet orgasmisch. Lloyd geeft vele statistieken, vooral leunend op de bevindingen van de beroemde seksuoloog Kinsey, maar ze is terecht voorzichtig met de getallen. Want wat zulke rapporten niet vermelden is of een vrouw tijdens de gemeenschap klaarkomt met of zonder handmatige stimulatie van de clitoris, door zichzelf of haar bedgenoot. Het vrouwelijk orgasme moet als een autonoom verschijnsel worden beschouwd en niet alleen in verband gebracht met seksuele gemeenschap. Het is opvallend dat de meerderheid van de vrouwen niet masturbeert door vaginale insertie, niet in imitatie van de copulatie dus, maar door stimulatie van de clitoris en soms de kleine venuslippen (eindelijk!). Vrouwen die zichzelf wel bevredigen door vingers in de vagina te steken, stimuleren tegelijkertijd tevens de clitoris. Ook zijn er vrouwen bekend die masturberen door buiklings te liggen en hun schaambeen tegen een oppervlakte te schuren. Behalve de clitoris als troon van genot, is er nog de fel bestreden 'twaalfuurpositie', namelijk de G-spot, een plek net onder het schaambeen dat gemakkelijk met de vingers te bereiken is en die bij sommige vrouwen een verhoogde opwinding teweegbrengt.

Overigens is niet alleen de hogere vrouwelijke primaat in staat tot orgasme. Ook bonobo's en chimpansees zijn in staat klaar te komen, niet tijdens de gemeenschap (die duurt een luttel aantal seconden), maar wanneer het ene vrouwtje een ander bespringt en haar geslacht tegen haar rug wrijft. Ook in laboratoria konden bepaalde apen via handmatige stimulatie tot een orgasme gedreven worden.

Niet in staat om te geloven in genot dat slechts zichzelf dient, hebben evolutionisten zich het hoofd gebroken over de functie en het nut van het vrouwelijk orgasme. Ongetwijfeld breken ze die geleerde hoofden nog steeds. Het grote discussiepunt is of het een aanpassing was gedurende de evolutie of niet. Een aanpassing is gedefinieerd als 'elk aspect van structuur, gedrag, of psychologie dat voortgebracht is door het proces van natuurlijke selectie'.

Lloyd pleit voor een niet-adaptieve functie en ze weet mij in elk geval te overtuigen, al duurt de controverse nog voort en weten we niet of er nieuwe inzichten zullen komen. De bekendste verklaring voor een adaptieve functie komt van de etholoog en evolutionist Desmond Morris, de schrijver van het recent verschenen en lezenswaardige boek *The Naked Female*, een lofzang op het lichaam van de vrouw, letterlijk van top tot teen. Al is hij te simplistisch in zijn tweedeling van 'man de jager' en 'vrouw de verzorgster'.

Zijn theorie is dat het vrouwelijk orgasme dient om de band tussen man en vrouw te versterken. Het orgasme van de vrouw zou de man de zekerheid geven dat zij trouw aan hem bleef, wanneer hij de grot verliet om te gaan jagen. De veelvoudige copulatie van onze soort zou een teken zijn dat wij niet copuleren om nageslacht te verwekken, maar om onze wederzijdse band hechter te maken door seksuele beloningen. Zo'n beloning zou het vrouwelijk orgasme zijn. Al is hij wel verbaasd dat een vrouw langer de tijd nodig zou hebben om klaar te komen ('tussen de tien en twintig minuten,' dixit Morris) dan een man. Dit is niet waar, wel tijdens de gemeenschap, maar niet bij masturbatie: onderzoek heeft uitgewezen dat het een vrouw evenveel tijd kost om klaar te komen als een man.

Morris gaat verder: 'Nadat beide partners een orgasme hebben beleefd tijdens de gemeenschap, dan volgt er gewoonlijk een aanzienlijke periode van uitputting, ontspanning en vaak slaap.' Nogmaals, dit geldt voor de man, niet voor de vrouw, die, zoals gezegd, na een orgasme terugkeert naar de plateaufase, op weg naar nog een orgasme. Vrouwen die een enkel orgasme beleven, voelen zich integendeel energiek en opgewekt. Het valt te vrezen voor Morris dat, terwijl hij postcoïtaal in slaap viel, zijn vrouw zich lag te verbijten. Die wetenschappers toch! Je zou toch denken dat empirisch onderzoek ook geldigheidswaarde heeft. Dat blijkt ook uit zijn opvatting dat de penis van de hogere primaten (de man) extra dik is zodat hij de vrouw beter kan stimuleren; de stoten van het mannelijk bekken zouden de externe genitaliën zo heftig heen en weer trekken en duwen dat de clitoris gemasseerd wordt om het vrouwelijk orgasme te vergemakkelijken. Hij noemt dit 'virtuele masturbatie', van de vrouw welteverstaan. Waarom vrouwen dan niet vooral masturberen door dit gedrag te imiteren, is een vraag die hij ongesteld laat. De enige positie waarbij de clitoris van de vrouw tijdens seks direct gestimuleerd wordt, is als zij boven op de man ligt.

Verder zouden de ontspanning en uitputting van de vrouw na een orgasme, haar ertoe dwingen te blijven liggen, zodat ze het sperma beter kan absorberen. Er zijn andere theorieën die stellen dat een vrouwelijk orgasme bedoeld is zodat de baarmoeder het zaad beter kan opzuigen. Onderzoek lijkt dit te ontkrachten, want tijdens een orgasme trekt in sommige gevallen een baarmoeder zich wel samen, maar zij kantelt ook, waardoor juist zaad wordt afgestoten.

En wat betreft de bandversterking, enige jaren geleden is er een onderzoek verschenen waaruit bleek dat vrouwen die regelmatig of altijd een orgasme hebben bij een partner, een hormoon aanmaken dat het hersengedeelte waarin gevoelens van tederheid en aanhankelijkheid zetelen, stimuleert. Dit lijkt hem gelijk te geven, maar het is een gevolg van het vrouwelijk klaarkomen, niet de oorzaak ervan.

Een andere bizarre verklaring voor het vrouwelijk orgasme zou zijn dat een vrouw via een orgasme een spontane abortus zou uitvoeren! Zij zou dit doen of uit angst dat een nieuwe partner een vreemd kind vermoordt, of om te laten zien dat zij een vreemde foetus voor hem opoffert. Daarom, zo gaat de theorie verder, komen vrouwen tijdens verkrachtingen altijd klaar. Dit is te gruwelijk voor woorden, maar geloof het of niet, het is serieus genomen en in vele boeken opgenomen. Dat zwangere vrouwen seks en orgasmes hebben en gezonde kinderen voortbrachten werd, neem ik aan, vergeten.

De enige verklaring die Lloyd accepteert en die overtuigend lijkt, is een simpele: vrouwen komen klaar omdat een man moet klaarkomen om zijn sperma te lozen. Volgens deze theorie is het vrouwelijke orgasme een potentieel of een capaciteit die alle zoogdieren hebben, maar die alleen actief is bij sommige soorten. 'Mensen verschillen primair hierin van andere zoogdieren, dat bij sommige mensen technieken van voorspel en gemeenschap voldoende intense en ononderbroken stimulatie geven voor vrouwen om een orgasme te bereiken.'

Dit potentieel bij vrouwen is een bijverschijnsel van embryologische ontwikkeling. In de vroegste stadia van de ontwikkeling van het menselijke embryo, hebben mannelijke en vrouwelijke embryo's dezelfde fysieke karakteristieken – het enige wat ze onderscheidt zijn de chromosomen, niet externe seksuele karakteristieken. Dit stadium duurt voort totdat het mannelijke embryo testosteron ontvangt. Ontvangt het embryo geen testosteron, dan wordt het embryo een meisje. (Beginnen we eigenlijk allemaal als een vrouwelijk wezen? Een bioloog heeft in een documentaire op de BBC eens gezegd dat wij aanvankelijk in de baarmoeder allemaal vrouwelijke hersenen hebben – helaas werd hierover niet verder uitgeweid.) En men moet niet vergeten dat de clitoris en de penis 'dezelfde' zijn, het zijn homologe organen. De celweefsels en de weefsels die erectiel zijn en die betrokken zijn bij zowel het vrouwelijk als het mannelijk orgasme, komen voort uit een en dezelfde embryologische bron.

Het is te vergelijken met mannelijke tepels. Mannen hebben tepels omdat vrouwen ze nodig hebben om kinderen te zogen en bij sommige mannen zijn de tepels net zo seksueel gevoelig als bij vrouwen. En zo is er ook een opvallende overeenkomst tussen het vrouwelijke en mannelijke orgasme. Dezelfde spiergroepen spelen een rol evenals de samentrekkingen van deze spieren. Zoals Kinsey zei: 'Mannen zouden beter bereid zijn om vrouwen te begrijpen, en vrouwen om mannen te begrijpen, als ze zich zouden realiseren dat zij hetzelfde zijn in hun basale anatomie en fysiologie.'

Maar wat wel te benijden valt aan het vrouwelijk orgasme, is dat het genot is in zijn autonome, puurste vorm; genot dat zich in zichzelf oprolt als een tevreden kat.

Onder de kroon

De kroon of de bloemkelk van het vrouwenlichaam – het gezicht – kunnen we hier buiten beschouwing laten. Er is onder kroon of kelk genoeg waarvan een man vervoerd of verwond raakt. Royale wreedheid onder kroon en rauwe venijn onder kelk. Bij sommige vrouwen groeien de doorns niet aan de buitenkant, maar in de borstkas: onder het hart; in het ergste geval op het hart.

Uitwendige stekels zijn geen probleem. Nagels zijn welkom. Ze kunnen krauwen en klauwen. De vaardige vrouw weet dat tussen beide handelingen – de onzekerheid of het een streling of straf wordt – het genot voor de man ligt. Wie weet, misschien ook voor haar.

De sleutelbeenderen. Twee sleutels tot een nimmer te openen kas. Ze lijken op bottige wenkbrauwen die de ogen belenden: in dit geval de tepels. Zo komt men bij het gezicht terecht. Het lichaam van een vrouw als een weergalm van zichzelf, niet de echo van mannelijke behoefte en wensdroom. Het is ook niet voor niets dat een vrouw met water wordt geassocieerd in verschillende kunstwerken – even los van wat voor de hand ligt -: een rivier die alleen stroomt door rimpelingen te vormen en te volgen.

Hoe zwak is de roep van de mannelijke wensdroom. En hoe eigengereid is het vrouwenlijf dat slechts de eigen gewrichten en spieren volgt.

En schoonheid is beweging. Alleen in beweging komt de schoonheid van een vrouw tot leven: zij deint, wiegt, zwaait, zwiert, sjokt, sleept, gebaart – glimlacht en lacht met mond en ogen en stem (zo komen we weer bij het gezicht terecht, maar nu met geluid).

Er schijnen borstenmannen te zijn en billenmannen – ik zie niet in waarom een man een keuze zou moeten maken. Wat borsten betreft: zij zijn een ornament, en kunnen verrukkelijk zijn. Als tooi. En wat dit siliconentijdperk niet begrijpt is de *persoonlijkheid* van borsten; het gaat niet om grootte en vorm. De Arabische dichter Basshár ibn Burd (714-784) heeft het treffend verwoord:

Je meent dat de borst sluimert of lui is:
Hij neigt lichtelijk maar valt niet slap

Het verschil tussen borsten en billen is dat de boezem meebeweegt met de vrouw, terwijl de kont de beweging van een vrouw bepaalt. De zoete last die de heupen moeten dragen, is verantwoordelijk voor de beweging van het bekken. Een vrouw draagt de rondingen of zeult ze mee, of pronkt ermee, of laat zich erdoor voortbewegen. De verhouding tussen billen, heupen en dijen valt dan ook niet te onderschatten. En niet alleen omdat zij de vlezen vont omsluiten.

Mijn meisje met de koninklijke benen,
blanke pilaren in uw rokkenhol.
Uit hun geweldig samenzwellen komt
het rose klufje haren groeien.

(Gerrit Achterberg)

Een andere dichter, Paul Verlaine, heeft de vrouwenkont de serene triomfant over de mannelijke kont genoemd. En hij kon het weten: hij was bi.

Lof der blondheid

Men prijst wat men kent en valt voor wat zeldzaam is. Een interessant geval is de dochter van de afgezette koning van Andalusië, Wallaada geheten, vereeuwigd door de voortreffelijke dichter Ibn Zaydoen (1003-1071). Sterker nog: zonder zijn lof voor haar karakter en ongesluierde schoonheid zou zij wellicht in vergetelheid zijn geraakt. In een van zijn poëtische meesterwerken, beschrijft hij haar als volgt:

> Een voederkind van koningen alsof God haar uit
> Muskus vormde waar Hij de rest van de schepping uit klei schiep
> Of haar uit zuiver zilver had vervaardigd en haar kroonde
> Met puur goud in unieke creatie en verfraaiing

De gouden kroning duidt ongetwijfeld op haar blonde haren en volgens de meest betrouwbare bronnen was Wallaada half Europees (haar moeder was een Spaanse slavin), hetgeen haar vrijgevochtenheid en vrije gedrag verklaart. Zo had zij verschillende minnaars; zij hield literaire salons en leefde tot op hoge leeftijd, zonder te trouwen, met een vizier samen en zij stierf kinderloos.

Opvallend genoeg wordt ze in kwaadwillende Arabische bronnen beschreven als een Abessijnse (lees: Ethiopische) slavin. Dat zij uit muskus, die zwart is, zou zijn geschapen, lijkt daarop te duiden; dit is echter niet een metafoor voor haar huidskleur, maar voor haar geur. Want het zuivere zilver duidt haar huidskleur aan: blank. Mocht mijn interpretatie juist zijn, dan is Ibn Zaydoen een grote en consistente Arabische liefhebber van een blondine.

Her en der is er wel een kwatrijn of een bagatelle te vinden die 'een blondine uit het volk van Jezus' roemt. Soms wordt ze aangeduid als 'goudkleurig', letterlijk 'geel'. Het is soms verwarrend om in het Arabisch onderscheid te maken tussen haar- en huidskleur. Donkere bedoeïenenvrouwen smeerden sinds oudsher hun gezicht in met saffraan om zo een lichtere kleur te suggereren – een gebruik dat onder de vrouwelijke Toearegs nog steeds in zwang is. Het lijkt mij echter onwaarschijnlijk dat de sporadische dichter een voorkeur zou hebben gehad voor dermisch geel: geelzucht is niet aantrekkelijk. Dat goud moet dus verwijzen naar de mijn van het haar.

Zij heeft een blondheid die als de zonnekleur verheugend is
En als gouden drachmen in schoonheid bij het aanschouwen
Niet gelijkt saffraan een gedeelte van haar wonderlijke schoonheid
Welnee! – en haar verschijning overtreft de maan

(De dichter doelt ongetwijfeld op de maan die dicht bij de zon zweeft, waardoor haar kleur goud- of honingkleurig wordt.)

Arabieren hebben contact gehad met verschillende volkeren tijdens hun bezettingslust na de dood van hun profeet; van Sicilië tot Zuid-Spanje zijn er literaire en andere verslagen overgeleverd. Rood en licht haar en groene ogen komen in het Rif-gebergte onder de Berbers (de oorspronkelijke bewoners van Noord-Afrika) voor. (Of u het gelooft of niet, uw nederige zwartharige dienaar had als kind donkerblond sluikhaar, zijn zus blonde lokken, hetgeen de waardering van de dorpelingen kon wegdragen maar hun moeder overbezorgd maakte.) De veroveraars lijken echter weinig oog te hebben gehad voor het afwijkende, waarschijnlijk omdat ze bedwelmd waren door hun superioriteitswaan. Even los van de sociale onderwerping: we weten dat Georgische vrouwen als slavinnen kostbaar waren, maar tot in de negentiende eeuw ging de voorkeur van Arabieren uit naar Ethiopische concubines, omdat hun huid in de zomer koel zou zijn en in de winter warm.

De vermeende voorkeur van Arabieren voor blond moet van recente datum zijn, namelijk sinds de emigratie begin jaren zeventig van de vorige eeuw. Ik vrees dat deze voorkeur behalve met demografie ook te maken had met wat men als 'beschikbaarheid' beschouwde. Vrije westerse vrouwen behoefden geen bruidschat om het bed te openen, zoals een Turk mij toevertrouwde: 'Als jij Turkse vrouw wil, dan jij goud geven.' Gouden drachmen inderdaad.

Deze Arabische inleiding hoeft niet te verbazen, want ik ben mij ervan bewust dat ik gevraagd ben de lof der blondheid te zingen omdat ik, een exotische persoon, een voorkeur zou hebben voor blondheid, een blijkbaar exotisch fenomeen voor mij. Dit spook van een vergissing heeft mij lang achtervolgd, terwijl blondheid mij toch echt vertrouwd is: al sinds mijn zevende, om preciezer te zijn, sinds mijn eerste klas lagere school, ergens in oktober/november van het jaar 1977.

Ik heb verkeerd met één authentiek blonde vrouw, een andere droeg een haarsluier van waterstofperoxide. Dat is het. Een ervaringsdeskundige ben ik niet. Ik geloof niet dat schoonheid zich uit in één kleur of één vorm – perversie, daarentegen, is monomanisch. Ik heb gelet op blonde vrouwen, als kuise research voor dit stuk, en het viel mij op hoe kunstmatig de blondheid van de meeste blondines is. Ik heb navraag gedaan. Blonde vrouwen moeten hun blondheid bijhouden: de zomer is heilzaam voor blond, de winter vraagt om kleurstoffen. Blonderen kan het beste gedaan worden met twee verschillende soorten blond. Blondheid blijkt onderhoud te vereisen. Het valt niet mee om blond te *blijven*.

Marilyn Monroe was niet natuurlijk blond; zowel Catherine Deneuve als Anita Ekberg zijn, voor zover ik heb kunnen nagaan, natuurlijke blondines, maar het is niet de haarkleur die het verschil markeert tussen de ongenaakbaar aristocratische statigheid van eerstgenoemde en de wulpsheid van de laatste. Beiden hebben scherpe gelaatstrekken – fijnbesneden gelaatstrekken moet ik zeggen. Beiden hebben dezelfde kinetische melodie. Beiden… en laat ik er niet omheen draaien: blond doet er voor de man niet toe als wat er onder de sleutelbeenderen bloeit, boeit door vorm en deining – en niet door kleur. Het is moeilijk om Ekbergs blondheid te aanschouwen met de kruin van een man, als u begrijpt wat ik bedoel.

Voornoemde actrices en de nog ongenoemde Brigitte Bardot zijn tot iconen geworden, al dan niet met behulp van geile regisseurs. Wat het fenomeen 'dom blondje' betreft, meen ik dat de iconografie vóór de werkelijkheid kwam. Toch blijft het intrigerend om te zien dat in erotische films en prenten blondheid de wellust accentueert, terwijl donker haar het exotische benadrukt. Zwart is niet dom noch voluptueus op zich: blond is in de pornografische context altijd synoniem met seksuele gulzigheid .

Er is wel iets waarin, denk ik, blondheid zich onderscheidt van andere kleuren. Voor mij blaken blonde lokken het best in de zon, zoals de bloesems van een iep in tegenlicht. Dit logenstraft de connotatie van blond en koel. Wat gloeit, kan niet koud zijn, wat straalt, kan niet frigide zijn. Die koelheid wordt echter verkoeling als men blondines observeert tijdens glorieuze zomers. Zwart slurpt op, blond reflecteert. Een blonde vrouw lijkt nooit te zweten in de hitte.

De moederkloek en haar overwerkte schoot

Familie... De drie puntjes zijn de voetsporen van mijn goede zin, die, bij het horen van dit woord, op topteen wegsluipt. Ik huiver bij het woord familie, dat voor mij een verzameling is van de minder respectabele mensentrekken: priemende bemoeizucht, onberekenbare gulheid die de gever vleit en de nemer vernedert en, horreur aller horreurs, de selectieve ongerustheid, ook wel bezorgdheid genoemd (in werkelijkheid een vrijsters knarsetandende afgunst of nauwelijks ingehouden leedvermaak).

En daar zijn natuurlijk de familieaangelegenheden: de uitstapjes, de avondjes samen, de verjaardagen, de ledige gezelligheid en – alleen bij hechte families – de wekelijkse etentjes: een sonate van plichtmatig gekauw, kauwende stilten, korte vraag-en-antwoorddialogen, die culmineren in een hartelijk smak-smak-smakafscheid ('het was weer ont-zet-tend gezellig!').

De familie als hoeksteen van de samenleving? Eerder een knekelhuis van dode normen, waar slechts verstokte bottenkluivers (zoals daar zijn: koningen, gekken en amusementsverzorgers) nog armzalige voeding zoeken.

Ik kan me dan niet voorstellen dat ik de ene familie zou kunnen vervangen door een andere, hoewel spookachtige. Misschien zou ik de demonen die mijn waken en kleurig dromen omringen, die mijn leven in rafels scheuren, die tijdens mijn zeldzame rusturen achter de struiken spieden, kunnen omschrijven als een familie. Mijn familie komt uit het land van Auber en Weir, waar Ulalume begraven ligt. Dan wil ik Edgar A. Poe zeker als verwant verwelkomen. Een schuchter familielid dat het daglicht nauwelijks verdraagt en soms verdenk ik hem ervan hangend aan zijn enkels de nacht door te brengen.

Hel en goud. Zo is mijn familie.

Anders dan bijvoorbeeld de theedoek die ik bij het verlaten van het ouderlijk huis van mijn moeder kreeg en nog steeds gebruik, sluiten de boeken als grafzerken mij onophoudelijk in met herinneringen. Bij de theedoek is het een onverwachte plooi, de vaalheid van de kleur die, tijdens een verstild moment van schoonwrijvende contemplatie (het bord is allang droog en schoon), een herinnering aan moeder of huis oproept, waaruit ik zonder spijt weggegaan ben.

De geesten van elk gelezen boek verlaten mij nooit; ik hoef daarvoor niet een boek uit de kast te halen. Mijn familie, als ik dan een familie heb, is een kudde vleesgeworden driften.

En het is die wanorde die mij bevalt aan de familie die rent, schreeuwt, vecht en stampt in mijn donkere, vervallen huis.

Er zijn veel dichters: van Keats die mijn vazen niet met rust kan laten, Leopold die op zolder door het raam staart (hoewel zijn uitzicht wordt belemmerd door een Gezelle die in de tuin, mijn onkruid vertrappend, wacht totdat de blommen kommen – maar in werkelijkheid heb ik hem naar buiten gestuurd voor straf) tot Gossaert die het bad, in zijn zeezucht, weer laat overlopen.

Burgess en Nabokov hebben een onderonsje.

El-Ma'arri en Abu Nuwas schudden het hoofd: twee buitenbeentjes die wachten tot mijn vertalingen hen uit hun persoonlijke, naar mijn alomvattende pandemonium brengen.

En over mij gesproken: de schrijver van Momo is er natuurlijk ook, bedwelmd brabbelend en bubbelend, in zijn eigen opgelapte wereld. Momo is – en ik zeg dit met een blos – toch mijn kleine lieveling.

De Latijnse schrijvers, Apulejus, Petronius, twee verwende krengen, grienen om mijn veronachtzaming van hun taal, trekken aan de zoom van mijn kleding, maar mijn aandacht wordt getrokken door Gorter die weer woorden morst (ik moet die jongen toch beter in de gaten houden, dat gaat nog eens verkeerd).

Verschillende dichters en schrijvers, Arabische, Engelse en Nederlandse die ik liefheb zonder een levenslange toewijding, vermaken zich nogal luidruchtig achter een van de verweerde muren. Daar waar mijn erudiete jeugd in ketens en vodden, rondwaart. Zij zijn voor mij als bomen die ik af en toe met naam groet in mijn dagelijkse ronde van ontbijt tot late nachtstond. Maar zij zijn er wel en ik zou opschrikken als hun zwatelen opeens verstomde.

En de vrouwen? Och, wat een meiskes nemen al deze heren mee. En hun taak is duidelijk: zij brengen harmonie in deze onrust. Van Hortencia (met dat lapje voor haar oog) tot Lucette, Ada, Bovary, Annabel Lee: zij helpen mij bij het huishouden. Zelfs Lolita is nu oud genoeg om mee te helpen: zij staat nu de was op te hangen (met uiteraard een wasknijper tussen haar tanden geklemd) en zie toch hoe de lappen opbollen in de avondwind. Hoewel mijn favoriet toch die zwarte, gelovige vrouw is (uit

Pnin, geloof ik) wier werkzaamheden haar hele ampele achterwerk opeisen.

Maar uiteindelijk ben ik de moederkloek. Het eten is genuttigd, het huis zakt krakend en knarsend in slaap en op de veranda van mijn avondrust, leg ik, in rondboezemige zelfgenoegdheid, glimlachend naar de purperen duisternis, mijn breiwerk even op mijn overwerkte schoot en heb mijn familie voor een bijna godvruchtig moment lief, want ik weet dat deze familie spoedig, zeer spoedig, dit huis zal verlaten om, zoals dat heet, op kamers te gaan. Allemaal gaan ze weg, allen, zonder uitzondering en ik kijk uit naar mijn welverdiende eenzaamheid.

O Leven, heb dank.

Overzomering

Uit het Sanskriet *samaa* kwam ons Nederlandse vroege 'somer', en het hedendaagse zomer – en in mijn broeikas van etyms en andere taalkroppen bloeit het besef dat het Arabische samaa hemel betekent.

Het besef van een zomer komt plotseling, zoals het besef van liefde: een kort moment dat je jasloos, gezonnebrild over straat loopt en de afwezigheid van een jas voelt. Net zoals je plotseling beseft dat je gedachten slechts een persoon gelden, of – erger nog – dagenlang met dezelfde prille vreugde wakker wordt naast de ochtendverwarde haren en het ontluisterde gezicht dat je teder aanstaart, en de gedachte aan terugkeer naar je eigen huis bedrukkend is.

Mijn tuin, even slecht onderhouden als mijn huis zelf, een tuin vol onkruid en afval, veel groen, begon een goudgroene gloed de keuken in te werpen en toen mijn kind voorzichtige stappen tuinwaarts zette, bemerkte ik dat hij min of meer onzichtbaarheid benaderde, zoals hij trilde in dat geluw en groen. Geen lente, want in de lente zijn de schaduwen vochtiger, van aquarel; het is de zomer die van olieverf is en dat goud behoort alleen de zomer toe. De schaduwen en de bladeren lijken zich te amuseren en dat doen ze alleen in de zomer. De goudenregen van mijn buurman verloor al zijn gele bloesems en de twee katten van mijn buurvrouw koesterden zich in een loomheid, zo lodderig dat ze hun ogen zelfs niet helemaal konden sluiten en je bleven aanstaren met een onnozele, gechineesde blik.

Maar vandaag regent het. En dat is nog een kenmerk van de Nederlandse zomer, dat hij gemeen heeft met de liefde: de zomer hier is grillig. Toen ik besloot mijn jas thuis te laten, werd het frisser. Ik heb mij voorgenomen nu altijd een jas paraat te hebben.

Het is mij opgevallen dat alleen vrouwen – geheel in overeenstemming met hun inherent optimisme – onwillig zijn hun kleding aan te passen. Waar de zon verstek laat gaan, zijn zij hun zomerlivrei trouw. Hoewel de zonnebril, zoals nu te doen gebruikelijk lijkt, op het hoofd wordt geplaatst en niet op de neus. En het zongebleekte blond doet je, tegen beter weten in, geloven dat zij de geheime schuilplaatsen van de zon kennen, die ons, mannen, altijd onthouden blijven. Zelfs donkerhuidige mensen kunnen niet zo'n suggestie wekken van besmuikte zomerzonnigheid. En daarbij is er die vonk in vrouwenblikken en een glimlach in de mondhoeken die erop duidt dat zij net terugkomen van een warm zomers buffet (glasrand waarin onbestemde drank sprankelt op mondhoogte, altijd op het punt om genipt te worden, nooit gedronken, een lichtring op de kim van het glas waar een glinstering hem bijeenhoudt) waar hun decolletés en sandalen een charmante mengeling suggereren van informele luchtigheid en sexy formaliteit.

Hoe anders is dat bij mannen. Mannen op terrasjes, onder grauwe hemelen, stralen treurigheid uit. Zij zijn figuranten die braaf blijven doen wat hun ooit is opgedragen te doen, al is de regisseur nu afwezig. Terwijl vrouwen in een feest van korte rokjes, beenschoon en huidschoon die je bijna met de blik kunt aanraken, de zomer zelf zijn, blakend van een liaison met licht en warmte.

Daarom zal ik geloven dat de zomer onder ons is. De toeristen willen daarbij ook helpen. Het hart van Amsterdam bonkt nu veeltalig, behalve in die taal die jouw gedachten spreken. Veel Amsterdammers leggen hun moerstaal dan ook terzijde en halen hun talenkennis uit vergeelde of nimmer opengeslagen schoolboeken tevoorschijn, of uit soapseries die ons meer Engels hebben bijgebracht dan een bebrilde in tweedjas geklede schoolmeester. Het is in deze tijd dat ik in winkels steevast in het Engels word aangesproken. Mijn Nederlandse antwoorden kunnen daar niets aan doen.

En eens was dat anders.

Heuse zomers heb ik alleen tijdens mijn eerste jaren in Nederland gekend: toen de vastenmaand ramadan nog in zomertijd viel en zijn naam zo eer aan deed en de zon onwillig was onder te gaan. In Arkel waren de appetijtelijke kersenbloesems altijd een processie naar lazuren en gouden zomerdagen. Nu ik niet meer vast, gaat de zon onder voor de zomer begonnen is.

Hoewel de bontheid van Amsterdam gedurende de zomer een belofte inhoudt van vluchtige liefdes, kortstondige vriendschappen, het debaucheren van jonge gelukkige meisjes, onvoorwaardelijke drinkgelagen – jazeker, zelfs het besef dat jij voor die ene toerist de belichaming bent van deze wonderstad – ondanks dat alles probeer ik de drukte zoveel mogelijk te vermijden. Het is zo uitputtend, je moet mentaal op je tenen lopen, je ziet je territorium overtreden door reusachtige gymschoenen, een aura van zweet en damp doet je zelfs vrezen voor je magnetische hygiëne.

Dat gepuf en gehijg onder rugzakken als menhirs (altijd dat flesje bronwater, altijd!), het strookje ongevraagd roze vetvlees, steeds die geometrische dans van je hand om voor de zoveelste keer de kortste weg te wijzen naar de beste coffeeshop: en de twee meisjes giechelen en je loopt zelfs met ze mee, geeft hun goede raad misschien, om ze dan de volgende keer weer tegen te komen in een versteende domme roes, vissenmond en - oogjes en al, want Amsterdam is zo mooi. Dan vraag je je af: waarvoor?

Ik zal ook dit jaar toch in Nederland blijven, hoogstwaarschijnlijk in Amsterdam. Als ik geluk heb kan ik, net zoals vorig jaar, naar Nieuwe Niedorp gaan. Naar een boerderij van vrienden, helemaal afgelegen, tussen korenvelden, waar je een fiets moet pakken om je buren te bereiken. Het is een prachtig oord, met een tuin van Alma Tadema-allure, een klein graslandje voor drie lammeren, een sloot. Eenzaamheid was nooit zo kleurrijk als daar. Die stokrozen die als narrenstaffen bijna hoorbaar rinkelen in de wind, de meelbestoven bij die zo wellustig een bloem binnendringt dat zij mijn priemende neus niet eens opmerkt. Violette struiken die eruitzien als de uitgewaaierde achterpraal van een pauw. Judasmunten verzachten mijn berooidheid. Het lijkt een opgesmukte hoogtij uit oorden waar men geen mate kent en cosmetische kwistigheid gelijkstaat aan schoonheid; een kosmisch praalfeest.

Alles lijkt te spreken en je drinkt alles zo gretig op, alle attributen van een Khayyams drinkgelag tot leven gekomen, totdat je, overdronken, in een psychose raakt. De vensters van perceptie, van bewustzijn slaan opeens open, zelfs dat kleine zolderraampje, waarvan je je niet altijd bewust bent geweest, valt aan diggelen en je staat naakt in een mentale tocht, een hartstocht. Je zintuigen raken verward, een zalige staat van synesthesie, een schizofrene roes, en dan beginnen takken aan je te klauwen, malvenbloembladen je lippen te grazen, het gras sandaalt je benen, zonlicht tussen bladeren en hemel weeft een sindel van aquamarijn voor je pupillen. Totdat het geloei van een koe de gevaarlijke dissociatie verbreekt. Zoals datzelfde geloei een zakelijk contrapunt vormt voor intieme fluisteringen onder de sterrenhemel – dat is voor wie zich daar niet alleen bevindt.

Je moet er wel ontvankelijk voor zijn.

In die omgeving bracht ik mijn tijd schrijvend door. Ik heb er verschillende stukken geschreven: onder andere de korte verhalen 'De archivaris', 'Een ver gelag'. En ik merk dat het besef van dubbeltijdigheid en dubbelruimtelijkheid dat deze verhalen doortrekt, daar, in dat boerderijtje, is opgedaan.

Zo'n ervaring blijft je bij, blijft bij je, want dat zolderraampje is niet meer te repareren en de scherven liggen daar, klaar voor een ferme slok zomerzonlicht. Ik wacht en met de onvolkomen bouw van mijn bewustzijn zal ik, als het echt moet, in Amsterdam mijn nieuwe impressies huisvesten. Het is er koel in dat zolderkamertje, het ontvangt de zon de hele dag door, zelfs in de avond als de zon ondergaat in de vrouwen, die boudoirs van alles wat vreugdevol is. Ik heb de zomer altijd bijzonder stimulerend gevonden.

Brief aan mijn gerief

Nu ik erover nadenk, bedenk ik dat ik altijd op je neer moet kijken om je te zien, hoe hard je soms je best doet om fier en rechtop naar mij op te kijken. Nu ik een buikje heb (de jaren nestelen zich bij een man het liefst in het abdomen, alsof om hem te omgorden – tegen wat eigenlijk?), wordt het zicht slechter. Maar ik weet dat je er bent. Als ik goed kijk, tenminste. Als ik je aanraak weet ik dat je sluimert. Slaap is een teken van leven, niet van dood. Dat is een troostende gedachte.

Nu ik erover nadenk: ik heb je nooit toegesproken. Enige schroom voel ik nu wel. Waarom? Ik wou dat ik trotser op je kon zijn dan ik nu ben. Nee, ik bedoel: ik wou dat ik trots op je kon zijn. Belangrijker nog is dat ik je niet los zie van mezelf. Hoe zou dat ook kunnen? Je kunt niet zonder je drager. Noch de drager zonder jouw lichte last. Waarom schrijf ik deze brief aan je als je niet kunt lezen en waarom praat ik tegen je als je niet luistert? Ik schrijf deze brief aan je in opdracht. Ik kan zeggen dat ik een hoer ben, maar ik weet dat ik mijn eigen pooier ben en nu dus ook van jou – gelukkig blijf je ongezien.

Nu ik erover nadenk: er is nog nooit voor jou betaald. Niet eens met hartenpijn en ook niet met de ziekten van Venus, die nooit ziektes heeft veroorzaakt. Ik verdien niks aan je. Slechte vergelijking. Schrap haar maar. Heb je eindelijk iets te doen. Danny Illegems die mij heeft gevraagd deze brief te schrijven, 'onderwerpt' zijn mails aan mij met 'Uw penis voor Goedele'. Voor alle duidelijkheid: Goedele is natuurlijk metonymia voor het blad. Het klinkt als: 'Uw penis op het hakblok.' Daar heb je een metonymische vrouw voor nodig.

Nu ik erover nadenk: het schijnt dat sommige mannen hun 'gerief' een naam geven, misschien dat het lid dan echt een gerief wordt, een vertrouwd iets. Alsof je een naam geeft aan een kind dat maar niet geboren wil worden, laat staan leren lopen en op eigen benen staan – kruipen wil nog wel eens lukken. Of – erger nog – een naam aan een huisdier dat op de eigenaar gaat lijken. Meestal is het de eigenaar die op het huisdier gaat lijken. Maar je bent noch een kind noch een huisdier, maar een aanhangsel, een onderdeel van een log lichaam (de jaren vestigen zich bij een man het liefst in het abdomen; positief gezegd: de man die goed in zijn vel zit, moet zijn lichaam wel als leunstoel gebruiken; de decadente man zijn lijf als hangmat – ikzelf probeer zoveel mogelijk te staan). Je stinkt niet, laat geen haren achter, krabt niet, blaft niet, miauwt niet, balkt niet, mekkert niet, blaat niet; je hebt geen kom of bak nodig, geen stal en geen hooi, geen stok, geen trog, geen vuilnisbelt. Je brengt geen enkel geluid voort en roest waar je rust. En als je uitgelaten moet worden, kan dat binnenshuis. En er hoeft geen belasting voor je te worden betaald. Er zijn andere prijzen te betalen.

Nu ik erover nadenk: in het Arabisch is een eufemisme voor penis als 'schaamte' *áuwrá*, 'éénogige' (ook toepasbaar op de anus – ook eenogig – maar die praat wel terug) en dat verklaart ongetwijfeld waarom je vaak slecht zag en keek, een eenzijdige visie had. Dat kan niet anders met één oog. Je kon er echter niks aan doen. Het bloed is nog sterker dan het vlees. Het hete bloed. Hoe kwistig verleent het brandend bloed het lid plechtige geloftes, maar je moet dit laaien niet voor vuur aanzien: hoe snel sterft het uit. En hoelang duurt de straf voor verbranding.

Om op namen voor de pik terug te komen: ik herinner mij er enkele van, waaronder deze omschrijving het vermelden waard is: *Dit is Muilezel Brekebeen die in het koningskruid van de dijkoevers weidt en de gepelde sesam verbijt en verblijft in de herberg van Vader Vrolijkheid.* Ik vrees echter dat de vrouw die mijn gerief zo aanspreekt een in slaap gevallen ondergetekende treft. Ik weet zeker dat als ondergetekende zijn gerief zo aanspreekt hij tegen beton aan het swaffelen slaat. Ik moet me toch echt dood vervelen en werkelijk niets beter te doen hebben om jou een naam te geven. De vrouw die mij verlangensvol en minnelijk Hafid noemt, krijgt jou erbij – voor zover ze dat wil –, maar wat krijgt de vrouw erbij die jou Hafid noemt?

Wat betreft het hakblok: ik moet teruggaan naar het eerste moment dat ik mij bewust werd van jou, lulleloeris. Ik denk dan aan duiven. Ik zal het je uitleggen. Tegenwoordig word ik gewekt door het koeren van houtduiven, tortelduiven. Geen traumatische huivering doorrimpelt mij. Maar toch zijn het besef van een eigen piemeloereken en duiven voor mij verbonden: de onzichtbaarheid van de laatste en de verminking van eerstgenoemde. Ik denk dat ik twee was toen ik werd besneden. Niet ouder dan drie. Hoe jong ik ook was, zo'n ervaring vergeet ik natuurlijk niet, al was het alleen maar vanwege de verwennerij die mij daarna ten deel viel.

Nu ik toch mijn geheugen aan het bewandelen ben: de barbier die mijn voorhuid knipte, riep: 'Kijk! Daar! Duiven!' Ik keek op. Maar natuurlijk waren daar in de lucht geen duiven. Het was afleiding. Knip. Geschreeuw. Ik had het kunnen weten, want waarom hielden twee mannen mijn benen vast? Daarna. De geur van jodium. De pijnlijke loomheid. De slappe tong. De O-benen. En wat ik toen niet zag, hoor ik nu. Duiven. Ik heb ze ondertussen ook vaak gezien. Ik kan mij het gejoel en gedans en het gejuich van familie en gasten in het huis herinneren en ik denk de silhouet van mijn moeder die in de deuropening stond van de kamer waar ik lag bij te komen. Tegen een tegelgroene achtergrond. Maar misschien is dit wat mijn dromen er later van hebben gemaakt. In elk geval: het verlies van een stuk gevoelige huid voor toentertijd niet geziene duiven – wat was het waard?

Nu ik er in rijpere leeftijd over nadenk: het is de jeugd die voorbij is en wat ik mij van de jeugd herinner is de kracht die ik niet meer heb en de hartstocht die niet meer via heet bloed ontvlamt en het heet bloed dat ik graag voor vuur wil aanzien, ergens in de einders van mijn zwakte, achter het verschiet van mijn hangbuik – de rand van een viskom waaruit jij als een goudvis schuchter en schichtig adem komt happen en er is adem genoeg

En wat ik wil is dat een vrouw
De volgende keer een brief aan jou stuurt
Om je de Oren te wassen die
Je niet meer spitsen kunt
Omdat je niet meer de puf noch de poefs hebt
Om neer te zitten
Maar ik betwijfel
Of een vrouw met hart en verstand
Zin of zinnelijkheid heeft
Om je te schrijven
Laat staan om met je te praten
Want je praat toch niet terug
En zelfs uit beleefdheid
Sta je niet meer
Op
En je muts kun je
Ook niet meer welvoeglijk
Afzetten.

IV

VERSTEKELING VAN DE EMIGRATIE

Hashish

Achter de deur, achter het licht,
Wie is het die daar in de nacht wacht?
Als hij is binnengetreden zal hij gaan staan
Om met zijn stille hand de nacht
Een stil gebod op te leggen.

Zie het beeld van mijn vrees.
O rijs niet, beweeg niet, kom niet nader!
Het moment dat u uw gezicht wendde
Leek een demon door de ruimte te springen;
Zijn beweging wurgde mij met vrees.

En toch ben ik heer van het al,
En deze waardige wonderbaarlijke wereld,
Gesluierd in zo'n gevarieerde mist
Die een roos is of een amethyst,
Eist van mijn heerschappij over het al!

Wie zei dat de wereld slechts een stemming was
In de eeuwige geest van God?
Hoe werkelijk zij ook lijkt, ik ken haar
Als de fantoom van een hashish droom
In die insomnia die is God.

Arthur Symons (1865-1945)

Dierbare vader,

Vele malen hoorde ik en hoor ik dat ik van mijn leven een rotzooi maak – het leven lijkt, volgens vooral vrouwen die zich met hun eigen zaken zouden moeten bemoeien, voor mij een grote inspanning te zijn; ik strompel van leegte naar leegte, hoor ik, hetgeen goed is, lijkt mij, omdat er vervuldheid wordt gesuggereerd. Mijn roekeloosheid, waarvan ik graag denk het achter mij te hebben gelaten, zou een tarten van het leven zijn – of een verleiding van de dood – het is maar hoe je het bekijkt.

Soms lijkt de dood ook een aangenaam oord te zijn: eindelijk rust, stilte. Het is moeilijker, zo niet onmogelijk, dunkt mij, om van je dood een rotzooi te maken, al kan het sterven zelf een morsige en onaangename aangelegenheid zijn. Maar ik zou het als een nederlaag beschouwen moedwillig te sterven, omdat het leven soms zwaar en pijnlijk voelt, voor al zijn bekoorlijkheden en liefde.

Geef toe aan mij opdat het noodlot ons treft
En wij zijn in trouw tot vrienden gemaakt
Ik zie levens teugen als de bitterste teugen
En getuig van de waarheid hiervan als zij worden uitgebraakt

Ik weet niet of ik het eens ben met de dichter die dit heeft geschreven: het leven kent zijn zoete momenten, maar al is het bitter als alsem, dan nog heeft het de zoete roes van alsem.

Jij bent in alle rust heen gegaan, heb ik begrepen: pijn in je borst, vertelde je moeder en je ging op de bank liggen, de bank waarop je zo vaak een dutje deed dat het de afdruk van je lichaam droeg. Je bent nooit meer wakker geworden, of het moet in een hiernamaals zijn, waarin jij, anders dan ik, geloofde.

'In tuinen van verrukking / Een menigte van de eersten / En weinigen van de laatsten / Op zetels met parels en goud ingelegd / Waarop zij liggen tegenover elkaar / Eeuwige knapen gaan hen rondom / Met bokalen en kruiken en bekers uit een stromende bron / Waarvan zij geen haarpijn krijgen noch redeloos dronken worden / En vruchten die zij verkiezen / En gevogelte dat zij begeren / En zwartogigen / Gelijk aan verborgen parels / Een beloning voor hun daden / Daar horen zij geen ijdele woorden en geen zondige gesprekken / Behalve het woord 'vrede vrede' / En de mensen van de rechterhand en wat van de mensen van de rechterhand? / Onder doornloze vruchtige lotusbomen / En ooftbeladen palmen / En uitgestrekte schaduwen / En stromende wateren / En overvloedige vruchten / Onverwelkbaar noch verboden / En verheven bedden...'

Ik heb mij afgevraagd of je intense religiositeit voortkwam uit verlangen naar wat hier beschreven wordt: een beeld van een kuis hedonisme. Ik weet wel dat je het hoogste nastreefde: te vertoeven in nabijheid van God. Het valt mij zwaar dit serieus te nemen, omdat je, toen je, zoals moeder het uitdrukte, ' je begroef in de koran', dit leven hebt veronachtzaamd – ten onrechte wat mij betreft. Wie gelooft in een leven na de dood, zou zijn voordeel moeten doen met twee levens en niet het ene verwaarlozen ten gunste van een andere, onbestaande en onbewezen.

Je wilde in Marokko sterven, 'laat mij toch in mijn land sterven', sprak je toen je oudste zoon je weg haalde uit het vliegveld, in opdracht van moeder. En ze had gelijk, al heeft het haar hart gebroken dat je boos op haar werd. Je stierf waar je had moeten sterven: bij moeder, je vrouw die vanaf haar vijftiende bij je was en je liefhad. Uiteindelijk is dat het enige land, het enige thuis waar een man hoort: in het hart van een liefhebbende en geliefde vrouw; in het laagland en hoogland van haar gemoed; in het eiland tussen haar armen.

Het verdriet mij dat we nauwelijks met elkaar spraken; ik betreur het dat ik zo weinig over je verleden uit je mond heb gehoord. Terugblikkend zie ik dat ons moeizame contact een verschrikkelijke verspilling van tijd is geweest; ik staar in een afgrond en vrees dezelfde fouten te maken als jij: boosheid op mensen die de woede niet verdienen – en dezelfde gebreken te vertonen: onnodige teruggetrokkenheid en stille somberte. Misschien maak ik van mijn leven wel een rotzooi, maar in mijn geheugen heerst geen chaos en daarin leef jij voort – en dat is het enige hiernamaals dat ik je bieden kan.

God tegen goden

We must find a new answer
Instead of a way
Jim Morisson, *Whiskey, Mystics and Men*

Op pagina 264 staat het, in het hoofdstuk gewijd aan Julianus (331-363), bijgenaamd Apostata – de afvallige – de laatste heidense keizer van het Romeinse Rijk die de heidense religie in ere herstelde en het christendom als officiële staatsreligie afschafte; tijdens de oorlog tegen de Perzen nam hij voor zichzelf als oorlogsbuit slechts 'drie gouden munten en een doofstomme jongen die zich elegant met zijn handen uitdrukte', zoals de geschiedschrijver en ooggetuige Ammianus meldt. Wat een kostelijk detail om 's mans ascese te beschrijven!

Op dat moment sprong het hart van deze lezer even op, want *God against the Gods, the History of the War between Monotheism and Polytheism* van Jonathan Kirsch is mooi en aanbevelenswaardig, helder geschreven en aantrekkelijk verteld, maar toch een deprimerend boek.

Deprimerend omdat tijdens het lezen plotseling het besef gloort hoe actueel het boek is, al bestrijkt het de tijd van 1364 v.Chr, de periode van Akhenaton (gest. circa 1347 v.Chr.), de eerste monotheïst, tot 415 n.Chr., toen het christendom zich bloederig en gewelddadig definitief had gevestigd. De pogingen van genoemde Julianus om het christelijk monotheïstisch geloof terug te dringen en alle geloven op basis van gelijkheid te erkennen, waren mislukt. Kirsch schrijft met onverholen bewondering over deze keizer, met zijn lelijk voorkomen, lange baard waarin vlooien rondsprongen als was hij 'een struikenbos voor wilde beesten', zoals hij zelf schreef, en vingers die altijd zwart waren van de inkt. Julianus was tevens een begenadigd schrijver en satiricus. Het deel dat aan hem gewijd is, vormt het mooiste en tevens de climax van het boek.

Kirsch eindigt zijn boek nog optimistisch door te stellen dat de godsdienstvrijheid in het Westen de verwezenlijking is van het polytheïstisch ideaal van Julianus. Dit is opvallend omdat velen hameren op de christelijk-joodse basis van de westerse maatschappij en onze minister-president zich inzet om God in de Europese grondwet te wurmen (O schaamte! Waar is je blos?). Maar dat is de essentie van zijn boek en van de strijd tussen het polytheïsme en monotheïsme: aan de ene kant religieuze diversiteit en tolerantie, en religieus rigorisme (extreme strengheid in geloof en geloofspraktijken) aan de andere kant respectievelijk. Driehonderdzestig goden en godinnen tegenover de ene, ware God. Het islamitische fundamentalisme in de huidige tijd, ook binnen Europa, vertegenwoordigt het lelijkste aspect van monotheïsme.

Eerst ontdoet Kirsch de term paganisme, heidendom, van zijn pejoratieve connotaties. *Pagan* stamt van het Latijnse *paganus*, dorpeling en bij uitbreiding boerenkinkel, maar in militaire zin betekende het burgerling, iemand die, in tegenstelling tot een soldaat, niet ten strijde trok, maar achterbleef. En het is in de zin van achterblijver dat de christelijke schrijvers het woord gebruikten: de christelijke rigoristen beschouwden zichzelf als soldaten van de ene, ware God en wie weigerde de wapens op te pakken in de heilige oorlog dat het geloof voor hen was, was een achterblijver, een jantje-van-leiden, een 'paganus'.

De negatieve connotatie die aan de term kleeft is geheel onterecht, want het heidendom is, volgens een omschrijving van een historicus, een 'sponzige massa van tolerantie en tradities'. Natuurlijk kende het heidendom zijn intolerante figuren, onder wie Antioch IV (215-164 v.C.) wel het meest weerzinwekkende voorbeeld is. Deze koning van Syrië en bezetter van het land Judea probeerde met geweld de Joden het hellenisme op te dringen en was verantwoordelijk voor het ontstaan van het begrip martelaar (letterlijk 'getuige') toen een langdurige guerrilla van de Joodse zeloten, de Maccabeeën genaamd (van maccabee, hamer), zijn bewind omverwierp.

Maar de kern van het heidendom of polytheïsme is diversiteit, iedereen kon een god of godin naar eigen keuze aanbidden, goden en rituelen van verschillende culturen werden gemengd of ingelijfd, een fenomeen dat syncretisme wordt genoemd. Er was dus vrijheid van aanbidding en geloofspraktijk, anders dan onder monotheïstische religies. In de islam is shirk, het aannemen van een god naast Allah, de grootste zonde en dit dient met de dood te worden bestraft. En hoewel Alexander de Grote, bijvoorbeeld, zijn oorlogen niet zonder bloeddorst voerde en van zijn overwonnen tegenstanders slaven maakte, heeft hij nooit iemand vervolgd wegens zijn geloof. Alexander was overigens de succesvolle verspreider van het hellenisme onder de joden; in de tweede eeuw voor Christus studeerden zij ijverig het Grieks en zo graag wilden zij Hellenen zijn dat ze zelfs hun toevlucht namen in een primitieve vorm van plastische chirurgie om te verbergen dat ze besneden waren!

Een andere kernwaarde van polytheïsme komt meer tot uitdrukking in de politiek dan in religie. De oudste politieke traditie van Rome, evenals van het oude Griekenland, schrijft Kirsch, was dat geen individu het recht had om als autocraat te heersen. Gedeelde macht was het motto. Griekenland was uiteindelijk de geboorteplaats van een primitieve democratie. Totalitarisme en monotheïsme gingen al bij Akhenaton hand in hand. Deze farao heette oorspronkelijk Amenhotep IV, maar veranderde zijn naam in Akhenaton ('Glorie van Aton') toen hij het polytheïsme afschafte en beval één god te aanbidden, namelijk Aton. Aton betekent zonneschijf en werd dus geassocieerd met de zon. Een hymne gewijd aan Aton, misschien door Akhenaton zelf geschreven, begint met de volgende regel: 'O enige God, er is geen andere God dan U' – hetgeen doet denken aan de geloofsbelijdenis van moslims.

Volgens sommige wetenschappers is het solaire beeld dat opduikt in de psalmen: 'U bent gekleed in glorie en majesteit, gehuld in een gewaad van licht; U spreidt de hemelen als een tentdoek' – een teken niet alleen van beïnvloeding door de Egyptische teksten, maar zelfs een vertaling ervan. En zouden de woorden Aton en Adonai niet dezelfde oorsprong hebben? Ook wordt wel eens gesuggereerd dat Jezus aan het kruis niet Eli aanriep ('Eli, Eli, lama sabachtani'), maar Helios, de zonnegod (in het Aramees viel de klankhebbende 'h' weg.). Volgens Sigmund Freud was Mozes een priester in dienst van Aton die de Israëlieten tot het nieuwe monotheïsme van de farao bekeerde na diens dood, toen de Egyptenaren hun oude veelgoderij hervatten. Monotheïsme is naar alle waarschijnlijkheid een Egyptische en niet een Joodse uitvinding. En volgens Freud was Mozes niet een Jood, maar een Egyptenaar.

Bij Akhenaton ontstond een ander nieuw fenomeen in de historie van de religie: de fusie van politiek en religie tot een machtig wapen in de handen van een man. Hij was wat dat betreft een voorloper van Mohammed.

Het probleem dat polytheïsten hadden met monotheïsten was de onwil van laatstgenoemden om andere goden zo niet te aanvaarden, dan in elk geval te respecteren. Joden en christenen beschouwden de heidense goden als demonen en duivels, of, zoals de profeet Jeremiah het zegt, 'on-goden'. Dit exclusivisme is kenmerkend voor het monotheïsme. De meest fervente monotheïsten hebben altijd mensen buitengesloten die hun ware geloof niet aanhingen. In moderne tijden is het gemak waarmee islamieten anderen tot ongelovigen uitroepen tekenend. De Bijbel waarschuwt voor mensen die aan demonen offeren: 'Van buiten zal het zwaard beroven, en uit de binnenkamers de verschrikkingen; ook de jongeling, de maagd, het zuigende kind met de grijze man.' (Deut.32:25)

De Greco-Romeinse heidenen waren bereid elke nieuwe god te aanvaarden, ze lijfden zelfs Jahweh in en noemden hem Iao. Afvalligheid was hen vreemd. Een keizer had in zijn persoonlijke kapel standbeelden van Abraham, Orfeus, Apollonius en Christus. Het was een kwestie van religieuze verzekering. Het ging erom elke god tevreden te stemmen. De onwil van christenen om de andere goden te accepteren werd door de Romeinen gezien als een bedreiging van de Pax Deorum, de vrede van de goden.

Een simpel offer aan een van de vele goden werd door de Romeinen gezien als een burgerplicht en de weigering van joden en christenen om aan deze burgerplicht te voldoen was wat de Romeinen schokte. Deze onwillige gelovigen werden dan ook atheïsten genoemd, deze term werd aanvankelijk en ironisch genoeg dus voor de christenen gebruikt. Maar goed: gehenna, de hel, was oorspronkelijk de naam van een vuilnisbelt buiten Jeruzalem.

Ook de weigering van Mohammed om in elk geval drie van de 360 goden te erkennen, te weten Al-Lat, 'Uzzah en Manaat, stuitte de aristocraten van de machtige clan van Mekka, Quraysh, tegen de borst. De reden voor de weigering van Allah om deze drie godinnen, die door de pre-islamitische Arabieren werden aanbeden als de dochters van oppergod Allah, zoals opgetekend in de Koran, is amusant: 'Zouden jullie zonen hebben en Hij dochters?' Wat een wrang gevoel voor humor vertoont Allah hier, maar het punt is dat hij ze niet erkent omdat ze van het vrouwelijke geslacht zijn! Met andere woorden, als Allah al een nageslacht zou willen, dan verkoos hij zonen.

Misogynie is een andere oorzaak voor de minachting van monotheïsten van het polytheïsme. Het heidendom kende zowel vrouwelijke als mannelijke goden en kende functies toe aan zowel mannen als vrouwen in hun rituelen. Tegenover de ene, ware God, een man, een einzelgänger en een vrijgezel, en zijn mannelijke priesters staat de polytheïstische traditie die het feit erkende en eerde dat de mensheid bestaat uit feminiene en masculiene elementen. Sterker nog, de dierbaarste goden waren vrouwelijk: Fortuna, Afrodiet, Ishtar, Astarte, noem ze maar op. Monotheïsten moeten het doen met Eva, die verantwoordelijk is voor onze erfzonde, en Maria, een maagd. Lilith was een demon.

Het goede nieuws is dat God ooit een vrouw moet hebben gehad. In Kuntillat 'Ajrud, een plek in de woestijn van Sinaï, is een keramische kruik gevonden die stamt uit de late negende eeuw voor Christus. Het monotheïsme was daar toen al vier eeuwen gevestigd, volgens de Torah. De inscriptie op de kruik luidt als volgt: 'Ik zegen u bij Jahweh en bij zijn Asherah.' De godin Asherah, gesymboliseerd door een bloeiende boom, wordt in de Bijbel genoemd, maar enkel als een kwade en verachtelijke demon – de liefde was blijkbaar over. Maar deze vondst blijkt aan te duiden dat zowel de Israëlieten als de heidenen van Canaan de godin Ahserah aanbaden. En hoewel van Jahweh bekendstaat dat hij zich niet met vrouwen inlaat en geen kinderen voortbrengt, moeten de antieke Israëlieten geloofd hebben dat goden altijd in paren kwamen.

Deze felle intolerantie jegens een voormalige gezellin steekt schril af bij de verdraagzaamheid van heidenen. Religieuze verdraagzaamheid en erkenning van het christendom als volwaardige religie vinden we onder het bewind van Constantijn de Grote (247-337), stichter van Constantinopel, een heiden die zich op zijn sterfbed liet dopen, hoewel hij het christendom al omhelsde na het zien van een visioen (volgens een andere bron was het een droom) van het symbool van de gekruisigde Jezus en de woorden *in hoc signo vinces*, in dit teken, overwin. Er is veel gespeculeerd over wat Constantijn precies heeft gezien. Volgens gelovigen was het een mirakel en verdere verklaring is niet nodig. De aardse verklaring is tevens de meest poëtische: het visioen is volgens wetenschappers het resultaat van het spel van licht op de ijskristallen in de atmosfeer, een fenomeen dat het effect produceert van een kruis op een halo.

In het jaar 313 stelden Constantijn en zijn zwager Licinius het Edict van Milaan op waarin zij zowel het heidendom als het christendom in ere herstelden. Alle goden en godinnen mocht vrijelijk aanbeden worden en de christelijke god werd op een lijn gesteld met Apollo, Isis, Miothra en andere godheden. De vervolging van christenen, die in 303 begon onder het bewind van Diocletianus (245-316) die dezelfde tactieken gebruikte als de latere Inquisitie, behoorde nu tot het verleden. De christenen kregen complete en totale vrijheid om hun godsdienst te belijden en iedereen had het recht om de god van eigen keuze te aanbidden. Het edict is in kern heidens, omdat het de acceptatie inhoudt van alle goden 'opdat alles dat goddelijk is in de hemelse zetel vredig en voorspoedig jegens ons zal zijn en jegens hen onder onze autoriteit'. Het doel van de twee heersers was om de pax deorum te herstellen.

Nu de christenen gevrijwaard waren van vervolging via staatswege, begonnen ze elkaar te vervolgen. Er ontstonden schisma's en de term heresie (van het Griekse woord voor 'kiezen') werd kwistig gebruikt. De grote breuk in de vrede die Constantijn had bereikt werd veroorzaakt door de theorie van Arius (250-336) dat Jezus weliswaar de zoon van God was, maar niet God zelf. Er ontstonden twee groepen, een die beweerde dat God en Jezus *homoousion* waren, dat wil zeggen gemaakt van dezelfde substantie en een groep die beweerde dat zij homoiousion, gemaakt van gelijksoortige substantie. In het eerste geval zijn God en Jezus dezelfde, in het tweede geval is er een onderscheid tussen God de Vader en God de Zoon. In het Grieks worden de twee woorden hetzelfde geschreven, het enige onderscheid is de letter jota, die van homoousion homoiousion maakt. Aan dit schisma hebben we onze uitdrukking 'het kan mij geen jota schelen' te danken.

De felle strijd tussen de twee groepen en andere latere schisma's en gevechten deden de genoemde geschiedschrijver Ammianus verzuchten: 'Geen enkel wild beest is zo vijandig jegens de mensheid als sommige van de Christenen in hun beestachtigheid jegens elkaar.' Eenzelfde bittere onderlinge haat vinden we ook bij de moslims en wel tussen de sjiieten en de soennieten – de oorzaak van die strijd is onenigheid over wie Mohammed had moeten opvolgen. Ook Constantijn maakte zich grote zorgen over de tweestrijd, maar op een paganistische manier: hij vreesde dat God misnoegd zou raken door deze twist en Zijn gunsten zou terugtrekken. Zijn pogingen de twee groepen met elkaar te verzoenen waren echter tevergeefs.

In februari 360 wordt Julianus door zijn troepen in Parijs tot Augustus uitgeroepen, dat is de titel van de heerser over het gehele Romeinse rijk. In november van hetzelfde jaar vaardigt deze onverzorgde man van zelfspot en ironie –-hij kreeg de bijnaam Cercops, naar het mythische mensenras dat door Jupiter in apen was veranderd – een edict uit ten gunste van het paganisme en beveelt de opening van de oude heidense tempels. Ook wordt het verbod op allerlei voorspellingen opgeheven. Hij was nogal verbitterd over de moraal van de christenen, zoals hij die had leren kennen, toch stond hij een samenleving voor waarin plaats was voor religieuze verscheidenheid.

De beschrijving van deze man van letteren, van dromen en dagdromen, leest als de beschrijving van een kunstenaar, hij vertoonde dezelfde verstrooidheid en gebrek aan belangstelling voor zijn uiterlijk als Stephan Daedalus in Ulysses. Hij stierf op 26 juni 363 tijdens een oorlog tegen Shapur II, de keizer van Perzië. Historici verschillen van mening over de oorzaak en dader, die hem met een speer de lever doorboorde – een Christuswond. Een theorie luidt dat het – verdomd als het niet waar is – een Arabier was, een bedoeïen die in opdracht handelde, maar van wie? (Bedoeïenen waren vaardige speermakers en -werpers.) Zijn dood betekende het einde van het heidendom, dat slechts nog beleden werd in de uithoeken van het Romeinse Rijk, ironisch genoeg op het Arabische schiereiland waar na twee eeuwen een andere man zou opstaan om de genadeklap te geven aan de tolerantie en kleurrijkheid van het paganisme, een man van een agressief monotheïsme, Mohammed genaamd.

De biografie van Mohammed – deel 1

De interesse voor de islam en de islamitische cultuur heeft vaak, om niet te zeggen altijd, een politieke en gewelddadige oorzaak. Om een voorbeeld te geven: ten tijde van de eerste Golfoorlog (tussen Irak en Iran, 1987-1989) kende de Universiteit van Amsterdam een stijging in het aantal meldingen voor een studie aan het IMNO, Instituut voor het Moderne Nabije Oosten.

Een ander voorbeeld is dat de Koran in Amerika, na de aanslagen op het WTC op 11 september 2001, wekenlang op de eerste plaats stond van de bestsellerlijsten. Treurig maar waar. Hoewel begrijpelijk, is het een denkfout: als non-moslim in het heilige boek van de moslims antwoorden zoeken voor de huidige problemen en bloeddorst, is hetzelfde om als gefrustreerde moslim in je heilige boek naar antwoorden te zoeken voor je huidige politieke en sociale misère. Dat boek biedt geen antwoorden.

Dat de islamitische cultuur in zijn langvervlogen goede tijden, alle interesse en nieuwsgierigheid verdient, staat buiten kijf: de islamitische hoogtijdagen hebben superieure dichters, schrijvers, denkers, wetenschappers en filosofen voortgebracht – nee, eigenlijk moet ik zeggen dat grote, individuele geesten de islam aan zijn bloeitijd hebben geholpen.

Een van de meest opmerkelijke Arabisten die na de islamitische rampen naar voren kwam als een idiosyncratische denker en schrijver was Hans Jansen, die vooral opviel door zijn niet te breidelen, soms arrogante ironie en die zich altijd bewust leek dat genoemde interesse gewekt werd door bloed en dat de nieuwsgierigheid niets anders was dan angst op zoek naar een toevluchtsoord in hapklare kennis.

Jansen heeft nu het eerste deel geschreven van een biografie van Mohammed, de profeet van de islam: *De historische Mohammed. De Mekkaanse jaren*. Dit deel, dat het leven Mohammed behandelt tot zijn immigratie naar Medina, zal gevolgd worden door een tweede over de Medinenzische jaren, dat verwacht wordt in zomer 2006. Deze splitsing van Mohammeds leven in twee perioden genoemd naar de twee plaatsen waar hij zijn religie gestalte gaf en voltooide, is gebaseerd op de tweedeling van de soera's in

de Koran, de Koranverzen die hij in zijn beginperiode (rond zijn veertig-
ste) in Mekka via de aartsengel Gabriël (Djibriel in het Arabisch) van God
zou hebben ontvangen en de openbaringen in Medina, waar hij zijn politieke macht vestigde.

De keuze van Jansen is alleszins te rechtvaardigen: als we de Koran als
leidraad nemen voor de persoonsontwikkeling van Mohammed, dan is er
zeker een verschil aan te duiden tussen de Mekkaanse openbaringen en
de Medinenzische. De eerste zijn orakelachtig en hebben af en toe poëtische zeggingskracht; de tweede zijn wettisch en taai en saai.

'Wat voor man was Mohammed eigenlijk?' schrijft Hans Jansen in zijn
'woord vooraf' en die zin is kenmerkend voor zijn boek, want het boek is
een grote vraag bij de tot nu toe geaccepteerde versie van Mohammeds
leven en de conventionele interpretatie van de Koran. Het boek is een
processie van vraagtekens en dat maakt het niet alleen verhelderend,
maar ook verfrissend.

Verhelderend omdat zijn bedenkingen laten zien hoe vastroestend on-
kritische aannames kunnen zijn en verfrissend omdat een optrekkende
mist altijd verfrissend is. Religie is een zucht naar mythen, wetenschap
nieuwsgierigheid naar feiten. Jansen probeert de feiten naar boven te halen uit het knekelhuis van de mythe en hij geeft als eerste toe dat je dan
slechts wat botjes en kootjes opdelft. Dit is niet ontmoedigend, integendeel. Vraagtekens dienen onophoudelijk geplant te worden op de berg-
rug van kritiekloze aannames.

Het begint al met de geboortedatum van Mohammed: 'Wie het verhaal
van Mohammed dan ook wil laten beginnen bij zijn geboorte, begint dus
op het punt waar de onzekerheid het sterkst is,' schrijft Jansen. De officiële
biografie van Mohammed, zoals moslims die kennen (compleet met engelen, duivel, een gevleugelde muilezel met een vrouwengezicht en een bezoek aan hel en paradijs – de moslims kennen geen vagevuur), is in essentie
niet een reconstructie, maar een creatie. Een paragon, een toonbeeld. Van
wc-bezoek tot spirituele zaken, van seks tot voedsel – op alles had Mohammed ooit een antwoord gegeven en in alles moest hij het lichtend voorbeeld zijn.

Sommige details uit zijn levensbeschrijving zijn verrukkelijk en weten
zijn 'levensbeschrijving' te verlevendigen, maar zijn ze daardoor authentiek? Zo wordt er verteld dat zijn neef en schoonzoon Ali, toen hij het lijk
van Mohammed waste, het water, dat zich in diens ooghoeken verzamel-
de, opzoog (een teder detail), maar dat hij ook, volgens de historicus Gib-
bon in *The Decline and Fall of the Roman Empire* (1776), die zich baseerde

op Latijnse vertalingen, uitriep: 'O profeet, voorwaar, je penis is richting hemel opgericht.' Ook over zijn seksuele gedragingen worden we ingelicht – maar is het betrouwbaar? Uiteraard niet.

Het ironische en aantrekkelijke aan de oudste vertellingen over het leven van Mohammed (of Mahomet, Machomet, Makomet, Mahoen, Moene) is dat ze literaire kwaliteiten bezitten, dat hij als literair personage bijzonder overtuigend is, een Gesammtkunstwerk, waaraan nog steeds geschaafd wordt – al is het literaire aan hem versleten. Het ironische is dat hij, tot literatuur verworden, een felle tegenstander was van literatuur. 'Retoriek,' zou hij hebben gezegd, 'kan magie zijn.' Met magie zou hij hebben bedoeld 'leugen presenteren in het gewaad van waarheid.' Opvallend genoeg definieert Vladimir Nabokov in zijn boek over Nikolai Gogol kunst als 'de masker van irrationaliteit in het mom van rationaliteit'. Mohammed moet iets van een genie zijn geweest; zijn probleem is dat hij geen kunstenaar was, want die is zich bewust van zijn bedrog. Ik heb mij altijd afgevraagd of zijn felle aanvallen op dichtkunst en dichters ('de dichters worden gevolgd door de dwalenden! Ziet u niet hoe zij in wadi's dolen en dat zij zeggen wat zij niet doen?' dondert hij in soera 'De Dichters' – Mohammed deed namelijk wat hij dreigde of zei) uit frustratie om zijn gebrekkige poëtische kwaliteiten. Natuurlijk, in die tijd werden dichters gezien als personen die in contact stonden met demonen, die ze hun kunst zouden influisteren. Mohammed werd ingefluisterd door God, bezwoer hij. De Byzantijnse geschiedschrijver Theophanes (8ste eeuw) was de eerste die schreef dat hij een epilepticus was. Hij heeft gelijk, denk ik en ik heb hier helaas niet de ruimte om daar uitgebreid op in te gaan. (Over zijn eerste visioen van Gabriël wordt bij zijn monde verteld dat hij een borend gevoel in zijn buik voelde; in een case study maakt een epilepticus gewag van een zelfde soort sensatie voordat zijn hallucinaties op bezoek kwamen.) In dit verband wil ik ook graag verwijzen naar *The Travels of Sir Mandeville*, die een amusante levensbeschrijving van Mahomet bevat, waarin hij wordt voorgesteld als een rijke koopman uit Khorasan.

Kunst, zegt Nabokov, scheert langs irrationaliteit. Religie tuimelt erin, zou ik willen toevoegen.

Jansen is een wetenschapper en zijn behandeling van Mohammeds historisch leven is niet een poging om Mohammed te begrijpen, maar een poging om wetenschappelijke methodes toe te passen om hagiografie en biografie te scheiden. Zijn boek is onder meer waardevol omdat hij het belang van de revolutionaire, taalkundige ontdekkingen van Christoph Luxenberg (een pseudoniem van een Libanese onderzoeker) in zijn boek *Die Syro-Aramäische Lesart des Koran* (2000) onderkent en meeneemt in zijn kritische beschouwingen. Het meest opmerkelijke is hoe hij aantoont hoezeer het christendom als een watermerk door de islam schijnt.

Uiteindelijk gaat het boek niet enkel over Mohammed zelf (we blijven achter met twee handen vol vraagtekens), maar ook over onderzoeksmethoden. Methoden die gefrustreerd worden door moslims die hangen aan de mythe. Het is daarom opvallend en wrang om te merken hoe Jansen zich inhoudt: hij probeert met moeite zijn ironie te beteugelen en dat is op zich niet erg, want hij treedt nu niet op als commentator, maar als wetenschapper. Dat is begrijpelijk in het huidige klimaat van religieuze bedreigingen en verontwaardiging, maar gekmakend en onverteerbaar. Zelfs een wetenschapper behoort zijn ironie te behouden, want ironie is een kwestie van stijl, niet van levenshouding.

Of moslims het aangenaam vinden of niet: Mohammed is een universeel onderwerp en is zodoende van iedereen, gelovig of ongelovig. Niet alleen aan moslims zou ik dus willen zeggen: lees dit boek.

De biografie van Mohammed – deel 2

Het is niet een weinig ironisch dat personen die kritiek leveren op de islam en op de persoon Mohammed, de profeet van deze religie, teruggrijpen naar dezelfde hagiografische bronnen die vrome moslims ook gebruiken. Dit is ironisch omdat deze personen, hoewel geen moslims, in feite ook 'gelovig' zijn, omdat ze de mythe voor authentiek aannemen. Of Mohammed al dan niet een pedofiel was en of hij de pek en de veren verdiende, is alleen van belang als we de officiële lezing accepteren.

Zulke kritiek is op zich niet erg en zelfs gerechtvaardigd, omdat zij de islam, officieel of niet, niet wil vrijwaren; dat is toe te juichen, want ik zie geen enkele reden waarom juist deze godsdienst ontzien zou moeten worden voor spot, scherts en satire – al denken de moslims daar natuurlijk zelf anders over. Zou de islamitische woede om de minste of geringste steek voortkomen uit de onbetwistbare heiligheid van Mohammed of uit een besef dat men gelooft in iets wat bespotbaar is en dus intrinsiek belachelijke aspecten bevat? Wanneer religie en identiteit samenvallen, is er geen koevoet die de twee scheiden kan. Dat geldt niet alleen voor gelovigen, maar ook voor arabisten en andere oriëntalisten die om verschillende redenen (respect, politieke correctheid, bewondering) niet van de officiële lezing willen afwijken. Zo wil een vertaler van de Koran, Fred Leemhuis (die, naar ik heb vernomen, zijn vertaling wilde laten goedkeuren door de Azhar-universiteit), niet eens de mogelijkheid openlaten dat de revolutionaire bevindingen van Christoph Luxenberg dat de Koran invloeden van het Syrisch-Aramees bevat, wel eens waar konden zijn – hoe overtuigend hij ook op onder andere mij overkomt. Maar goed: het doel van Leemhuis was de Koran zo te vertalen dat de Nederlandse lezer zou lezen hoe de doorsnee, geletterde moslim hem leest.

De officiële lezing is sinds enige decennia onder vuur komen te liggen. Onder door wetenschappelijk scepticisme ontstoken vuur. Het is verbazingwekkend hoelang het heeft geduurd voordat men inzag dat de oorsprong van de islam, die, zoals Salman Rushdie ergens schreef, door 'het licht van de historie' (dit ontleende hij aan Ernest Renan) zou worden beschenen, het kunstmatig licht was van de olielampen waarbij vroege schrijvers hun perkamenten vulden.

De oudste 'biografie' (sira) die we hebben over Mohammed is van Ibn Ishaq (704-767), die rond 750 is geschreven; zij is bewaard gebleven in de redactie van Ibn Hisham (gest.830), die er in heeft gesnoeid en aangevuld, zoals blijkt uit andere bronnen die stukken uit Ibn Ishaq aanhalen, die we bij Ibn Hisham niet vinden. Het is deze levensbeschrijving van waaruit Hans Jansen vertrekt voor zijn reconstructie van de 'historische Mohammed', in het gelijknamige boek. In 2005 verscheen het eerste deel *De Mekkaanse verhalen;* nu is het tweede deel verschenen, *De verhalen uit Medina.*

Jansen deelt het leven van Mohammed in twee, zoals de Koran de soera's verdeelt in Mekkaanse en Medinensische: de openbaringen die hij in Mekka zou hebben ontvangen en die uit zijn periode in Medina, waar hij uiteindelijk zijn macht vestigde. De Mekkaanse verzen zijn zonder twijfel de meest aansprekende wat poëtische zeggingskracht betreft; de andere uit Medina zijn taai en saai, wettisch en er spreekt een onverdraagzaamheid uit, ondanks brokken van charmante vertellingen her en der, hoewel veel van deze rommelige verhalen vooral bedoeld zijn als voorbeeld of parabel (mathal dat wel eens in verband is gebracht met het Griekse mythos) van Gods nietsontziende toorn.

Wat voor de Koran geldt, geldt ook voor Mohammeds leven. Het eerste deel van Jansens werk is onderhoudend, waar het tweede deel wat droog uitvalt. Dat is niet de schuld van Jansen: bij het toenemen van Mohammeds macht, leek zijn leven slechts te bestaan uit huwelijken en plunderingen en bekeringsdrift – niet noodzakelijkerwijs in deze volgorde. Het goede nieuws is dat Jansens humor, die in *De Mekkaanse verhalen* ingehouden was, in *De verhalen uit Medina* weer zijn snijtanden laat zien.

Jansen pretendeert niet dat hij de definitieve biografie heeft geschreven, om de simpele reden dat zulks onmogelijk is: 'Er is niemand die weet welke verhalen over Mohammed waar zijn, en welke verhalen als vrome fantasie of preken in verhaalvorm beschouwd kunnen worden.' Zo begint hij *De verhalen uit Medina* en ik hoop dat de lezer zich hierdoor niet laat ontmoedigen. Hij zift en zeeft, ontleedt en snijdt, maar authentieke verhalen en fantasie en preken en vroomheid zijn zo met elkaar verweven of door elkaar besmet dat we overblijven met veel vraagtekens als mijlpalen naar een verschiet dat misschien veelbelovend is, maar toch vooral een oorverdovende stilte inhoudt. Het is een kwestie van tijd en geduld.

De katholiek Jansen is een 'gelovige', in die zin dat hij gelooft dat Mohammed werkelijk heeft bestaan, maar hij is ook sceptisch; hij gaat niet zo ver als de wat hij noemt 'hypersceptici', die in aantal lijken toe te nemen, en voor wie Mohammed nooit heeft bestaan en slechts een constructie is en niet een reconstructie.

Het probleem is dat als we van de hagiografie alleen die elementen nemen waar vroegere historici, in moreel opzicht, ook mee leken te worstelen, zoals het huwelijk met Aïsja (een bron vertelt dat ze zes, zeven jaar was, daarna wordt ze steeds ouder) en met de vrouw van zijn pleegzoon, dan doen we de bronnen onrecht aan: dit is selectieve scepsis. Aan de andere kant: waarom hebben de oudere bronnen deze verhalen niet weggelaten? Ze werpen een smet op de volmaakte figuur van Mohammed, maar dan: hij was Gods gezant en hij genoot bepaalde privileges van God, die altijd aan zijn kant stond, zoals Aïsja eens niet naliet sarcastisch op te merken.

'Hij fronste en wendde zich af / toen de blinde bij hem kwam / en hoe weet u dat hij zich niet wilde reinigen? / of dat hij iets gedacht opdat gedachtenis hem tot voordeel zou zijn?' Zo wordt in soera 80 van de Koran Mohammed gerechtvaardigd dat hij zich afwendde van een behoeftige, blinde man. Wat er precies is voorgevallen is onduidelijk, omdat het verhaal van deze gebeurtenis ongetwijfeld verzonnen is om deze verzen van een context te voorzien, zoals bij vele andere onduidelijke passages in de Koran. In veel gevallen was er ongetwijfeld eerst het vers en dan pas het verhaal. Jansen geeft dit steeds aan – soms met de moed der wanhoop, want duidelijkheid scheppen is haast (een woord dat hij veelvuldig gebruikt) onmogelijk.

Dat het leven en de uitspraken van Mohammed opvallende parallellen bevatten met dat van Jezus en de Bijbel, toont hij uitvoerig aan. De heiligverklaring van Mohammed, de idee dat Mohammed de volmaaktste onder de mensen was, lijkt dan ook een imitatieve 'vernieuwing' van de moslims analoog aan Jezus. Ondanks het feit dat de Koran stelt: 'Vermaan want u bent slechts een vermaner.' Ook de vele wonderen die door de eeuwen heen aan hem zijn toegeschreven, lijken een equivalent te zijn voor Jezus' wonderen: Mohammed mocht niet achterblijven. Zo wordt hij omschreven als helderziende. Hoewel aanvankelijk werd gesteld dat het enige wonder dat Mohammed aan zijn tegenstanders kon tonen, de Koran zelf was, het enige ware woord van Gods, uit de mond van een analfabeet.

Een van die wonderen is dat hij de maan in twee liet splijten en de hoorns ervan door zijn mouwen liet gaan, vandaar dat de maansikkel het symbool zou zijn van de islam. Echter de drie oppergodinnen van voor de islam vertegenwoordigden de maan en een van hen werd aanbeden in de vorm van een stuk wit graniet. Zou het niet kunnen zijn dat die maan een heidens overblijfsel is? Nu we het toch over de pre-islam hebben: Jansen rekent gelukkig af met de heersende opvattingen over de Jaahiliyya ('Onwetendheid'), zoals de tijd voor de komst van Mohammed wordt genoemd. Die tijd moest met duisternis gevuld worden om de komst van de islam des te feller te laten stralen. (Bij de geboorte van Mohammed zou een fel licht kilometers woestijn hebben beschenen.) Zoals hij afrekent met meer aannames, zoals dat Mekka een bloeiende handelsstad zou zijn geweest vóór de komst van de islam, zoals Patricia Crone al overtuigend aantoonde in *Meccan Trade and the Rise of Islam* (1987). Het is duidelijk: Ibn Ishaq had onder meer politieke bedoelingen met zijn 'geschiedschrijving'; er was de toenmalige heersers blijkbaar veel aan gelegen om de opkomst van de islam daar te situeren, hoewel er aanwijzingen zijn dat Syrië de bakermat van Mohammed en dus de islam is. Archeologische opgravingen en ontdekkingen van nog onbekende bronnen, vooral niet-Arabische, kunnen nog veel helderheid brengen.

Gelukkig hebben we de twee boeken van Jansen. Wie de huidige, wetenschappelijke stand van zaken rondom Mohammed wil kennen, doet er goed aan zijn werk te lezen. Wie de officiële lezing wil leren kennen, doet er ook goed aan zijn werk te lezen. De traditionele sira levert af en toe mooie anekdotes op en Jansen is zich bewust van de literaire charme van sommige van deze preekverhalen. Hij is een scherpzinnige lezer; hij is de moderne, breder georiënteerde Ibn Hisham voor Ibn Ishaq.

Wat tussen de regels van zijn kritische beschouwing te lezen valt (hij meldt het nergens expliciet) is dat hij van mening is dat de Islam als een sektarische afsplitsing is begonnen van het Christendom – een opvatting die hij deelt met de reeds genoemde Christoph Luxenberg. De invloeden van het christendom op de islam zijn duidelijk, met name die van de Arianische afsplitsing, die ontkende dat Jezus de zoon is van God, want de Drie-eenheid blijft voor moslims onbegrijpelijk en een bron van spot. Het virulente monotheïsme (tawhied) lijkt echter direct aan het Jodendom ontleend. De Joden zouden de grootste vijand van Mohammed worden, die zichzelf gelijkstelde aan Mozes: beiden zouden God hebben aanschouwd. Het verhaal gaat dat enkele Joden in Mohammed de Messias zagen, totdat ze hem betrapten op het eten van kamelenvlees. Volgens Deut. 14:7 is dit verboden. Dit verhaal treffen we niet alleen aan bij Ibn Ishaq, maar ook bij Theophanes (gest. 818) in zijn *Kroniek*.

Behalve politieke drijfveren, had Ibn Ishaq ook theologische en juridische doelstellingen. Ondanks de bekende woorden van Mohammed: 'Vandaag heb ik uw religie voor u vervolmaakt...' is het ongeloofwaardig dat de islam bij de dood van de profeet (de consensus is het jaar 632) al een duidelijk profiel had. Sterker nog: gezien de recente turbulenties zowel in islamitische landen als in Europa, kan men stellen dat de islam nog steeds in worsteling is met zijn imago en essentie.

Nu is de Koran niet een mirakel van structuur en chronologie; vele passages zijn onduidelijk; af en toe lijkt het boek een aaneenrijging van losse fragmenten. Alleen door het vrijgeven of de ontdekking van afwijkende Koranredacties (we weten dat ze bestaan), kunnen we hopen dat de Koran wat meer van zijn geheimen prijsgeeft.

Zoals al gezegd hebben we nu Hans Jansen; zijn grootste verdienste is zijn helderheid van stijl en inzicht in wat een brij is van historie, legende, mythen en politieke en religieuze propaganda. Het is onmogelijk te zeggen hoe en of de kennis zal voortschrijden: moslims hebben genoeg aan de mythe en zullen Jansens boeken niet verslinden, tenminste niet in positieve zin, maar daar heeft de wetenschapper niets mee te maken. Uiteindelijk is de geschiedenis van ons allemaal, anders dan Allah en Mohammed, ondanks dat laatstgenoemde gezonden zou zijn door de eerste voor de gehele mensheid. Goedschiks dan wel kwaadschiks.

Gelovigen zorgen wel voor zichzelf. Alleen scepsis en nieuwsgierigheid en twijfel brengen ons, andere stervelingen, verder. En laten we humor niet vergeten.

Kabouterkoran

Wanneer komt er eens een einde aan de onzin dat de Koran onvertaalbaar is? Het klopt dat er passages in de Koran zijn die obscuur zijn, waar exegeten over van mening verschillen of geen bevredigende oplossingen voor hebben, maar door de tekst in een brede culturele en linguïstische context te plaatsen, brengen moderne ontdekkingen ons al tot meer inzicht. In elke vertaling gaat iets verloren en daar is de Koran simpelweg geen uitzondering op.

Nu beweert Kader Abdolah in zijn 'vertaling' weer hetzelfde: 'Het is onmogelijk om de Koran te vertalen; de schoonheid van Mohammads [sic] taal gaat in dat proces verloren. Alle zinnen van de Koran zijn suggestief. Je kunt ze op verschillende manieren vertalen, en je maakt fouten.' Suggestief? Her en der. Verschillende manieren van vertalen? Vertalen is inderdaad ook keuzes maken. Op haar best is een vertaling een goede benadering, een welluidende echo; op haar glorieust een resonerend kunstwerk op zich. Elke taal heeft haar schoonheid.

Het komt op mij over alsof Abdolah hier zich alvast indekt tegen eventuele kritiek: natuurlijk zijn fouten bijna onvermijdelijk (vertalers zijn ook maar mensen), maar wat hij hierna schrijft is hoogst merkwaardig: 'Ik beken dat ik veel fouten heb gemaakt. Het kon ook niet anders. Zonder die fouten kon ik niet door.' Dit laatste begrijp ik niet: waarom kan een vertaler zijn werk alleen voortzetten als hij fouten maakt? Naar eigen zeggen heeft hij het gezaghebbende commentaar van Tabari (838-923) gebruikt – had dit werk hem niet voor fouten kunnen behoeden? Hij heeft ook vijf Nederlandse en vier Perzische vertalingen geraadpleegd: van de Perzische weet ik het niet, maar de Nederlandse vertalingen hadden hem voor ontelbare blunders kunnen behoeden.

Dit is niet het enige vreemde aan dit werk van Abdolah. Ook in het boek *De boodschapper*, die *De Koran, een vertaling* begeleidt, maakt hij vreemde capriolen. Hij schrijft dat deze roman gebaseerd is op 'historische feiten', waarmee hij onder andere doelt op de oudste *sira* ('biografie') van Mohammed door Ibn Ishaq (gest. 761), zoals overgeleverd in de redactie van Ibn Hisham (gest. 833). Denken dat dit werk louter uit 'historische feiten' bestaat is nogal naïef: niet werd het langer dan een eeuw na Mohammeds dood geschreven, het had ook ten doel de vele duistere passages in de Koran aan de hand van anekdotes en overleveringen te verduidelijken. Dat verbeelding en mythevorming daarbij nogal een grote rol speelden, moge duidelijk zijn.

En wat is er historisch aan die feiten als er in Abdolahs boek sprake is van thee, waterpijpen, aardappelen, bieten en broekzakken in het 6/7de-eeuwse Arabische schiereiland? Arabieren borgen dingen op in hun mouwen. Het moge duidelijk zijn: Abdolah heeft het Teheran van zijn jeugd in zijn hoofd als hij spreekt over het 'historische' Arabië.

En zelfs met de 'feiten' uit de *sira* neemt hij een loopje. Het teken van profeetschap wordt een halve maan op de rug, in plaats van een 'knobbel zo groot als een duivenei'; Mohammed zou eerst richting de zon hebben gebeden, hij wilde het goud van Perzië innemen om de wereld te veroveren ('als wij in Mekka aan de Perzen dachten, dachten we aan goud, mooie vrouwen, fruit, tapijten... En aan hun profeet Zarathoestra'), want: 'In vergelijking met Perzië was ons land een achterlijk oord, een zandbak.' Hier spreekt de Iraanse nationalist die de Arabieren erop wijst dat hun beschaving, inclusief eerbied voor de vrouwen, door de Perzen werd ingegeven. De joden, die rijkdommen en vruchtbare oases bezaten, dankzij hun kunde in de irrigatie, worden bij hem de clichématige, onbetrouwbare woekeraars (je ziet ze de handen wringen), die eerlijke, arme mensen bedriegen, maar gelukkig heeft Mohammed dit als jongen al door. En het is niet Allah die de pleegzoon van de profeet opdraagt van zijn vrouw te scheiden opdat hij haar kan huwen, maar de vrouw van de zoon zelf die zich aan Mohammed opdringt. Dat het incident van de beruchte 'duivelsverzen' geheel ontbreekt, mag dan ook niet verbazen.

Vreemde vergelijkingen ontbreken ook niet: 'Hij zweeg. Het was alsof je een steen in een stil meer gooide.' Me dunkt dat een steen in een stil meer juist geluid produceert.

Ozza, Lat en Manat zijn bij hem goden, terwijl zij godinnen waren; dit had hij zelfs uit zijn vertaling van de Koran kunnen opmaken, waarin zij als 'dochters' worden omschreven. Habel (dit moet zijn: Hubal) wordt ook als oppergod genoemd, terwijl hij een vruchtbaarheidsgod was, hetgeen voor mij bewijst dat hij te vaak de film *The message* (1976) van Moustapha Akkad, een hagiografie over Mohammed, heeft gekeken. De oppergod van de pre-islamitische Arabieren heette Allah, zoals een inscriptie uit 505 (dus vóór de geboorte van de profeet) bewijst en het is niet verzonnen door Mohammed, zoals Abdolah beweert; de 'la' in Allah heeft niks met *laa* (nee) te maken, als zou dat de inspiratie zijn geweest voor de belijdenis: 'Er is geen godheid dan Allah.'

De boodschapper, niet echt een roman, maar een hybride van een verhandeling, een reeks columns en verhalen, wordt verteld door ene Zeeëd ebne Sales, een samenvoeging van Zeeëd ebne Hares en Zeeëd ebne Sabet. Zeeëd ebne Sales (Thalit) betekent Zayd 'de derde'. Wie deze derde is? Een hint: zijn haar is nog zwart, maar zijn snor voor de helft grijs. De namen zouden echter Zayd ibn Harith, Zayd ibn Thabit moeten zijn, respectievelijk de geadopteerde zoon en de klerk van Mohammed. Zo schrijft hij ook Balal in plaats van Bilal: zou hij het Arabisch wel machtig zijn? Ik vermoed dat zijn kennis dan nogal gebrekkig is, al beweert hij: 'Ik heb het boek rechtstreeks uit de oorspronkelijke Arabische Koran van mijn vader vertaald.' Sluw en inspelend op ons sentiment, zoals elders in het voorwoord. Vreemdst van al vind ik dat soera *al-qaari'ah* (de ramspoed) bij hem 'Alghareto' wordt.

En waarom hét kenmerk van de Koran: 'In naam van Allah, de Barmhartige, Genadevolle' omgegoocheld tot: 'In naam van Allah./ Hij is lief./ Hij geeft./ Hij vergeeft?' Onder de zogenoemde schone namen van Allah komen de 'gever' (*al-wahhaab*) en de 'vergever' (*al-ghafoer*) al voor en waar ze in de soera's staan, laat Abdolah de zinnen gewoon weg. En 'lief' zou nog te vergoelijken zijn als er *al-wadoed* (de liefhebbende) stond, maar dat staat er niet. Zo weinig eerbied voor semantiek is stuitend.

Wat moet ik verder zeggen over de vertaling? Hij heeft de volgorde van de soera's veranderd, een niet zo ingrijpende daad als hij ons wil doen geloven: in de 19de eeuw had Rodwell in zijn Engelse vertaling (1861) de volgorde van de soera's al aangepast, op basis van Nöldeke's *Geschichte des Qorâns* (1859), om de chaos van de Koranvolgorde te ordenen. Abdolah hanteert een andere volgorde. Zijn keuze om herhalingen te schrappen is vreemd: in *De boodschapper* is hij niet afkerig van herhalingen; de inleidende stukjes bij zijn soera's bevatten veel herhalingen uit dit deel, vol elementen uit het volksgeloof. Deze herhalingen waren niet noodzakelijk voor een analfabetisch publiek, zoals hij stelt, maar een stijlfiguur (epimone), een kenmerk van een litanie en sacrale teksten. En veel wat hij weglaat, heeft niks met herhalingen te maken. Er valt geen enkel peil op zijn schraplust te trekken. Deze bewerking is onderhevig aan de nukken van Abdolah: wat hij niet begrijpt, verwijdert hij en hij voegt om onverklaarbare redenen dingen toe. Na lezing van zijn versie snakte ik naar de chaos van de oorspronkelijke tekst.

Waarom een soera 115 toegevoegd, die gewoon een herhaling is van Mohammeds sterfscène uit *De boodschapper*? Een hint: de Koran is door God via Gabriël aan Mohammed geopenbaard. Als Mohammed dood is, kunnen er dus geen openbaringen meer zijn. Wie heeft deze soera dan ontvangen? Hier toomt Abdolah zijn megalomanie, typografisch gesproken, in: hij drukt soera 115 cursief af.

Wat heeft Abdolah bezield, behalve eerzucht? In elk geval verdient het Nederlands beter dan deze rots in een woelig meer; deze chaos op chaos.

Monster in zomergetij

Eerst enige woorden over het feit dat juist uitgerekend ik hier sta om een avond over soefisme in te luiden. Ik heb mij wel degelijk in het soefisme verdiept, in mijn jonge jaren toen ik in de islam naar God zocht. De rigiditeit en de orthodoxie konden mij niet bekoren en ik hoopte via het soefisme tot een persoonlijke God te komen. Sympathiek vond ik de weg die soefis zochten om buiten die orthodoxie te zoeken naar een begrip van God, een individuele beleving van God. De orthodoxe islam is altijd fel tegen zulke manische godsbeleving geweest. *Lá rahbániyyah fí 'd-dín*, zou Mohammed hebben gezegd, geen kluizenarij en geen monnikendom in de islam. Die individuele benadering stond mij wel aan, evenals de idee van extase, letterlijk buiten jezelf treden om zo een eenheid met God te vinden – of enthousiasme in de etymologische betekenis, namelijk bezeten worden door een god. Groter werd mijn sympathie toen ik ontdekte dat verschillende latere soefi-ordes gebruikmaakten van middelen om die extase te bereiken, aanvankelijk was het koffie die heilig was voor de derwisjen – een woord uit het Perzisch dat een armoedeling betekent, omdat zij alle aardse zaken afzworen -, maar hasj en opium namen die rol over.

De symboliek die in de Arabische soefi-poëzie werd gehanteerd, werd ontleend aan liefdes- en wijngedichten. De Geliefde was God, de wijn was de geest van God, zoals een soefi zong: *sharibna 'alá dhikri 'l-habíbi mudámatan / sakirna bihá min qabli an yukhlaqa 'l-karmu –* Wij dronken op de gedachtenis aan de Geliefde een wijn, waarvan wij dronken raakten voordat de wingerd in bloei stond. Dhikr, hier als gedachtenis vertaald, is ook het herhalen van de naam God. Dit werd gedaan om in een trance te raken. Ik was teleurgesteld, niet alleen omdat symbolen je niet dichterbij brengen tot een begrip van godheid of het goddelijke in de mens, maar ook omdat ik bemerkte dat je met elk tot waanzin herhaalde woord in een trance brengt, of dat woord nu God is of, wat zullen we zeggen, grot, lot, bot enzovoort. En wijn blijk een roes teweeg te brengen zonder dat je jezelf het schuim op de lippen moest prevelen.

De vraag was en is: door in trance te geraken, betreed je dan een andere dimensie, of activeer je een bewustzijn dat gewoonlijk onbenut blijft? Ondertussen weten we meer, maar nog niet alles over de hersenen, wel is er een plek in de hersenen gevonden die geactiveerd raakt bij mensen die in een religieuze trance raken. Dezelfde hersendelen worden ook door verdovende middelen geactiveerd – en bij verliefdheid. Het verlies van het ego bij trances is makkelijk te simuleren via narcotica.

Wat mij wel boeide en nog steeds boeit niet zozeer aan de soefische stroming als geheel, maar bij individuele soefi's is de worsteling om te ontkomen aan de gevestigde orthodoxie en consensus om tot een eigen allerindividueelste invulling te komen van wat God is. Deze sympathie voor het individu gaat samen met afkeer van de genadeloosheid van de orthodoxie. De beste en meest afschuwelijke illustratie hiervoor is de soefische dichter al-Hallaadj.

Mijn drinkgenoot – geen
Onrechtvaardigheid kent Hij
Zoals een gast een gast
Zo noodde en begroette Hij mij
De beker ging rond
En om bloeddoek en zwaard vroeg Hij
Zo vergaat het wie wijn
Drinkt met het Monster in zomergetij

Hij werd in 857/58 geboren. Hij kwam oorspronkelijk uit Khorasan, maar heeft heel wat afgereisd op het Arabische schiereiland en het voormalige Perzische rijk. Anders dan je zou verwachten bij mystici was hij gewoon getrouwd. Hij verbleef vaak in Mekka. Er werden verschillende wonderen aan hem toegedicht, hij zou magische krachten hebben gehad: zo zou hij wintervruchten tevoorschijn halen in de zomer en zomervruchten in de winter, hij kon de gedachten van mensen lezen. Hoogstwaarschijnlijk was hij een illusionist of een goochelaar: hij plukte munten uit de hemel, zo staat het in de bronnen, maar de gedachte aan de goocheltrucs met verdwijnende en verschijnende munten doet hier toch heel erg sterk aan. Ook vertelde een bediende van hem dat hij een keer bij hem naar binnen liep in zijn cel en zag dat hij de hele ruimte had gevuld: zijn hele lichaam had zich over de ruimte verspreid.

Het is moeilijk om feiten en mythen hier uit elkaar te halen. Veel van wat er over hem wordt verteld, lijkt in het licht van zijn gruwelijke einde aangepast of verzonnen te zijn. Zo zou hij de hele tijd hebben voorspeld hoe hij zou worden geëxecuteerd.

Zijn soefisme komt op het volgende neer. Hij geloofde in de eenheid van de schepping, *wahdatoe 'l-woejoed*, hetgeen neerkomt op een existentieel monisme, dat wil zeggen dat alle levensvormen te herleiden zijn tot een verschijnsel en dat ene verschijnsel is uiteraard God. De menselijke geest was voor hem niet een schepping van God, maar een emanatie daarvan, dat wil zeggen een uitvloeiing van de Godheid. De mens kon via eenwording, al-ittihaad, met God de leegte opvullen. God manifesteert zich in liefde, al-ishq. Deze eenwording is niet een eenwording van substantie; God incarneert in de mens als een liefhebbende Gast. En het menselijke ego, het menselijke 'ik' wordt door de goddelijkheid bezeten, dit is de *hoeloel*, de verketterde incarnatie van de god in de mens. Het ego, het ik is een empirische ik, alleen te ondervinden tijdens een ervaring van die eenwording. Wanneer men één is met God ervaart men het goddelijke dat in de menselijke geest een uitvloeiing is van God en niet geschapen. De liefde is alomtegenwoordig en de gelijkstelling van Liefde en God is niet iets wat men tegenkomt in de orthodoxe islam.

Bent u er nog?

Ik zal het illustreren aan de hand van zijn beroemdste gedicht:

Ik ben wie ik bemin en wie ik bemin is mij
Wij zijn twee geesten in een lichaam
Als je mij ziet dan zie je hem
En als je hem ziet zie je ons te saam

Hij beweerde die eenheid bereikt te hebben, vandaar zijn jubelende en beroemde uitspraken: Ik ben de Waarheid! En: In dit gewaad is niemand behalve God.

Hier zijn enkele uitspraken van hem:

God, U openbaart zich in elke hoek en U bent onafhankelijk van elke hoek. Zoals mijn menselijkheid vernietigd wordt in uw goddelijkheid en zich er niet mee kan vermengen, zo heerst uw goddelijkheid over mijn menselijkheid zonder haar aan te raken. Een punt is de oorsprong van elke lijn en een lijn bestaat uit een verzameling punten, de lijn kan dus niet zonder punt, noch een punt zonder lijn. En of een lijn recht is of krom, hij beweegt zich altijd voort vanuit datzelfde punt. En alles wat een mens ziet is een punt tussen twee punten. Dit is het bewijs dat de openbaring van de Waarheid, dat wil zeggen God, in alles wat zichtbaar is. En daarom heb ik gezegd: In alles wat ik zie, zie ik God.

O hij is ik en ik ben hij, er is geen verschil tussen mijn 'ik ben'en uw
'Hij is' behalve ouderdom en jongheid.

De lichten van het licht van het licht heeft in de schepping vele lichten
En het geheim kent in het geheim van de geheimbewaarders vele
geheimen
Het bestaan kent onder de bestaande wezens een vormelijk bestaan
Waarin mijn hart zich verbergt en dat het leidt en dat het verkiest
Beschouw met het oog van het verstand wat ik beschrijf
Want het verstand kent bewustzijnsvolle oren en ogen'

Over de eenheid van de schepping. Hij hoorde iemand een Jood voor
hond uitschelden. Hij keek hem boos aan en zei: 'Blaf niet tegen je hond.
Alle religies behoren aan God toe. Hij heeft elke groep een eigen religie
toegewezen, waarbij zij geen keuze hadden, omdat Hij voor ze koos. Wie
een ander verwijt dat hij in ijdelheid gelooft, beoordeelt de ander als zou
hij uit vrije wil gekozen hebben. Weet dat het Jodendom, het christendom, de islam en andere religies verschillende benamingen en termen
zijn voor een en hetzelfde doel, dat onveranderlijk is.

De man die deze verlichte woorden uitsprak werd verketterd en ter dood
gebracht. Dit ging als volgt. Eerst kreeg hij duizend zweepslagen, toen
werd hij gekruisigd, daarna werden zijn handen en voeten één voor één
afgehakt, daarna zijn hoofd. Het lichaam werd verbrand en de as in de Ti-
gris verstrooid. Het hoofd werd in Bagdad op een brug gezet en later naar
Khorasan gestuurd, waar hij vandaan kwam. De legende wil dat zijn
bloed op de grond de woorden ana 'l haqq vormde, ik ben de waarheid.

Het verbond van profeetschap is een lantaarn van licht
Opgehangen door openbaring in de nis van het hart
Bij God! De adem van de Geest blaast in mijn hart
Voor mijn inspiratie zoals Israfil in de bazuin ademt
Wanneer Hij zich openbaart op mijn berg om mij te spreken
Zie ik in mijn bewusteloosheid Mozes op de berg

Oriëntalisme

De gelukkige dagen dat Arabia Felix, het geurige Oosten als een oord van
erotiek en magie werd beschouwd, zijn definitief voorbij. De Europeanen
van de negentiende eeuw die naar de Oriënt reisden om daar beschaving
te brengen en seksuele lessen en toverformules mee terug te nemen hadden een wonderlijk beeld van het Morgenland. Dat was gebaseerd op de
sprookjes en vertellingen van de 1001 nacht, die vanaf 1704 door Antoine
Galland (1646-1715) elegant in het Frans werden bewerkt en het Avond-
land veroverden. Je zou dit jaartal, 1704, als de geboorte van de Arabische
wereld in het Westen kunnen beschouwen, ware het niet dat het Oosten
al ruim drie eeuwen eerder door John Mandeville in zijn *Reizen* als een
wonderbaarlijk oord was gepresenteerd. Deze reisverhalen zijn een curieuze combinatie van informatie en fantasie. Mandeville verzint bijvoorbeeld zijn eigen Arabische alfabet (almoy, bethat, cathi...) en maakt van
Mohammed (Machomet genoemd door hem) een epileptische prins van
Corodan (Cordoba of Khorasan). Daarnaast vertelt hij iets nauwkeuriger
over de 'Mysap' (een verbastering van 'mishaf', boek, Koran) en de beschrijvingen daarin van het paradijs met tien (of tachtig, hij wist het ook
niet precies) schone odalisken.

Feitelijke accuratesse doet er hier niet toe. Wie Mandeville leest om
iets over exotische oorden te leren, kan net zo goed naar de Noordpool
reizen om iets te leren over de Kerstman. Er zijn meer voorbeelden, zoals
Piers Plowman van William Langland (15de eeuw), *Canterbury Tales* van
Chaucer (14de eeuw) en Dante en Boccaccio.

Uiteraard was het de onwetendheid over die gebieden die de verbeelding voedde, maar belangrijker is dat zij ook de nieuwsgierigheid wekte.
Verder zou het tijdperk van de rede een behoefte hebben gecreëerd naar
het bovennatuurlijke, naar fantastisch escapisme. En verder boden de
verhalen ook een beeld waaraan men de eigen zeden en gewoonten kon
spiegelen. Schreef Montaigne niet al een essay over de kannibalen zonder
ooit een kannibaal te hebben gezien, waarin hij hun antropofagie recht-
vaardigde (de eucharistie is niet minder weerzinwekkend dan het eten

van lijken) – een cultuurrelativistische visie avant la lettre? Nieuwsgierigheid leidt ook tot zelfreflectie.

Deze mannen in retrospectie betichten van islamofobie of van oriëntalisme is zottigheid ten top. Ik gebruik hier de term oriëntalisme zoals die bezoedeld is door overschatte Edward Saïd (1939-2003) in zijn gelijknamige boek. Saïd, de vergelijkende literatuurwetenschapper, was geen historicus (het boek bevat vele historische blunders), noch een georganiseerd denker, laat staan een groot denker; hij was een gemankeerde politicoloog en dit boek, dat een eerbiedwaardige en nobele tak van de wetenschap, oriëntalisme, heeft geschaad is een galspuw van een gedesillusioneerde man – gedesillusioneerd door de Zesdaagse Oorlog en door een geloof in de grootheid van een Arabische wereld die een fata morgana bleek te zijn. Waarvoor – hoe kon het ook anders – het Westen verantwoordelijk was. Dit verklaart zijn heiligverklaring: het Westen was in het reine aan het komen met zijn koloniaal verleden (de excuses waren niet van de lucht) en de oosterlingen zochten een zondebok voor het eigen falen.

Saïd zag in de oriëntalisten wegbereiders voor en collaborateurs van het westers imperialisme (vreemd dat het islamitisch imperialisme nooit zo heftig bekritiseerd is). Dat er oprechte interesse was in de archeologische, culturele, linguïstische, antropologische, sociologische aspecten van het oosten kon hij zich simpelweg niet voorstellen. Er moest wel een geopolitieke grondslag zijn. Opvallend is ook dat hij de grote Joodse oriëntalisten (die een Semitische eenheid zochten in de verwantschap tussen Joden en Arabieren) buiten beschouwing laat en de blunder begaat een van de voornaamste onder hen, Ignaz Godziher (1850-1921), als Duitser te bestempelen, terwijl hij een Hongaar was.

Zijn verbeelding is even dor als zijn stijl. Wat dit betreft vertoont hij hetzelfde gebrek aan nieuwsgierigheid naar het 'andere' als de Arabieren vóór hem, die slechts geïnteresseerd waren in gebieden als te veroveren buit. Als de uitkering niet was ontdekt in Europa, was de huidige nieuwsgierigheid van Arabieren ernaar nooit gewekt. Er is een verschil tussen wetenschappelijke nieuwsgierigheid en expansiedrift.

De negentiende-eeuwse antropologen Edward Lane (1801-1876) en Richard Burton (1821-1890) publiceerden beiden een empirische visie op de Oriënt, naast een eigen versie van de 1001 nacht (Lane werkte ook nog aan het helaas onvoltooide en onontbeerlijke *Arabic-English Lexicon*). De nog steeds boeiende Lane belicht verschillende aspecten in zijn boeken *An Account of the Manners and Customs of the Modern Egyptians* en *Arab Society in the Time of The Thousand and One Nights* van de Arabische wereld zoals hij die ervoer en zoals hij deze in Arabische bronnen aantrof – hij citeert uit boeken die nog slechts als manuscript beschikbaar waren. Zijn grote interesse betrof magie, maar hij raakte geschokt door de volgens hem *abominabele scenes* van de *ladies* aldaar. Hij, de Victoriaan, vond de Arabische vrouw te vrij en bandeloos en dit is bijzonder ironisch gezien de huidige tijd, waarin vrouwen in een bepaald niet nader te noemen land de schuld krijgen voor het veroorzaken van aardbevingen omdat ze te luchtig gekleed zouden gaan, dat wil zeggen niet ingepakt als een postzak.

Burton bezocht, vermomd als een Indiase moslim (inclusief besnijdenis), Mekka en Medina tijdens de jaarlijkse pelgrimstocht om een nauwkeurige beschrijving te geven van de rituelen en heiligdommen. In het begin van zijn relaas *A Personal Narrative of a Pilgrimage to Al-Madinah and Meccah* geeft hij de volgende beschrijving van de Arabier:

And this is the Arab's Kayf. The savouring of animal existence ; the passive enjoyment of mere sense ; the pleasant languor, the dreamy tranquillity, the airy castle-building, which in Asia stand in lieu of the vigorous, intensive, passionate life of Europe. It is the result of a lively, impressible, excitable nature, and exquisite sensibility of nerve; it argues a facility for voluptuousness unknown to northern regions, where happiness is placed in the exertion of mental and physical powers; where Ernst ist das Leben; where niggard earth commands ceaseless sweat of face, and damp chill air demands perpetual excitement, exercise, or change, or adventure, or dissipation, for want of something better. In the East, man wants but rest and shade : upon the banks of a bubbling stream, or under the cool shelter of a perfumed tree, he is perfectly happy, smoking a pipe, or sipping a cup of coffee, or drinking a glass of sherbet, but above all things deranging body and mind as little as possible; the trouble of conversations, the displeasures of memory, and the vanity of thought being the most unpleasant interruptions to his Kayf. No wonder that "Kayf" is a word untranslatable in our mother-tongue!

Hij ging ook voor de seks en kwam goed aan zijn trekken. Hij was zo onder de indruk van de seksuele behendigheid van de oosterse vrouwen (alleen prostituees natuurlijk) en van de erotologische verhandelingen, waarvan hij er twee vertaalde, dat hij ervoor pleitte seksuele lessen voor Engelse jongens op school te introduceren om ze te leren hoe een vrouw te bevredigen. Een nobel streven, niet? Zoals hij schreef: 'Wij hebben de beste vrouwen van de wereld, maar we weten niet hoe we ze moeten gebruiken.'

De titaan Burton (die ik hogelijk bewonder) was bevriend met de masochistische dichter Algernon Swinburne (1837-1909), die ik eveneens bewonder (vermeldenswaard is dat hij Markies de Sades *De 120 dagen van Sodom* het meest grappige boek vond dat hij ooit las: 'Ik kon niet stoppen met lachen!'). Het moet een genoegen zijn geweest om Burton met robuuste humor te horen vertellen over de fellahs, Egyptische boeren, die aan de Nijl seks hadden met wijfjeskrokodillen. Of het waar is – wat ik betwijfel – doet er niet toe.

Zulke onderwerpen beperkten zich niet alleen tot besmuikte gesprekken van Victoriaanse heren. In de 20ste eeuw vermeldde Paul Bowles, een Amerikaanse schrijver die in Marokko bleef nadat hij verliefd was geworden op de stilte van de woestijn (de cannabis en knaapjes hebben zeker ook meegespeeld), in zijn autobiografie dat hij in Marrakech een man in een geit heeft zien veranderen. De geit is overigens een zinnebeeld voor wellust. En Martin Scorsese gebruikte in *The Last Temptation of Christ* Marokko als een achtergrond van barbarij, bloed en seks – en het werkt wonderwel, omdat de islam ontegenzeggelijk heidense trekken heeft, denk aan de rondgang om een stenen kubus en het stenigen van de duivel in de vorm van een pilaar (die mij doet denken aan de monoliet uit *Space Odyssee: 2001* van Stanley Kubrick).

De overgang van een oord van magie en erotiek en wonderen naar een oord van fanatisme, terrorisme en onderdrukking is een overgang die te betreuren valt. Als ik een Arabier was dan wist ik het wel.

En nu het Oosten naar ons toekomt, wat brengt het ons? Ik heb hier slechts luttele voorbeelden genoemd van een bijzonder rijke en onontbeerlijke schat aan informatie en literatuur over en van de Arabische wereld, die dankzij het Westen is opgegraven. Zonder de inspanningen van deze westerse wetenschappers zou zelfs de Arabische wereld haar eigen geschiedenis en culturele erfgoed niet kennen en ik overdrijf niet. Als Napoleon Egypte niet in 1798 was binnengevallen, dan had het nog langer geduurd voordat de Arabische wereld de drukpers had ontdekt.

Het enige wat het Oosten ons nu brengt, op een monomanische en nietsontziende manier, is een fenomeen dat we kunnen missen als een natuurramp: de islam. (Vergelijk dit met de regenbogen van de oriëntalistiek.) In de vorm van moskeeën en iftars en congressen en haat en megafoongeschreeuw en gedreig en geweld en agressie en een verlangen naar de sharia en... (verder zelf invullen). De islam denkt een eindfase te zijn die een ethisch reveil in het Westen kan teweegbrengen. De islam is echter een wankel stadium tot een ethisch en cultureel reveil dat het Westen allang heeft doorgemaakt en achter zich heeft gelaten. En als de islam – o

nachtmerrie – het eindstation is, dan zou ik zeggen: *sauve qui peut!*
De Zweedse cartoonist Vilks werd aangevallen en een van de schreeuwende moslims riep: 'Dit is ook ons land!' Dit is precies de bezettingsreflex die moslims de Israëli's kwalijk nemen. Moslims maken een gastvrij land niet het hof; zij annexeren het. Wanneer is een land van een bepaald bevolkingsdeel? Als het generaties lang een opbouwende bijdrage levert, een economische groei, een verbreding van de einders. Wanneer de wortels endemisch zijn geworden en niet overgeplant. En waarom voelt het pas als een eigen land wanneer er stennis kan worden geschopt?

Het dieptepunt is bereikt met het voornemen twee moskeeën te planten bij Ground Zero. Dit laatste moet beschouwd worden als een 'handreiking' van 'gematigde moslims' naar Amerika. De enige handreiking zou zijn om van de plannen af te zien en begrip te tonen voor de grieven van de tegenstanders, maar daar is de islam nooit goed in geweest en dit halsstarrige gebrek aan empathie is onmenselijk. Dit is geen handreiking: dit zijn twee triomfantelijk opgeheven middelvingers. En wie overtuigd raakt van de 'goede bedoelingen' van dit gedrochtelijke voornemen, laat zich ook erdoor in de ogen prikken. Waarom wil het Westen maar niet leren van alle dolkstoten in de rug?
Anders weigeren we maar de uitgereikte hand, want ik durf te wedden dat het de linkerhand is en we weten waar moslims die hand voor gebruiken.

Na de moord op Theo van Gogh

Kunt u zich Al-Sahaf nog herinneren? Hij was de minister van informatie van Irak toen Amerika dat land binnenviel. Hoewel de helikopters en ontploffingen duidelijk hoorbaar waren buiten de plaats waar hij zijn persconferenties in Bagdad gaf, bleef hij volhouden dat de Amerikanen de stad nog niet hadden veroverd. Nee, sprak hij: *they are lost in the desert.* Ik moet veel aan hem denken de laatste dagen. Het moslimfundamentalisme heeft al in de jaren tachtig van de vorige eeuw wortel geschoten in Nederland: uitspraken van een imam, die in eigen land een preekverbod opgelegd had gekregen, over de positie van Europeanen binnen de hiërarchie van de veestapel weergalmden in televisiestudio's en waren te lezen in zijn vertaalde preken, de radicalisering onder jonge Marokkaanse moslims werd allengs zichtbaar, de woede om uitspraken en standpunten van Ayaan Hirsi Ali veranderde in regelrechte bloeddorst, en nu is regisseur Theo van Gogh vermoord, niet alleen omdat hij de korte film *Submission Part I* regisseerde, naar een scenario van Ayaan Hirsi Ali, maar ook omdat hij te ver zou zijn doorgeschoten in zijn beledigingen jegens de moslims die hij consequent omschreef als 'caprafutuanten', dat wil zeggen, mannen die geslachtsverkeer hebben met het herkauwende zoogdier dat tot de familie van het hoornvee behoort en gekenmerkt wordt door naar achter gekromde horens en dat als tam huisdier over de gehele wereld verspreid is.

De reacties van verschillende autochtone intellectuelen waren te voorzien. Want zo'n onoverkomelijk obstakel als gewetensbevraging en introspectie onder vele moslims lijken, zo exhibitionistisch bleek de bereidheid tot zelfbevraging en zelfkastijding van Nederlandse kant. Ik hoorde iemand zeggen dat Nederland behoefte heeft aan een sterk moreel leiderschap, alsof moord onder welke omstandigheid dan ook, zelfs in een hedonistische consumptiemaatschappij, die Nederland heet te zijn, niet altijd immoreel is.

Er was impliciet begrip voor de moord, omdat de dader het product zou zijn van de 'alles-moet-kunnenmentaliteit' die in Nederland heerst, hoewel ik mij niet kan herinneren dat moord ooit toegestaan was in Nederland. En dat in andere landen in Europa zoiets niet is voorgekomen, lijkt mij onhoudbaar: zijn we de affaire Salman Rushdie vergeten? En de aanslag in Madrid? De doelen die Samir A., een vriend van Mohammed B., voor ogen had, waren geen individuen, maar gebouwen. Een moord op een bekende persoonlijkheid is alleen zo intiem, maar het doet niets af aan de beginselen waarop de daad gepleegd is.

De vrijheid van meningsuiting werd bevraagd. Dit was niets nieuws. Toen de opvoering van de opera *Aïsja* (over de laatste en piepjonge bruid van de profeet Mohammed) in Nederland werd tegengehouden, sprak een PvdA-raadslid, ik geloof dat het Fatima Elatik was, maar ik weet het niet zeker, want door de hoofddoek lijken alle behoofddoekte vrouwen op elkaar, dat de vrijheid van meningsuiting in Nederland 'te ver was doorgeschoten'. Maar niet te ver blijkbaar om zo'n uitspraak te doen.

De vrijheid waar het hier echter om gaat is niet de vrijheid van meningsuiting in het algemeen (waaronder ook de vrijheid van bespotten valt), maar de specifieke vrijheid om een specifieke godsdienst te bekritiseren en/of te schofferen. En hoe zit het met kwetsen en beledigen? Gezien de reacties van verschillende moslimorganisaties die de daad hebben veroordeeld en andere islamitische groeperingen (onder andere die van de moslimsite alqalem.nl) die deze veroordeling als lafheid hebben afgedaan, bestaan 'de' islam en 'de' moslim dus niet: het zijn abstracties en het is onmogelijk om abstracties te kwetsen of te beledigen.

Er werd de vraag gesteld of de beschimpingen van Theo van Gogh wel constructief waren voor het openbaar debat en of ze wel iets bijdroegen aan de dialoog. Moet ik hieruit dan afleiden dat wanneer men de islam gebruikt als onderwerp voor kritiek of spot dit alleen mag gebeuren onder voorwaarde dat het de dialoog bevordert? Wat als iemand kiest voor een monoloog? En beschimpen is iets anders dan dreigen en moorden – en dreigementen en moord waren de echo's die Van Goghs spotternij opriep.

Er werd nadruk gelegd op het feit dat de dader zowel de Marokkaanse als Nederlandse nationaliteit heeft. Dit verbaasde mij omdat het een vanzelfsprekendheid is dat een Marokkaan die een Nederlands paspoort aanvraagt, niet in staat is zijn Marokkaanse in te leveren. Dit is helaas altijd zo geweest. Marokko staat zijn vroegere onderdanen en hun nakomelingen niet toe hun Marokkaanse nationaliteit op te geven en Nederland heeft daarmee lang geleden ingestemd.

Dorien Pessers, publicist en hoogleraar recht, verkondigde de stelling dat mensen die zo hechten aan eer op een eervolle manier bejegend of toegesproken dienen te worden. Pardon? Sinds wanneer bepaalt één partij de toon van het discours? Waar blijft dan het recht van de eerloze? Ze ging nog verder en sprak dat ze al twintig jaar islamitische studenten heeft en dat 'wij' nog veel kunnen leren van hun inzet en vitaliteit. Gossie, het zijn schatjes. Ik huiver en intussen betreurt Theo van Gogh zijn inertie en mortaliteit. Hij had beter moeten opletten.

Verder werden Theo van Goghs carrière en karakter onder de loep genomen en herdacht, maar vooral ook geanalyseerd: huldebetuiging kan ik begrijpen, maar ik kon mij niet aan de indruk onttrekken dat hij, nu hij toch op straat had gelegen, maar meteen op de psychiaterbank werd gelegd. In dit geval loont het niet om aan de hand van het profiel van het slachtoffer de dader te kunnen profileren. Uitdagende kleding is niet de oorzaak van verkrachting.

Noch hoeft Theo van Gogh heilig te worden verklaard, of als martelaar van het vrije woord beschouwd. In de context van de afslachting blijkt hoe onschuldig in feite de uitlatingen van Van Gogh waren – wie wordt liever niet verdoofd door woorden dan door een doeltreffend pistoolschot? En wat het martelaarschap betreft: niemand moet sterven voor het vrije woord, iedereen moet er voor leven.

Verklaringen en oorzaken te over: de Nederlandse samenleving is verruwd en verhard. Maar de islam had niet Nederland nodig om te verruwen en te verharden, er is geen sprake van een causaal verband. Alleen heeft de verruwde en verharde islam in Nederland een vrijplaats gevonden, die hij in veel Arabische landen langtijds nauwelijks kon vinden. Het is een gotspe te denken dat Nederland, of Ayaan Hirsi Ali, of Theo van Gogh verantwoordelijk is voor de radicalisering van de islam. Het is niet de schuld van vruchtbare grond dat hij onkruid voortbrengt – of, zoals een Marokkaans spreekwoord luidt: 'Een roos brengt doorns voort.'

Kritische geesten worden in islamitische landen altijd bestraft en zulke landen hebben daar geen Theo ibn Khokh voor nodig. En in de banlieue van Parijs waar de Noord-Afrikaanse jeugd radicaliseert, hebben ze ook geen Irsi Ali.

Maar waarom denk ik aan Al-Sahaf? Terwijl een islamitische school, kerken en moskeeën doelwit zijn van al dan niet ernstige aanslagen, terwijl islamitische websites de Nederlandse samenleving dreigen met aanslagen en zich distantiëren van laffe moslims die een 'hemelsbrede knieval'(sic) doen naar de ongelovigen en ontkennen dat terrorisme een essentieel onderdeel vormt van de islam, twisten onze politici over woordgebruik. Gerrit Zalm verklaarde de oorlog aan het moslimextremisme. Jan-Peter

Balkenende opteerde voor het gebruik van het woord strijd en niet oorlog. Het gebruik van *le mot juste* schijnt een heuse schisma in de politiek te hebben veroorzaakt.

They are lost in the desert.

En buigen het hoofd voor religieuze criminaliteit.

Alles is blijkbaar beter dan onder ogen te zien dat het islamitisch extremisme vaste voet aan de grond heeft gekregen in Nederland en dat dit niet de schuld van Nederland is, maar een bewijs van de kracht en macht van dit wereldwijd verbreide fenomeen. Wil Nederland tot de wereld behoren of niet?

Is er wel sprake van extremisme wanneer een bespotter van de islam en een afvallige respectievelijk vermoord en bedreigd worden? Het lijdt voor mij geen twijfel dat de moord een signaal was aan Hirsi Ali. De brief op zijn lichaam geprikt was geen toespeling op de film *Submission Part I*, waarin halfnaakte vrouwen de littekens droegen van zweepslagen en Koranteksten met betrekking tot de vrouwen, waaronder het vers dat handelt over de onreinheid van de menstruerende vrouw. De brief was gericht aan Hirsi Ali, maar de werkelijke boodschap aan haar was het lijk van Van Gogh. Het bloed vormde de tekst – de brief was een toelichting.

Over afvalligheid en beschimping van de islam is de Koran op verschillende plaatsen duidelijk. Er staat geen doodstraf op. Enkele citaten: 'Het is jullie geopenbaard in het boek dat wanneer jullie horen dat de verzen van Allah verloochend of bespot worden, dat jullie niet tussen die mensen moeten zitten, totdat zij een ander gesprek beginnen, anders zijn jullie zoals zij. Allah zal de huichelaars en de ongelovigen allen verenigen in gehenna.'[4:140]

'Wees niet bedroefd door degenen die al te voortvarend zijn in hun ongeloof, want zij schaden Allah geenszins. Allah wil hen geen voorspoed geven in het hiernamaals, maar een machtige straf.'[3:176]

De afvallige en bespotter zullen dus alleen in het hiernamaals gestraft worden. Ik haal deze fragmenten niet aan om te bewijzen dat extremisten de Koran fout interpreteren, in mijn optie zijn deze verzen slechts troostwoorden die Mohammed sprak om zich te sterken in zijn strijd (of moet ik zeggen oorlog?). Waar het om gaat is dat men niet in de Koran op zoek moet gaan naar antwoorden of verklaringen, indien men die zoekt. De islam is meer dan dit boek alleen.

In de islamitische jurisprudentie is er wel unanimiteit wat betreft de doodstraf voor afvalligheid, wanneer het gaat om een mannelijke, volwassen, wilsbekwame apostaat die niet onder dwang heeft gehandeld. Over de vrouw is het recht verdeeld, een minderheid opteert voor gevangenschap tot zij zich weer tot de islam bekeert – de meerderheid is voor de doodstraf. In de Hadith wordt wel melding gemaakt van de doodstraf voor bespotting. Mohammed zou hebben gezegd: 'Vermoord alwie van zijn religie verandert.' Een andere overlevering vermeldt dat het volgens hem geoorloofd was het bloed te vergieten van iemand die 'zijn religie verlaat en zich afsnijdt van zijn gemeenschap'. En zelf heeft hij, toen hij de zege in Mekka al had behaald, een afvallige man vermoord, plus een van zijn twee zangslavinnen die Mohammed in hun liederen bespotten. De andere wist te ontsnappen. Dit is allemaal te vinden in de oudste biografie over Mohammed onder het hoofdstuk: 'De personen die op bevel van Mohammed ter dood werden gebracht.'

Zo bezien was de moord niet een extremistische, maar een orthodoxe daad. Het extremisme zit hem in de toepassing van het islamitisch recht in een niet-islamitisch land. Een vorm van religieuze bezetting. Als we zouden inbinden en de raad van Pessers opvolgen om 'eervol' om te gaan met eergevoelige mensen, dan zouden wij een verwerpelijk onderdeel van het islamitisch recht in Nederland erkennen. Dit leidt tot totalitair fatsoen, maar er bestaat geen fatsoen zonder oneerbiedigheid.

En Ayaan Hirsi Ali belichaamt die oneerbiedigheid in zijn meest perverse vorm: niet alleen is ze afvallig, maar, erger nog, zij is een vrouw. Het islamitisch extremisme is een agressief masculiene beweging. Het zoekt de patriarchale samenleving weer te herinstalleren in het Westen. In *Tegenlicht* benadrukte Mansour Jachimczyk, compaan van de Tsjetsjeense moslimextremist Kozh-Ahmed Noukhaev (door Tsjetsjenen als een vrijheidsstrijder beschouwd), het belang van de patriarchale samenleving.

Ik hoef niet te herinneren aan de behandeling van vrouwen onder het Taliban-bewind. Ik hoef niet te herinneren aan de meisjes die men belette een brandende school in Saoedie-Arabië te ontvluchten omdat zij ongesluierd waren. Ik hoef niet te wijzen op het buitenland, want Nederland biedt genoeg voorbeelden. Tijdens de demonstratie van Marokkaanse moslims tegen geweld in Den Haag was geen enkele vrouw te bekennen.

Het is de aanwezigheid van de westerse vrouw in het openbare leven dat volgens Alain Finkielkraut de essentiële reden is voor de woede van radicaliserende moslimjongeren in Franse voorsteden. De Marokkaanse jongerensite elqalem.nl komt met een manifest waarin niet alleen gesteld wordt dat de man een leidende rol heeft en de vrouw een verzorgende, maar waarin ook homo's veroordeeld worden – geen grotere bedreiging van mannelijkheid dan openlijke homoseksualiteit. Alqalem betekent overigens rietpen (van het Griekse *kalamos*, riet) en verwijst naar een soera in de Koran;

een rietpen is een treffend fallisch symbool. Ik weet dat het onjuist is, maar het klinkt te aantrekkelijk om het ongenoemd te laten: zelfs de minaret is als fallisch symbool geïnterpreteerd (minaret betekent vuurtoren).

De profeet Mohammed zou hebben gezegd dat hij, na zijn dood, geen grotere *fitna* achter zou laten voor zijn volgeling dan de vrouw: fitna betekent zowel verleiding als desintegratie, met andere woorden een temptatie en twistpunt dat een gemeenschap uitholt.

Mohammed B. verzette zich in zijn sociale werk tegen gemengde bijeenkomsten van mannen en vrouwen. En hij verzette zich in zijn wijk tegen de verbouwingsplannen voor de huizen waardoor het onmogelijk zou worden om vrouwen binnen het huis totaal af te scheiden van de mannen.

De profeet Mohammed, als rolmodel, met zijn veelwijverij belichaamt niet alleen mannelijkheid, maar ook krijgerschap. De vroege christenen noemden zich de soldaten van God en een heiden was iemand die in de heide verbleef, een achterlijke, een achtergeblevene, waar de steden het christelijk geloof reeds hadden omarmd. Mohammed B. schreef in zijn afscheidsversje over de 'ridders van de dood' en omschreef zijn naamgenoot de profeet als 'de lachende doder'. Hij zette in Nederland de eerste stap naar wat een lange mars gaat worden – een eerste stap hier, maar een van de vele die elders al voortroffelden.

De angst voor het verlies van en de strijd om het herwinnen van de mannelijkheid, lijken mij fenomenen die niet over het hoofd gezien mogen worden om inzicht te krijgen in de psychologische en sociale toestand die bepaalde jongeren ontvankelijk maken voor islamitisch extremisme. Het bastion van geslachtelijke suprematie lijkt op instorten te staan en dat moet voorkomen worden. Ik ben er zeker van dat als Theo van Gogh Thea had geheten, hij allang uit de weg was geruimd. Ik wil niet zeggen dat vrije toegang tot Yab Yum de radicalisering onder moslimjongeren kan tegengaan – als dat zou was, zou ik mij meteen onder hen scharen –, noch dat een serviele positie van de vrouw radicalisering kan voorkomen. De radicale islam rekruteert en rekruteert wereldwijd, omdat het hier gaat om een totalitaire ideologie die een lange geschiedenis en een vruchtbare toekomst heeft.

Mevrouw Ayaan Hirsi Ali: ontzeg ons uw gezicht en stem niet. Bevredig het verlangen van de cinematofiel en kom met het tweede deel van uw film. Uw onzichtbaarheid is de overwinning van geweld. Lang moge u leven, lang leve de vrouw, lang leve het vrije woord, lang leve de spot, lang leve de verbale anarchie.

Het alternatief is wat Gerrit Komrij in 1983 schreef: 'Op een ochtend zullen we wakker worden en allemaal Ali heten.'

Zachtmoedige paashazen en islamitische tirannie

Ayaan Hirsi Ali zit gevangen tussen twee vuren. Willen moslims haar op-leggen wat ze mag zeggen, de heren en dames politici willen voorschrij-ven hoe ze zich moet uitdrukken. Opeens hoor ik dat ze niet 'geheel ge-lukkig zijn' met de manier waarop zij haar meningen heeft verkondigd. Femke Halsema noemde haar uitspraken over Mohammeds huwelijk met een negenjarig meisje 'smakeloos'. (De oudste biograaf van Moham-med schrijft dat deze piepjonge bruid 'de enige maagd was die hij huwde' – je moest er vroeg bij zijn in die tijd.) Pas als we in een maatschappij le-ven waarin een vrouw zich vrij kan uitspreken over het geloof zonder het schuim en de moordzucht van moslims over zich heen te krijgen, kunnen we het over Hirsi Ali's 'smakeloosheid' hebben.

Zachtmoedig omgaan met de geestelijke tirannie van islamieten is col-laboratie, dát is pas smakeloos. Het is ook smakeloos in tijden waarin een grootschalige aanpak van kindermisbruik wordt betracht, een persoonlijk en moreel oordeel over een historische persoon aan te passen om niet op tenen te trappen die de lengte van de neus van een liegende Pinocchio ruimschoots hebben overschreden. En sinds wanneer dient smakeloos-heid afgestraft te worden?

De toekomst zal uitwijzen dat Ayaan Hirsi Ali het beste is wat de im-migratie Nederland heeft gebracht. Ik stel voor haar alvast uit te roepen tot Vrouw van de Eeuw.

En dan Job Cohen. Hij bezoekt scholen om met Marokkaanse jonge-ren te praten over de gevolgen van een aanval op Irak. Ik spreek hierbij mijn medeleven uit met de joodse jongeren die, na de zoveelste zelfmoord-actie in Israël waarbij nietsvermoedende burgers in stukken werden ge-blazen, nog steeds niet vereerd zijn met zo'n bezoek. Nederland, zo be-ducht voor 'anti-islamisme', is blind geworden voor de openlijk beleden jodenhaat die onder de lamme vleugels van de islam een groeiend bestaan leidt. De ethische hoererij is doorgeschoten.

En dan de moeder aller gotspes: ambassadeurs van islamitische landen klagen bij Gerrit Zalm dat Ayaan Hirsi Ali niet 'zorgvuldig omgaat met de vrijheid van meningsuiting'. Natuurlijk niet, voor islamieten dient deze vrijheid alleen 'zorgvuldig' gebruikt te worden om te razen tegen ongelovigen, joden, christenen, vrouwen, homoseksuelen en andersdenkenden (voor macho-imams zijn dit allemaal synoniemen). Vrijheid is voor hen het zorgvuldig papegaaien van de tirades van geestelijke oproerkraaiers.

Op de dag van hun bezoek had Zalm vlaaien meegenomen 'die goed in de smaak vielen' (zie zijn webdagboek). Hij had beter koeienvlaaien mee kunnen nemen om op hun brief te deponeren – een stukje monocultuur is nooit weg. Maar dat de regering van dit land, wanneer het de islam betreft, uit angstige paashazen bestaat, wisten we al. En zo wordt het land allengs verramsjt aan een wolvenpak van religieuze agressie.

Welkom in Nederland anno 2003.

De islam zou een verrijking zijn voor de Nederlandse cultuur. Het is waar: de laatste tijd duik en dobber ik als een ware Dagobert Duck in de culturele rijkdommen. Dat ik daaraan blauwe plekken overhoud omdat de schatkamer leeg is, mag de multiculturele pret natuurlijk niet drukken.

En hoe zit dat met u? Hoe verrijkt voelt ú zich eigenlijk?

Nobele wilden

Enige tijd geleden zag ik per ongeluk een programma waarin een van de meisjes van halal (van het ritueel geslacht, bij wijze van spreken) schamper opmerkte dat Ehsan Jami van de PvdA, die een comité voor ex-moslims wil oprichten, voor polarisatie zorgt. Ik zapte snel door: het fragment gaf mij het geestelijk equivalent van een slok bier uit een blikje dat als asbak is gebruikt.

Zo ken ik mijn moslims: na de moord op Pim Fortuyn spraken velen over demonisering van de islam; nu hebben ze er weer een woord bijgeleerd: polarisatie.

Waarom de talrijke islamitische organisaties niet polariserend zijn, maar een vereniging van ex-moslims wel, is mij een raadsel. Als er al iets polariserend is, dan wel het sektarische karakter van de islam, met zijn virulente, excluderende eenheidsbeleving van Allah.

Net zo raadselachtig is dat een begenadigde regisseur als Eddy Terstall Jami wil 'intomen' en tegen zichzelf wil beschermen. Want hij is nog zo jong. Elke rechtgeaarde kunstenaar zou pal achter de vrijheid van expressie moeten staan – of die expressie hem kan bekoren of niet.

Maar wie hier in bescherming worden genomen, zijn de moslims. Deze vormen al lang de nobele wilden voor de PvdA, of beter gezegd: wat dieren voor Marianne Thieme zijn, zijn moslims voor de PvdA: een perfect scherm om zachtmoedigheid en begrip op te projecteren. Een gevaarlijke vorm van sentimentaliteit.

De Volkskrant maakt kanttekeningen bij het feit dat Jami Ayaan Hirsi Ali als voorbeeld neemt (Commentaar, 6 juni). Paternaliserend geraaskal. Waarom is het legitiem een in mythische vodden gehulde profeet tot voorbeeld te nemen en niet een persoon van vlees en bloed en geestrijkheid? Alleen vanwege anciënniteit en massaliteit?

Nederland heeft geen knieën meer; het lijkt wel of het massaal aan het bidden is geslagen, richting Mekka – het zitvlak naar de toekomst gekeerd. Het is dat ik individualiteit hoog in het vaandel heb staan, anders zou ik mij aansluiten bij Jami's comité. Via deze weg wil ik wel mijn steun aan hem en de zijnen betuigen. Hoe klein deze steun ook moge zijn, hij is onvoorwaardelijk.

Lieflijke islam

Wie in de Koran een zachtmoedig, poëtisch werkje wil zien, mag dat, maar moet niet anderen vertellen dat dit de enige juiste manier van lezen is. Wie de columns van Fadoua Bouali kent, weet dat het leven voor haar een en al vlinderende goedertierenheid en liefde is, ingegeven door de islam, onder de aureoolstralen van haar idool Mohammed. Ik ken deze verwondering voor de 'beste onder de mensen', de volmaakte mens Mohammed; als kind dronk ik met open mond de verhalen die mij werden verteld over dit toonbeeld van goedheid en mirakels.

Eenmaal kind af en in staat zelf na te denken en kritisch te lezen, verbleekte het sprookje. De toon en de inhoud van de Koran, de gebeurtenissen in de hadith vielen moeilijk te rijmen met wat ik als kind had gehoord. En zelfs de schrijvers van de Hadith leken af en toe moeite te hebben moreel verwerpelijke zaken, goed te praten.

De bij Bouali voortdurende onschuldigheid, om niet te zeggen onnozelheid, is niets minder dan loffelijk; ook haar opiniestuk 'Koran respecteert afvalligheid' (Forum, 15 juni) is lovenswaardig: hier is een vrome moslima die liefdevolle inspiratie put uit haar geloof en heilige geschrift. Geen schuimbekkende razernij bij haar, maar redelijkheid en begrip voor de verscheidenheid van 's mensens levenswandel.

Toch kan ik het niet laten te reageren, omdat onnozelheid soms kan leiden tot bedrog en dogmatiek, en zij nadert dit gevaar.

Zij schrijft dat de Koran een poëtisch boek is dat alleen begrepen kan worden aan de hand van de tafsier (exegese) en van de Hadith; het aantal tafsier-boeken, dat moge duidelijk zijn, is ontelbaar, evenals het aantal overleveringen. Niet zelden zijn ze met elkaar in tegenspraak. En wat betreft dat poëtische, poëzie is wat anders dan chaos.

Zij haalt de bekende soera aan 'De ongelovigen', waarin Mohammed opmerkelijk verdraagzaam is jegens de ongelovigen: geloven jullie maar wat jullie willen, en ik geloof wat ik wil. Prima. Bezien we deze soera in de context van de traditie, zoals Bouali stelt, dan is het begrijpelijk dat Mohammed ten tijde van dit vers niet anders dan inschikkelijk kon zijn; het vers zou geopenbaard zijn aan het begin van zijn missie, toen hij noch de middelen, noch de macht had zijn geloof te verspreiden. Dat zou hij genadeloos doen toen hij eenmaal de macht had. Het was dus een vorm van pragmatisme; geen verkondiging van een islamitisch dogma.

Nadat hij zowel Medina als Mekka had ingenomen, liet hij vele tegenstanders executeren. De Koran respecteert afvalligheid? Dat is hetzelfde als zeggen dat het wetboek misdadigheid respecteert.

En wat moet men met de passage waarin Joden worden voorgesteld als apen en zwijnen? Het staat er en het geeft geen pas, zoals de schrijfster zegt, het te schrappen. In welke context moeten we het dan zien? Had Allah even een slecht moment, was Mohammed even chagrijnig? In de context van de Koran is het heel duidelijk: God had de zonen van Israël boven andere volkeren gesteld ('O zonen van Israël, gedenk Mijn weldaden jegens u...'), maar zij keerden zich van Hem af; om preciezer te zijn, zij keerden zich af van Mohammed, die toch werkelijk een gezondene van Allah was, zoals zij moesten weten uit hun geschriften. Werd Mohammed niet aangekondigd in die geschriften? Dan hadden de Joden ze vervalst.

Liefde als essentie van de islam? Volgens mij verwart Bouali de boodschap van Jezus met die van Mohammed. De onzin dat islam 'vrede' zou betekenen, hebben we al gehad, salaam (vrede) en islaam (onderwerping) delen dezelfde wortel s-l-m; maar het woord sullam (ladder) heeft dezelfde oorsprong. Volgens hetzelfde principe moet christendom dan 'zalving' betekenen, want christos betekent in het Grieks 'de gezalfde'. De islam als liefde is wel spiksplinternieuw.

Geen dwang in de islam? Het is waar, dat staat in de Koran; maar hoe is dat te rijmen met de overlevering dat een vader zijn kinderen vanaf hun zevende jaar met de stok de islam dient bij te brengen?

Onderwerping aan God uit liefde? Nee, uit onderdanigheid, uit dankbaarheid. De etymologie helpt dit te begrijpen. Het Arabische woord voor ongelovige, kaafir, stamt van het werkwoord kafara, wat 'bedekken' betekent. Een kaafir is iemand die iets bedekt en wel de weldaden van God; dus is een ongelovige een ondankbare.

De armen voeden uit liefde voor God? Nee, uit hoop op een beloning in het hiernamaals, adjr, het punt dat je scoort voor elke goede daad die je verricht.

Bouali stelt dat vele moslims de Koran niet goed lezen; hier komt ze gevaarlijk dicht in de buurt van de fundamentalisten die stellen dat er maar één juiste interpretatie is van de Koran: de hunne.

Ik durf te wedden dat Bouali ook vindt dat haar interpretatie de enige juiste is.

Maar elke interpretatie is legitiem; de Koran is wat elke moslim ervan maakt. Ze zou trotser moeten zijn op haar individuele lezing, dan van haar interpretatie een autoriteit te maken.

Geweeklaag

Waarom ziet men het geklaag van moslims als trouw aan een religie en de verdediging van westerse waarden als racistisch? Er zijn momenten dat ik niet weet of ik moet lachen of mezelf moet opknopen. Om dit dilemma op te lossen, lach ik me dan maar dood. Maar eerlijk gezegd erger ik me dood.

Natuurlijk volg ik het proces tegen Geert Wilders. Er zijn spannende momenten langsgekomen, ook al lijkt het geheel soms geregisseerd door Andrej Tarkovski in slow motion. (Geen kwaad woord trouwens over deze meesterregisseur.) Het wrakingsverzoek was wat men noemt een plotwending.

Wat mij fascineert aan de rechtsgang is het archaïsche dat zij uitstraalt. Het voert mij terug naar de 18de en de 19de eeuw. Het is een literaire aangelegenheid.

Van Apuleius (ca. 125-180), de schrijver van de verlokkelijke schelmenroman *De gouden ezel*, is zijn pleidooi tegen de beschuldiging van magie overgeleverd en dat was hoogwaardige literatuur. Emile Zola's *J'accuse* hoef ik nauwelijks te noemen, maar ik doe het toch, omdat ik het beter vind dan enig ander boek dat ik van hem gelezen heb. En dan hebben we nog Shakespeares monologen (de bekendste is natuurlijk die in *Julius Caesar*), om over de vele Amerikaanse rechtbankdrama's maar te zwijgen. Zie bijvoorbeeld het slotpleidooi van de advocaat in *A Time to Kill* (1996).

Retoriek is alles bij deze en andere schrijvers. Maar in het proces tegen Geert Wilders gaat het om grammaticale definities. Dat liet Moszkowicz zien door te wijzen op de door hem gewraakte zin van rechter Moors. De raadsman had gelijk. Taal is er om nauwkeurig te worden gebruikt, zeker bij zulke formele gelegenheden en er zou dan achteraf geen gelegenheid moeten zijn voor verontschuldigende relativeringen.

Refererend aan wat de media over Wilders schrijven, namelijk dat hij goed is in het poneren van stellingen en het ontwijken van discussie (alsof dit land niet ten onder gaat aan discussie), voegde de rechter daaraan toe: 'Het lijkt er een beetje op dat u dat nu weer doet.' Dat 'nu weer' duidt erop dat hij er bij voorbaat al van uitgaat dat wat er over Wilders wordt beweerd klopt. Ik vond echter dat het – grammaticaal gesproken – over het gebruik van het woord 'lijkt' had moeten gaan. Moors had 'schijnt' moeten gebruiken. De wrakingskamer viel hier echter niet over. En het woord 'weer' is inderdaad belastender.

Taal is prachtig en complex en kwetsbaar. Maar in een rechtszaak is het wel het enige voertuig naar objectiviteit. Advocaten zouden goede redacteuren of goede critici zijn. Dat verdient alleen stukken minder.

Ik begin hierover omdat mijn tenen kromden, mijn wenkbrauwen naar mijn kruin emigreerden, mijn ogen mangaproporties aannamen, toen ik de rechter de aangiftes hoorde voorlezen. Ik zal de verongelijktheid van de moslimaanklagers laten voor wat zij is, want die verongelijktheid kennen we maar al te goed – zij is als de bult van de dromedaris.

De verongelijkten zouden Wilders wel dankbaar mogen zijn. Zonder hem zouden ze niks hebben om verongelijkt over te zijn. Dan moeten ze zelf iets bedenken en dat is keihard werken.

Denk aan het Samenwerkingsverband van Marokkaanse Nederlanders (SMN) dat nu een beroep doet op de 'liefdadigheid en barmhartigheid' van de christendemocratie. Dat kan ik mij voorstellen.

Illegalen, daklozen, asielzoekers worden wel opgenomen door de kerk, maar door geen enkele moskee. En Allah is nog wel zo barmhartig!

Klagen is makkelijker dan de hand in eigen boezem steken (daar zit immers geen geldbuidel). En het moet gezegd worden dat de Nederlandse regering deze houding al te lang al te gemakkelijk heeft gemaakt. Ik denk dat het historische schuldbesef (vanwege het kolonialisme en de Tweede Wereldoorlog) al lang geleden heeft plaatsgemaakt voor – nee, niet voor angst, maar voor lafheid.

Als de islam doet wat ze in mijn ogen aan het doen is, namelijk de grondslagen van de democratie bestrijden en bestoken, dan zal die democratie moeten beseffen dat haar intrinsieke waarden niet voor niets zijn behaald en dat deze superieure waarden niet zonder strijd zijn bereikt.

Sterker nog: zonder deze democratische verworvenheden zouden de bekende schreeuwers niet kunnen schreeuwen. Noch verongelijkt zijn, waar geen reden tot verongelijktheid is. Zij zijn als het roofdier dat zich voordoet als prooi.

Waarom wordt de halsstarrigheid van moslims gezien als trouw aan een religie, maar de verdediging van westerse waarden als extreemrechts of racistisch?

De opmerking van Hans Jansen tijdens zijn verhoor – dat het bevreemdend is dat de rechtbank zich bezighoudt met de exegese van de

Koran – is raak. Nog meer bevreemdend vind ik het dat de aangiftes niet zijn gecontroleerd op historische feiten. Een enkeling probeerde zijn vage, 'emotionele' redenen voor de aangiftes te onderbouwen met 'feiten'.

Waar de aangiftes op neerkomen, is dit: 'De Koran en de islam betekenen voor mij iets anders dan in de interpretatie van Wilders en veel anderen. En dat mag niet, want dat kwetst mij. En daarom zaait Wilders haat.'

Met andere woorden: lees de Koran zoals ik hem lees of ik sleep je voor de rechter. Ik ben een moslim en ben dientengevolge vredelievend, daarom bestrijd ik u. Ik leef volgens de regels van de Koran en ik vorm geen bedreiging. Daarom doe ik aangifte.

Groucho Marx, waar bent u?

En wat de historische feiten betreft, iemand, een Marokkaan, heeft er echt op gewezen dat Marokkanen tijdens de Tweede Wereldoorlog zijn gestorven voor de 'vrijheid van Europa'.(Daarom voetbalden blagen natuurlijk met de kransen tijdens de Dodenherdenking: Marokkanen zijn gewoon wat uitbundiger in het feestvieren.)

Waarom geen onderzoek naar de historische feitelijkheid van deze bewering? We weten al een tijdje dat Marokkanen Nederland hebben bevrijd, maar heel Europa? Geert Mak, kom er maar in.

Waarom wordt zo vaak gevraagd om dankbaarheid voor en erkenning van zaken van eeuwen geleden en waarom wordt er woedend gereageerd op het huidige failliet? Wat men steeds vergeet, is dat de teksten van de Griekse filosofen en wetenschappers toentertijd niet door moslims, maar door christenen zijn vertaald.

Al die 'zich Nederlands voelende allochtonen' ten spijt, die opkomen voor hun 'trotse afkomst' (al weet ik niet hoe je trots kunt zijn op iets wat niet je eigen verdienste is); niet zij zijn slachtoffer, hoe lief zij die situatie ook hebben – het is Nederland dat in de goot ligt. Hoe treurig is dit alles.

Verongelijkte moslims zouden Wilders wel dankbaar mogen zijn.

Nederland heeft het klagen van moslims al te lang al te gemakkelijk gemaakt.

My little cup brims with tiddles

De betrouwbaarste en meest komisch geschreven nieuwsbron GeenStijl heeft van een nieuwkomer een geweldig bericht onder de toepasselijke kop 'Omgekeerde kopvoddentax wel succes'. (De site heeft trouwens nog andere goede binnenkomers.)

(Terzijde: jammer dat ene Bert Brussen weer voor de site schrijft; hij doet zo zijn best grappig te zijn dat hij lijkt op een eunuch die een maagd probeert te penetreren, hetgeen op 'binnenfrommelen' neerkomt, zoals een man in de kroeg mij zijn droevige daad van de nacht beschreef.)

Het bericht betreft een moslima (ongetwijfeld 'vrijgevochten', want dat leest men wel vaker, zoals men altijd 'vooraanstaande' of 'gezaghebbende' dient te schrijven vóór 'moslimgeestelijke' – een woord dat niet ophoudt mij pijn in de ribben te geven van het lachen), een 'zojuist geïmporteerde' moslima, die Speeltuin Linnaeushof voor de rechter sleepte omdat haar hoofddoek tijdens het karten tussen de wielen kwam.

(Ik weet niet wat grappiger is: de aanklagende moslima of de term 'vooraanstaand moslimgeestelijke'. Ik ga het even uitproberen. Ik ben zo terug.)

(Zo. Ik ben terug. Ik ben er nog niet uit.)

Haar hoofddoek kwam namelijk tussen de wielen van de kart, ze stikte niet en ze klaagde Speeltuin L. aan want 'de verhuurder had haar moeten verbieden te karten vanwege die hoofddoek'. Verbod, uw naam is islam. Haar man schijnt er ook bij te zijn geweest, maar die had het te druk met haar hoofd weer te bedekken. Belangrijke zaken gaan voor. Waarom moet ik denken aan de brandende school in Saoedie-Arabië waar meisjes in vuur stierven omdat ze het gebouw niet mochten verlaten van de zedenpolitie? Ze waren namelijk onbehoofddoekt en de brandweerlui mochten ze niet met ontblote haren zien. Belangrijke zaken gaan voor.

Opvallend is ook dat de kartende moslima naar haar zus ging om te herstellen. Ongetwijfeld in blijde afwachting van de €11.000 die ze had geëist. Er is echter een schikking getroffen waarbij ze €500 kreeg van Speeltuin Linnaeushof (zou dit een stiekem smulbos met speeltuin zijn?).

Dit bedrag schenkt ze aan Giro 555. Ik wist niet dat deze nog bestond. 'Vrijgevochten' moslima's dragen een hoofddoek uit eigen keuze omdat het moet van de islam. (Dit is ook heel grappig.) Maar de consequenties van het dragen van een vrijwillige hoofddoek willen ze niet dragen. Nee, de omgeving en de wereld en de staat en de wet moeten zich buigen naar hun vrijwillige kledingkeuze. Begrijpelijk. Tegen zo veel daadkrachtige vrijgevochtenheid moeten wij de schouders wel laten zakken, is het niet in ootmoed, dan wel als bereidwilligheid om de gevolgen te sjouwen van de vrije keuzes die zij moeten maken.

Had haar man haar niet kunnen verbieden te karten?

Ahmed Marcouch is aangezien voor taxichauffeur bij de studio waar hij geïnterviewd zou worden. De lokmarokkaan werkt dus ook. Opvallend vind ik dat hij wel een keppeltjesdag wil invoeren, maar geen pruikendag voor Joodse vrouwen. Typisch voor een moslim om vrouwen uit te sluiten. En daarbij: Hooglied-Jodinnen lokken meer dan pijpenkrullenjoden. Echt waar.

Kunnen we ook niet een naveltruidagje houden, uit solidariteit met vrouwen die zich zo luchtig kleden als ze willen, niet omdat een religie ze dat voorschrijft, maar omdat dat beter ventileert in deze hitte? En kunnen we niet een hoofddoekloze dag organiseren om te tonen dat de islam vrouwen niet verplicht iets vrijwillig te doen? En een gebedsloze vrijdag voor moslims? En wat dacht u van een vastenvrije ramadan? (Ik zie de regenboog van een nieuwe wereld op doemen.)

In Saoedi-Arabië dreigen vrouwen taxichauffeurs de borst te geven als ze geen auto mogen rijden. Want lactatie schept een familieband en volgens een fatwa van een moefti – sorry, gezaghebbende grootmoefti – mag een vrouw na een vreemde man te hebben gezoogd in zijn gezelschap verkeren. Het is bekend dat oxytocine een vertrouwensband schept. Er is, naast moedermelk, een andere witte substantie die ook dit hormoon bevat, maar daar ga ik hier niet op in: de kiesheid verbiedt mij dat. Ik denk dat de aanvraag voor taxivergunningen in S-A omhoogschiet terwijl ik dit tik. Waar het om gaat is dat vrouwen ook niet met een taxichauffeur in de auto mogen zitten. Eerst zogen, dan een ritje. Kijk, dat is nog eens een verbod waar de kartrijdende en bijna stikkende moslima nog een puntje aan kan zuigen.

Een vrouw is in hetzelfde land ook nog veroordeeld omdat ze door een aantal mannen verkracht is.

Ik ben nog wat andere zaken vergeten, maar ik kan door de lachtranen nauwelijks meer lezen.

Nu weet ik het! Ik weet wat grappiger is: een vrijgevochten moslima of een gezaghebbende geestelijk leider. Dat is namelijk iets anders, een – dat hoort u de volgende keer. Er zijn meer *tiddles* in mijn kopje dan in dit stukje passen.

Middelvingers

Zwitserland heeft met zijn referendum een halt toegeroepen aan de symbolische expansie van de islam. Eindelijk ruimte voor contemplatie.

Het nieuws is nog vers en de gevolgen zijn nog niet te overzien, maar de eerste reactie uit de moslimwereld is er en precies zoals viel te verwachten. Ik heb het over de uitslag van het referendum in Zwitserland tegen verdere bouw van minaretten; iets meer dan de helft stemde voor een verbod. Een onverwacht, maar belangrijk resultaat.

Laten we eerst met de humor beginnen. Die komt, zoals altijd onbedoeld, van islamitische kant.

'Dit voorstel moet niet alleen worden gezien als een aanval op de godsdienstvrijheid, maar ook als een poging om de gevoelens te beledigen van de moslimgemeenschap binnen en buiten Zwitserland.' Aldus sprak de Egyptische 'invloedrijke' grootmoefti sjeik Ali Gomaa.

Waarom wordt het woord moefti of moslimgeestelijke eigenlijk altijd voorafgegaan door 'invloedrijke'? Is dit om te benadrukken dat de persoon in kwestie niet van de straat is of dat zijn oordeel door ontelbaar veel miljoenen gehoord wordt?

In dit geval is het antwoord duidelijk: Ali Gomaa is een groot voorvechter van godsdienstvrijheid. Fijn om te weten. De christelijke Kopten en de Bahai, die niet erkend worden in Egypte, zullen hem daar vast en zeker op handen dragen.

En aangezien joodse en christelijke organisaties in Zwitserland de bevolking opriepen om tegen het verbod te stemmen, zal de invloedrijke grootmoefti zich nu vast nog meer inzetten voor deze minderheden. Niet eens als kwestie van wederkerigheid, die node wordt gemist bij de islam, maar vanwege de vermeende gezamenlijkheid van de monotheïstische religies die ons keer op keer, maar tevergeefs, wordt ingehamerd. Dit aambeeld is ook al murw gebeukt.

Zouden moslims nu belemmerd worden in hun godsdienstuitoefening omdat toekomstige moskeeën geen minaret zullen hebben? Wordt het gebed alleen aanvaard door Allah als het plaatsvindt onder een toren die wedijvert met de toren van Babel? Natuurlijk niet. Of zou er vrees zijn ontstaan, omdat (ik durf het nauwelijks te denken) er andere hoge torens gezocht moeten worden om sodomieten vanaf te flikkeren? O ja, en de gevoelens van de moslimgemeenschap zijn weer beledigd. Vertrouwde zaken geven een behaaglijk gevoel.

Nu serieus.

Hoewel ik een afkeer heb van algemene verboden, kon ik bij het horen van het nieuws een bepaalde vreugde niet onderdrukken. Natuurlijk, het is een symbolische daad: de islam wordt op geen enkel praktisch niveau tegengestreefd.

Een verbod op minaretten is geen verbod op geloofsbelijdenis. Maar zo'n symbolisch besluit is belangrijk, omdat de symbolische expansie van de islam op deze manier een halt wordt toegeroepen. We weten allemaal hoezeer moslims hechten aan cosmetica, stof en steen, dat wil zeggen aan hoofddoek en minaret.

Maar als ik mij niet vergis en als ik tijdens de afgelopen ramadan de te-levisie, de kranten en internet goed heb begrepen, gaat het de moslims om de spiritualiteit van de islam, om de innerlijke beleving, en daar draagt een minaret niks toe bij. Een minaret is een statement en dat dat niet door iedereen gewaardeerd wordt, is goed te begrijpen.

Hoe vaak hoorden we niet, telkens als er een nieuwe moskee zou wor-den gebouwd, dat deze met de hoogste minaret van Europa zou komen? Waarom eigenlijk? Vanwaar die drang tot 'de grootste'? (Wie schreef ook alweer over minaretten dat 'ze fier als opgeheven middelvingers rijzen'?) Ik denk dat nadrukkelijkheid en triomfalisme hier een rol spelen. Het is een langwerpige overwinning voor een zichtbare islam. En gezien de landen waar de geldschieters huizen, is dat niet vreemd.

Wat voegt de moskee op sociaal gebied toe aan de samenleving? Ik heb het al eerder geschreven: als moskeeën samen zouden werken met kerken om vluchtelingen op te vangen, daklozen onderdak te bieden, bange vrou-wen een toevlucht te bieden, dan zou de maatschappij als geheel hiervan waarlijk profijt hebben. Dan zou een moskee functioneel geïntegreerd zijn. Af en toe een interreligieuze dialoog is niet genoeg; dat is een maske-rade van goede bedoelingen.

Tariq Ramadan sprak van een 'catastrofaal' (toe maar) besluit dat voort-komt uit angst. En al zou het voortkomen uit angst, is deze angst niet legi-tiem? Alle apologeten met zoetgevooisde verhalen over de universaliteit van de islam, alle relativerende onzinverhalen over de contextgebonden-heid van de donkere kanten van de Koran ('dat moet je in de tijd zien') hebben blijkbaar die angst niet weg kunnen halen. En dat heeft niks te maken met de zogenaamd heersende islamofobie. In elk geval heeft het Zwitserse volk te kennen gegeven zich niet meer te laten begoochelen.

Men kan wel de ene iftar na de andere aflopen en met volle buik en begripvolle glimlach de schoenen bij de uitgang van de moskee weer aantrekken; dit neemt echter niet weg dat men is gaan inzien dat deze gelegenheden niet meer zijn dan folklore – en in het ergste geval een poppenkast. Het is geen substituut voor de dagelijkse wereld.

Dat er van islamisering geen sprake is, wordt weerlegd door de Zwitserse overheid zelf, die vreest voor repercussies uit islamitische landen en voor het gevaar van radicalisering. Gijzeling door 'moslimgevoeligheden' is een vorm van islamisering.

Hiertegen heeft het Zwitserse volk zich uitgesproken. Geen zichtbare islam meer. Hoeveel integratie-initiatieven via moskeeën zijn er hier al niet mislukt? Ik denk aan de Poldermoskee (weinig polder, veel onverbiddelijke woestijn) en de Westermoskee.

En in plaats van nog een initiatief via een moskee, al dan niet met minaret, zou een tijd van contemplatie veel meer nut hebben. Want wat Europa en niet op de laatste plaats de moslims zelf nodig hebben, is niet meer islam, maar juist minder, veel minder.

De lach van een leeuw

Hoewel Kader Abdolah van de barmhartige Allah nog wel een lieve Allah heeft gemaakt in zijn Teletubbie-versie van de Koran, schijnt – *mirabile dictu* – zelfs Allah niet naar Abdolah te luisteren. En de geestelijken onder zijn landgenoten in zijn beeldschone land van oorsprong evenmin. Wellicht moet zijn versie van de Koran in het Perzisch hertaald worden. Een onbegrepen profeet is uiteindelijk geen profeet.

Het geeft natuurlijk geen pas om moefti's uit te leggen dat steniging wegens overspel niet voorkomt in de Koran; de straf is honderd geselingen. Dat is al wat liever van Allah, die er in de Koran aan toevoegt: 'en laat geen mededogen met hen (de ontuchtplegers) u bevangen.' Dit laatste is minder barmhartig.

In 2010 peinzen over geseling of steniging moet wel de definitie zijn van hels cynisme. Beweren dat steniging eigenlijk wel voorkwam in een Koran-vers dat verloren is geraakt – het papier waarop het was neergeschreven zou aangetast zijn onder het bed van Aïsja, de laatste vrouw van Mohammed – en hiervoor 'bewijs' vinden in de Hadithoverleveringen, stemt, zacht gezegd, niet optimistisch over de intellectuele staat van de mens.

Er is altijd de lach, hoe wrang ook, die het hart verlicht, maar niets teweegbrengt – en hoe vurig wenste ik de lach van een leeuw te hebben. Als koning Nobel zijn tanden ontbloot dan heeft dat wel consequenties. Dan vallen de stenen wel uit de bevende handen.

Het is makkelijker de duivel te stenigen dan een liebaard te confronteren, getuige een van de rituelen tijdens de jaarlijkse pelgrimage naar Mekka. Satan wordt 'radjiem' genoemd, 'de gestenigde', omdat hij door de engelen met vallende sterren zou worden bekogeld. Overigens een mooi bewijs voor de vaak gehoorde stelling dat alles wat in de Koran staat wetenschappelijk onderbouwd is.

De regels die nu gelden voor het stenigen van overspelige vrouwen (want het zijn vooral vrouwen die deze gruwel moeten ondergaan) golden oorspronkelijk voor de stenigingsrite in Mina, een stadje ten oosten van Mekka. Voorgeschreven was hoeveel stenen er geworpen dienden te worden (zeventig) en wat de grootte van de stenen moest zijn (groter dan een linze, maar kleiner dan een noot). Sommige bronnen staan echter dadelpitten, kamelenkeutels en zelfs dode mussen toe. Satan blij maken met een dode mus. Arme Satan! Zijn de brandwonden in de hel niet genoeg? Voor het stenigen van vrouwen mogen de stenen echter groter zijn. Als ik het wel heb, dan moeten ze de hand vullen. Ze moeten van de grond worden opgeraapt (*radjm* betekent ook 'steenhoop') en niet uit een rots gehouwen. Ik ga dit overigens niet allemaal nazoeken. De lach is al een bloedende wond geworden. Ironisch is wel dat in de Koran wel wordt verwezen naar het stenigen van profeten. Welke profeet zou, na eigen ervaring, zo'n straf opleggen aan anderen? Niet een barmhartige profeet. Jezus was dan ook de zoon van God.

En arme Sakineh Mohammadi Ashtiani; zij is al gegeseld en dreigt nu ook nog gestenigd te worden voor *zina* – hetgeen niet enkel 'overspel' betekent, maar 'ontucht' in het algemeen, dat wil zeggen, seks zonder in de echt verbonden te zijn. Wat de rechtsgang betreft, volstaat het te zeggen dat een van haar advocaten naar Noorwegen is gevlucht.

De vrouw die dezelfde straf verdient als de grote tegenstrever van Allah, Iblis, de Duivel. Een bekende uitspraak onder minder vriendelijke imams is: 'Vrouwen zijn de valstrikken van Satan.' Ashtiani heeft zelf gezegd dat de enige reden dat zij tot deze straf is veroordeeld het feit is dat ze een vrouw is. Dat is een bittere en droeve waarheid.

De man met wie zij ontucht zou hebben gepleegd, krijgt geen lijfelijke straf. Laat staan dat hij dood moet worden gegooid.

De twee kinderen van Ashtiani hebben een smeekbede geplaatst op internet om hun moeder te redden. Er kan een petitie getekend worden en in honderd steden wereldwijd wordt tegen haar aanstaande executie geprotesteerd. In Amsterdam heeft de onvolprezen schrijfster Nahed Selim het initiatief genomen en zij zal dan ook spreken. De gruwel hangt boven Ashtiani en haar kinderen. De eer voor dit stuk komt Selim toe.

Ik maak mij geen illusies over de consequenties van zo'n protest. Noch geeft mijn steun mij een gevoel van morele superioriteit. Er zullen ongetwijfeld meer slachtoffers zijn die niet het geluk hebben van doortastend kroost en aandacht van internationale media en humanitaire organisaties. Noch is zo'n protest westerse bemoeienis met de binnenlandse aangelegenheden van een soevereine staat. Nu ongure aspecten van de islam eenmaal onze levens zijn binnengedrongen, vaak zonder te kloppen, is het onontbeerlijk de ongenode, schimmige gasten af en toe luidruchtig te laten weten dat ze niet welkom zijn. Ze eruit te schoppen. Aan Selims oprechte bedoelingen twijfel ik geen moment. Het steekt wel dat de islam voor de zoveelste keer de aandacht opeist. Vergeet de iftar-maaltijden die slechts worden georganiseerd omdat er veel subsidie aan de dissen kleeft. En vergeet de beschuldigingen van islambashen en islamofobie.

Er is namelijk geen agressie en geen vrees in het gehoor geven aan de oproep van twee kinderen die hun moeder willen redden van mannelijke barbarij.

Beter dan duizend maanden

Er is een andere heilige nacht waar ik deze dagen naar uitkijk. Van een heel andere orde en geen stille ook. Ik bedoel de *laylat al-qadr*, de Nacht van de Beschikking.

Wij hebben hem doen neerdalen op de
Nacht van de Beschikking
En wat zal u doen weten wat de Nacht
van de Beschikking is
De Nacht van de Beschikking is beter
dan duizend maanden
De engelen dalen er neer en de Geest
Voor elk doel
Vrede is hij
Tot het rijzen van de morgenstond

Zo zingt de Koran en dat 'hem' slaat terug op het boek zelf. (Christoph-Luxenberg weet aannemelijk te maken dat deze soera handelt over de geboorte van Jezus; het Arabische woord voor 'nederdalen' zou ontleend zijn aan het Syro-Aramees voor 'hymnen zingen'.) Het was op deze nacht dat Gabriël (volgens sommige exegeten is hij de Geest) de Koran aan Mohammed openbaarde. Deze nacht valt, volgens de consensus (want, helaas, de Koran geeft geen specifieke datum), op een van de laatste tien dagen van de ramadan. En volgens de schriftgeleerden is het de zevende dag van de laatste tien van de vastenmaand. Hij laat dus niet lang meer op zich wachten.

Op deze nacht gaan de poorten van de hemel open en wordt elk gebed onherroepelijk verhoord. Zaak is wel bijzonder ijverig en toegewijd te bidden, het liefst de hele nacht door.

Dat opengaan van de hemelpoorten moet – volgens de Arabische verbeelding die van symboliek niets moet hebben – letterlijk worden genomen. Net zoals het wonder dat op deze nacht zilt water (in islamitisch India zelfs de zee) zoet wordt.

In Marokko brachten wij de nacht op de platte daken van onze huizen door, de blik gericht op die oneindige geeuw van hemel en duisternis. Mijn vader had een kom zout water naast zich. Helaas was ik te jong om de hele nacht te waken en viel in slaap. Ik heb dat opengaan van de hemels gemist. Maar van betrouwbare bron heb ik gehoord hoe dat wonder geschiedt.

Eerst scheurt een licht de deemstering uiteen en stenen (hoogstwaarschijnlijk meteorieten) beginnen naar beneden te tuimelen, hetgeen, vooral bij het vrouwvolk, enige paniek veroorzaakt. Maar wie onversaagd blijft kijken, ziet hoe ook deze stenen wijken en het licht verblindende proporties aanneemt. Zaak is om, vervoerd als je bent door dit mirakel, je gebed niet te vergeten. Wie dit aanschouwt is gezegend.

Ik weet nog dat ik wakker werd geschud en bij het aanschouwen van een stoffig licht verschrikt opmerkte dat ik het zag, dat ik het zag, en mijn arm uitstrekte naar die gloed zoals een bepaalde jongen aan het stralende einde van een bepaalde film.

Maar nee, schudde mijn moeder, dat was de dageraad, of om precies te zijn, de wolvenstaart, *dhanab as-sirhaan*, de valse ochtend, het zodiakale ochtendlicht, de eerste witte vegen boven het Oosten, de prelude tot de werkelijke zonsopgang. Op de andere daken lagen mensen te slapen, opeengehoopt op schapenvachten en onder wollen dekens. De ochtendheraut wekte de slapers die onder hun dekens vandaan kwamen als vanuit tenten, zodat het koperen signaal die stad van canvas deed opbreken.

Wij daalden onze huizen weer in, de volwassenen om hun slaap voort te zetten (het was, uiteraard, ramadan en overdag heerste inertie) en de kinderen om die norse slaap te verstoren.

Mijn vader vergat zijn kom op het dak en ik zag nog hoe een scharminkel van een kat zich ervan afwendde.

Paspoort in tweevoud

Zowel staatssecretaris Marlies Veldhuijzen van Zanten als vvd-kamerlid Bart de Liefde bezit twee paspoorten. Om te zeggen dat de discussie over de dubbele nationaliteit weer in alle hevigheid oplaaide is overdreven; er was een korte flakkering, vooral gericht tegen Mark Rutte, die voorheen wel moeite had met de dubbele nationaliteit van Nebahat Elbayrak, maar heden niet met die van Veldhuijzen van Zanten.

Ondertussen prijken ook bij Coskun Çörüz (cda) en Malik Azmani (vvd) twee paspoorten als pochetten op de fiere boezem.

Geert Wilders diende voorheen een motie van wantrouwen in tegen Elbayrak, maar ziet daar heden in het geval van Veldhuijzen van Zanten (en ik neem aan ook in het geval van De Liefde) van af. Niet alleen Mark Rutte is niet 'koersvast', in de woorden van Job Cohen, maar Geert Wilders evenmin.

Het geheel zal wel met een sisser aflopen en dat zou ik nu heel jammer vinden. Deze zaak verdient zeker aandacht en is belangrijker dan dat hij met een schouderophalen aan de kant moet worden geschoven.

Een paspoort is uiteindelijk meer dan een 'geleidetoegang' en dat wordt het pas wanneer men er om andere dan pragmatische redenen aan hecht. Onvermijdelijk vertelde Elbayrak dat ze trots was op beide paspoorten. De twee paspoorten symboliseren voor haar de twee culturen die zij blijkbaar of schijnbaar in zich verenigt. Van mij mag ze glimmen van trots als een opgepoetste theepot; waarom die trots (een woord dat ik niet meer kan horen) alleen via twee documenten tot uiting gebracht zou kunnen worden, ontgaat mij in het geheel. Wat een onzin.

Maar als ze nu stelt dat Mark Rutte zijn verontschuldigingen zou moeten aanbieden aan 1 miljoen Nederlanders voor zijn bezwaar in 2007 tegen de dubbele nationaliteit, dan veer ik toch wel even op.

Het behoeft geen uitleg dat met 'de 1 miljoen Nederlanders' moslims worden bedoeld en dan voornamelijk Marokkanen en Turken. Zo wordt de 1,5 miljoen van Geert Wilders de 1 miljoen van Elbayrak: wat een invloed heeft Wilders toch.

Wie zegt dat Elbayraks 1 miljoen allemaal twee paspoorten bezitten? De schrijver dezes in elk geval niet – ik heb mijn Marokkaanse paspoort niet verlengd en al slaat men mij dood, ik weet niet waar het gebleven is. En de enige andere Marokkaanse Nederlander (zulke krompraat krijg je er nu van) van wie ik weet dat hij zijn Marokkaanse reisdocument ook niet heeft verlengd is schrijver en voormalig *Parool*-columnist Asis Aynan. Dat is dus 1 miljoen min twee, mevrouw Nebahat Elbayrak.

Nu kunnen Turken afstand doen van hun paspoort; ze krijgen er een roze document voor terug waarmee ze alle rechten in het moederland behouden. In Marokko geboren Nederlanders mogen en kunnen echter geen afstand doen van hun Marokkaanse paspoort. Ik zal nooit de dag vergeten dat ik mijn Nederlandse paspoort ging ophalen en de Marokkaanse wilde inleveren: het groene verleden voor het rode heden. Dat werd echter geweigerd. 'We mogen dat niet aannemen, meneer.'

Waar het op neerkomt is dat Nederlanders van Marokkaanse ouders en grootouders en overgrootouders enzovoort in Nederland Marokkaanse onderdanen blijven. Ook al zijn ze hier geboren. Maxime Verhagen toonde enige holle verbazing in 2008 toen de Marokkaanse minister van Buitenlandse Zaken opmerkte dat de Marokkaanse immigranten en hun kinderen in Nederland de zeventiende provincie van Marokko vormden. Mooie metonymie: een bevolking niet demografisch beschouwd, maar topografisch. Hij had ook nog gelijk. Marokkanen in Nederland vallen tevens onder de Marokkaanse wet. Behalve de enkeling, zoals ik, die weigert de gang naar het Marokkaanse consulaat te maken om daar zijn kinderen te registreren – als de naam van het kroost goedgekeurd wordt – of zijn paspoort te verlengen. En in beide gevallen een miserabele dag door te brengen in een gebouw van Sovjet-beton.

Als ik het mij wel herinner zou Verhagen een 'stevig gesprek' met de desbetreffende minister van Buitenlandse Zaken hebben gevoerd. (Bij 'stevig' denk ik dan dat er geen madeleines bij de thee zijn genuttigd, maar krakelingen. Die knarsen.) Gelooft er iemand dat noch Bos, noch Verhagen wist hoe de vork in de steel zat? Het was Hirsch Ballin, die heden zo met ons begaan is en zich zulke zorgen over ons maakt dat hij elke seconde van elke dag wil weten wat we uitspoken en waar we virtueel uithangen en of we niet met enge vreemden spreken, die in de jaren tachtig van de vorige eeuw een regeling heeft getroffen waarbij Marokkanen een Nederlands paspoort konden aanvragen, op voorwaarde dat ze geen afstand namen van hun Marokkaanse.

Dit is een molensteen die ik niet graag draag en die ik weiger te dragen. In het bevolkingsregister staat mijn nationaliteit genoteerd als Marokkaans/Nederlands. Let op de scheve kruk tussen beide denotaties. Wat moet ik hiermee? Tijdens het proces tegen Geert Wilders hoorde ik Mohammed Rabbae een of andere psychiater aanhalen die beweerde dat het relatief hoge aantal schizofreniegevallen onder allochtonen veroorzaakt zouden kunnen zijn door de uitlatingen van de politicus. Ik hoorde geen gelach uit de zaal opklinken. Nu heb ik in elk geval een oorzaak gevonden voor mijn stemmingswisselingen. Zie mijn bevolkingsregister.

Het gaat er mij niet om of mensen verschillende nationaliteiten mogen bezitten, het gaat mij erom dat er een keuzevrijheid moet bestaan. En die bestaat er officieel voor mensen met dezelfde achtergrond als ik niet. Die erin berusten (bijna allen), begrijpen niet waar ik mij druk over maak. Ik maak me druk en woedend om de onmogelijkheid om te kiezen. Het is blijkbaar makkelijker te berusten in dwang dan te vechten voor keuzemogelijkheid.

Dit is lafheid vermommen als trots op een opgedrongen culturele cocktail. In mijn visie is cultuur complexer dan een document met een pasfoto waar je nooit op lijkt ('Zie ik er zo uit?'). In plaats van trots te zijn op een cultuur waar men in feite niets aan heeft bijgedragen (behalve dan in demografisch opzicht), is het beter die cultuur te verrijken door zijn krocht open te breken om de frisse lucht en zonnestralen van de nieuwe cultuur er binnen te laten.

Het is dan ook hypocriet van Turken en Marokkanen om te beweren dat hun dubbele paspoort niets met loyaliteit te maken heeft. Daar heeft het alles mee te maken. In het geval van de Turken moge het duidelijk zijn: het is een materialisatie van een al dan niet werkelijke bakermat. Voor Marokkanen is het een speen die in de mond wordt geramd en die je er niet meer mag uitspugen.

Het zou een bijzonder instructief experiment zijn om Marokkanen te laten kiezen tussen een Nederlands of een Marokkaans paspoort en dan de resultaten te bestuderen. Ik kan de uitkomst wel raden. Misschien klinkt dit wat cryptisch, maar ik zou willen zeggen: het lichaam is wel geland, maar de geest is onwillig.

Suikerfeest

Sinds ik niet meer vast, beleef ik veel plezier aan ramadan. En ook aan het Suikerfeest. Ik krijg zelfs uitnodigingen om aanwezig te zijn bij suiker-feestvieringen. Al ben ik ongelovig, toch ben ik welkom. Elk jaar doet het Suikerfeest zijn best heel Nederland te veroveren. Dit is geen islamise-ring, dit zijn de gastvrije, open armen van de islam die ons verwelkomen wil. Niks mis mee. Ware het niet dat er geen alcohol wordt geschonken, terwijl ik mij vooral dronken uitbundigheid kan herinneren in buurthui-zen en andere plekken waar het feest gevierd werd. Het liep zelfs zo uit de hand dat in veel plekken waar de jongeren het feest vierden geen alcohol werd geschonken. Uit betrouwbare bron weet ik dat in Algerije zelfs de politieagenten dronken rondliepen. Van de islam mag men namelijk geen alcohol drinken en zeker niet tijdens ramadan.

Her en der las ik echter wel dat het agressieve gedrag van moslims in bepaalde steden in bepaalde landen gegenereerd werd door de vasten. Dat kan ik mij voorstellen. Gelukkig is het nu Suikerfeest en zijn de gemoede-ren een en al honing en kaneel. Ik ken de vreugde en opluchting van het einde van ramadan – ik heb het zelf meegemaakt –; deze sensaties vallen in het niet bij de blijdschap om een file die eindelijk opgelost is (na een maand).

Het fascinerende voor deze schrijver aan religieuze rituelen en gebrui-ken is de praktische, menselijke oorsprong erachter. Verder ook de in-vloeden van de ene religie op de andere verwante. Het is boeiend om te weten dat de vasten oorspronkelijk een pastorale traditie was die vooral te maken had met het in veiligheid brengen van het vee na de winter, door een gedeelte ervan te slachten en op te eten op de veertiende dag van de eerste maand van het jaar – de tent werd besmeurd met het bloed van het geslachte dier. Dit was een nieuwjaarsfeest, of een oogstfeest; de latere vasten was een gedenkenis van dit gebruik, dat ook aan de complexe basis van 'Pesach' lag, wat omschreven kan worden als de 'oversteek' van het ene seizoen naar het andere. Een overgangsrite. En natuurlijk hebben de Joden het weer gedaan.

De term 'Suikerfeest' is trouwens een vertaling van het Turkse *kücük-* of *sheker-bairam*. In het Arabisch heet het feest *'ied al-fitr*, 'feest van het verbreken van de vasten', of *'ied as-saghír;'* 'het kleine feest'. (Het grote feest is het Offerfeest, maar daar leest u te zijner tijd wel over.) Het woord suiker refereert aan de zoetigheden die men dan eet en aan elkaar schenkt. Typisch Turks om alleen aan suiker te denken.

Het gaat mij om het feest als een oogstfeest. Een feest van weldaad, of, zo u wilt, regeneratie: de aarde geeft de vruchten terug van wat zij ontvangen heeft. Dat heeft een seksueel aspect. De Koran zegt ook dat vrouwen voor de mannen een akker zijn. (Een mijnenveld lijkt mij toepasselijker.)

Ik weet nog dat in Marokko de deuren van de huizen in het dorp open bleven en dat iedereen binnen kon lopen voor de zoete hap – en de kinderen vooral om munten te krijgen. Zakgeld kregen we niet wekelijks zoals de verwende blagen hier in dit land. We hadden wel jaargeld. De avond voor de grote kleine dag gingen we naar de stad waar moeder en vader nieuwe kleren en schoenen voor het jonge kroost kochten. Als het Suikerfeest gezien kan worden als een oogstfeest, dan liepen wij kinderen erbij als net geoogste, kleurige, schijnende ooft of als versgeplukte bloemen. Het is de heidense vreugde van kinderen die religieuze feesten menselijk maakt.

Om maar te zwijgen over de zoetigheden! De lezer zal, na decennialange integratie, wel bekend zijn met de koekjes en gebakjes die ik hier ga beschrijven. Vooral de *zalabiyyah* en *ghribiyya* verdienen aandacht. De eerste is een soort gefrituurde krakeling bedekt met honing en sesamzaadjes. Het woord is een verbastering van het Perzische *zalibiya*, wat zoveel betekent als beignet of pannenkoek. Ik heb tot nu toe niet de oorsprong van ghribiyya* kunnen ontdekken, maar het is een klein, rond, puntig zandkoekje met kaneel op het topje.

Welnu: de vorm van deze heerlijkheden laat geen twijfel bestaan dat ze erotische, afroditische of liefdesgebakjes zijn. Wellicht dat ze als een afrodisiacum werden beschouwd – in Arabische erotologische verhandelingen worden honing en kaneel altijd als lustopwekkend beschreven –, maar de vorm is nog interessanter. De ghribiyya heeft de vorm van een vrouwenborst: de kaneel op het topje ervan is de tepel en areola. En wat de strengeling van de zalabiyya betreft: dat het een vagina moet voorstellen, heb ik niet zelf verzonnen. Een lezeres schreef mij dat het woord komt van *za:* twee, en *labiyya:* lippen. Dan zou het in correct Perzisch *dú-lab*

---

* Ghribiyya betekent: 'uit het westen' en werd door de oosterlingen zo genoemd omdat het in Noord-Afrika en Andalusië werd gemaakt.

moeten zijn; *dú:* twee en *lab:* lip (het is een Indo-Europese taal). De uit-gang – *iyya* duidt een afgeleide aan, dus zoiets als 'de tweelippige'. Dit is te mooi om te laten schieten. Volksetymologie – niks mis mee. En verder is dit hoe een vrouw uit de achtste eeuw haar vagina beschreef:

Mijn vagijn heeft een glooiende venushil en is vol en stevig
Haar binnenwerk lijkt wel op zalabiyya

Dit hoeft niet te bevreemden. In de Middeleeuwen in het Westen gingen vrouwen op het deeg zitten van een brood dat ze aan hun geliefde wilden geven. Ze mengden er soms zelfs menstruatiebloed door. Vergeet niet dat het hoefijzer als geluksbrenger een symbool is van het vrouwelijk ge-slacht. En zo kan ik nog doorgaan. Maar mijn zalabiyya brandt aan.

Ramadan

Ramadan zou een maand zijn van zelfreflectie en bezinning, van zelfbeheersing. Even los van de vraag waarom zelfbeheersing en -reflectie tot een maand in het jaar beperkt moeten worden, wil ik graag met de geïnteresseerde lezer mijn ervaringen met deze nomadische maand delen. ('Nomadisch' omdat hij elk jaar op een andere datum begint.)

Van de vastenmaand in Marokko kan ik me niet veel herinneren, behalve de geur van de traditionele *harira*, de soep die, als de zon onder is, na nuttiging van melk en dadels, wordt gegeten als *fitr*, 'ontbijt'. Harira is een welgevulde soep en de manier van bereiden verschilt per streek in Marokko. Johannes van Dam heeft het wel eens gemaakt en hij deed dat uitstekend, al blijft natuurlijk moeders harira de beste.

'Ontbijten' betekent letterlijk voor het eerst bijten. Het Engelse 'breakfast' is het equivalent van fitr: vasten verbreken. Dit geeft al meteen aan hoe de dag tijdens de ramadan verloopt: wat men, gastronomisch gesproken, gewoonlijk overdag doet, doet men tijdens deze maand 's avonds. Ontbijt, lunch, diner nuttigt men 's avonds. En voor het slapen gaan nog wat eten, als extra. En overdag heeft men honger.

Van Marokko herinner ik mij de kleurige duisternis in de stad. De lichten, de drukte, de muziek, de onvermijdelijke etensgeuren en de vrolijke mensen in de stad. Dit wordt natuurlijk versterkt omdat mijn geheugen de dingen beziet vanuit kikvorsperspectief, zo klein als ik was (was!). Overdag heerste er een soort norse siësta en intolerante inertie, maar als de avond zacht maar snel nederdaalde, gelijk een indigoblauwe engel uit de hel, kwam het leven op gang. Eindelijk werd er gelachen en gerookt – niet noodzakelijkerwijs in deze volgorde.

In Nederland viel mijn eerste vasten in augustus. Een kind mag pas vasten als het de puberteit heeft bereikt. Voor het meisje wanneer ze voor het eerst ongesteld wordt en voor de jongen wanneer hij sperma aanmaakt. Dit laatste lijkt wat moeilijker vast te stellen, maar geloof me: de moeder weet de eerste vlekken van een natte droom of andere bezigheid altijd wel te spotten. Kinderen zouden wat meer privacy moeten hebben.

Als kind wilde ik (en dat geldt niet alleen voor mij, daar ben ik van overtuigd) al eerder mee vasten. Ik wilde erbij horen. Ik wilde niet uitgesloten worden van wat op zich een chagrijnige bedoening was die wel eens op mij werd afgereageerd (u kent dat wel: vader snauwt moeder af, moeder snauwt kind af, kind schopt een kat in elkaar), maar misschien ook het idee hebben dat ik... Laat ik het zo zeggen: 'Ik kan al wit plassen!'

Ja, mensen worden gemelijk van honger en het feit dat moeders de vastenmaand beter leken te verdragen, begrijp ik nu ook. Het opsnuiven van de geur van vlees en het versgebakken brood en de kruiden en de groenten en de stovende walm zijn al verzadiging genoeg. Al zou volgens vrome moslims het ruiken van eten al een overtreding van de ramadan zijn. Ongetwijfeld dezelfde moslims die de hele dag slapend doorbrengen om bij zonsondergang wakker te worden. Mannen, uiteraard.

Op mijn tiende mocht ik enkele dagen vasten als voorbereiding op het echte, latere werk. Dat was toen we op 'vakantie' waren in Marokko. Ik beging de grote fout om mijn vasten te verbreken door een glas water te drinken. Ik kon daarna geen hap door mijn keel krijgen. Zo'n waterbuik had ik. Het was geen prettige ervaring.

'Maar, Hafid, je moet ook niet direct water drinken,' vertelde iemand mij. Had dat dan eerder gezegd.

Op mijn elfde had ik de witte periode bereikt. Ramadan begon en ik moest nu de hele maand vasten. Het was in augustus. Het was stralend weer, daar in het dorp Arkel, en om de dag door te brengen had mijn broer een fantastisch plan bedacht. We zouden door de weiderijke omgeving van het dorp fietsen. Het moet rond de dertig graden zijn geweest. Ik had eindelijk een fiets gekregen van vader, die hij in Marokko eeuwen geleden had beloofd, een oranje fiets en ik had leren fietsen. We gingen fietsen. De weiden lagen er vredig en gelukkig bij. De appelbomen bloosden. De Linge liet zijn rimpels masseren door de zon. Het riet keek er eerbiedig naar. We fietsten verder. Toen sloeg de dorst toe. Drinken mocht niet. Het gezicht wassen en de monden spoelen zonder een druppel in te slikken wel. Na elf kilometer stopten we in een park en wasten in het toilet ons gezicht en spoelden onze monden zonder een druppel in te slikken. Ik was hierna zo gelaafd, zo verkwikt dat mijn broer mij ervan beschuldigde een druppel te hebben ingeslikt. Ik zou mijn vasten hebben verbroken. Want de zon was – vertel mij wat – nog niet onder. Hij lachte mij uit en zei dat ik die dag later moest inhalen, zoals de plicht is. Nu ik erover nadenk, was hij opeens ook heel vief en uitgelaten. Toch niet alleen omdat hij zijn gezicht had gewassen en zijn mond gespoeld?

Op mijn elfde heb ik op een andere manier mijn ramadan niet geëerbiedigd. En verrek als er niet meisjes bij betrokken waren. Seksuele handelingen of iets wat de broodnodige wellust zou kunnen opwekken, zijn in deze maand ook streng verboden. Het komt hier op neer: juist tijdens ramadan mocht ik flikflooien met het meisje dat mijn witte dromen beheerste (na zonsondergang). Ik heb ramadan veel te danken.

Op de middelbare school (we springen nu slootje in de tijd) in Gorinchem brachten mijn broer en ik wel eens de lunchpauze tijdens ramadan door met het slenteren door deze stad. Stripboeken jatten konden we niet, want stelen is tijdens ramadan verboden. Echt waar. Liegen mag ook niet tijdens ramadan. Vloeken ook niet. Over het inslikken van je eigen speeksel hebben we wel eens discussies gehad.

Gorinchem had een bioscoop, Roxy genaamd. In dic bioscoop heb ik *Bambie* (een wrede film) voor het eerst en het laatst gezien. Het was ook de eerste bioscoop die ik in Nederland bezocht. Dit filmhuis vertoonde ook porno en stills uit de betreffende latenachtfilms werden daar openlijk tentoongesteld. Ik zal nooit de foto vergeten van een fist-fuck-scène ('Helpt hij haar te bevallen?'). Hoe dan ook. Om de hoek van Roxy stond in een steeg een moskee van de moslimbroeders. Tijdens onze lunchwandelingen in de vastenmaand – ja, dit is een oxymoron – gingen mijn broer en ik altijd naar de foto's kijken en daarna spuugde hij op de grond en zei tegen mij: 'Dat moet je ook doen.' (Een slechte gewoonte die ik sindsdien niet heb afgeleerd.) Door te spugen ontdeed je je lichaam blijkbaar ook van onreine gedachten. Niet van de bobbel achter de gulp.

Wij waren niet de enigen. Heilige moslimbroeders die richting de moskee gingen, konden ook niet de behoefte weerstaan om te kijken welke tekenfilm er nu weer draaide. Het werd een waar spuugfestijn daar, aan de gracht van Gorinchem, ook bekend als Gorkum. Ze droegen djellaba's en een djellaba heeft niet echte zakken, slechts twee 'sneetjes' die direct toegang geven tot minaret en klepels (dit is nog eens integratie!).

Hoewel ik al lang niet meer vast, heeft ramadan mij dit geleerd: dat je afstand moet houden van de persoon tegen wie je spreekt, vanwege de halitose, en dat het vlees sterker is dan enig gebod of verbod en zeker dan de geest. Na zulke wijze lessen zie ik het nut van vasten niet meer in. De bevrediging komt er uiteindelijk toch.

Diversiteit uw naam is zwendel

In 2005 organiseerde Rogan Wolf, een onafhankelijke maatschappelijk werker voor de liefdadigheidsinstelling Hyphen-21 een bijzonder project. Het project bestond uit posters met gedichten geschreven in 48 verschillende talen met een Engelse vertaling ernaast. De talen liepen van het Arabisch tot en met het Vietnamees, met Gaelic, Farsi, Koerdisch, Punjabi en Urdu en nog vele andere daartussen.

De tweetalige papieren tabletten werden opgehangen in de wachtkamers van gezondheidscentra, tandartsen, huisartsen en de Engelse variant van het Riagg. En dan verspreid over het hele land. Geef toe, het is wat anders dan de tijdschriften die men in zulke wachtkamers tegenkomt en die speciaal gedrukt lijken te worden (behalve de alomtegenwoordige Donald Duck voor het kroost) voor zulke reine ruimtes waar men oogcontact mijdt en het stilzwijgen weer eert, of het moet zijn dat men plotseling massaal aan afasie lijdt.

Bij de presentatie van dit project op woensdag 5 oktober 2005 in de Central Middlesex Hospital in Noord-Londen werden de gedichten in de oorspronkelijke taal voorgedragen, sommige door de oorspronkelijke dichters zelf, terwijl Andrew Motion, die het project steunde en tot 2009 *poet laureate* was (de edele versie van onze dichter des vaderlands) de Engelse vertalingen voorlas.

De gedichten moesten de hartensnaren van de wachtende mensen weer beroeren: 'Een menselijk trekje kan helpen in de wachtkamer,' legde Rogan Wolf uit. 'Soms kan poëzie dat beter bereiken dan wat dan ook, ontroeren zonder op te dringen. En deze tweetalige gedichten doen iets extra's. Ze kunnen de levens van mensen naar elkaar toe openen. Ze kunnen helpen ons te herinneren aan onze verbondenheid.'

Even los van de vraag of het de functie van de poëzie is om verschillende levens naar elkaar 'toe te openen' en of ontroering niet een vorm van opdringen is, wie trapt er nou werkelijk in deze ongetwijfeld nobel bedoelde woorden? Ze klinken alsof ze uit de geest komen van een persoon die nog steeds denkt dat poëzie een trechter is voor emoties en gevoelens.

En als een maatschappelijk werker zich uitspreekt over iets wat buiten zijn vakgebied valt, dan is het altijd oppassen geblazen. En ziet! Onze achterdocht blijkt geheel terecht. Want wat was de titel van dit project? *In Praise of Diversity*. Het ging helemaal niet om poëzie als blikopener voor verschillende mensenlevens, als leverancier van menselijke trekjes; het doel was om de etnische en linguïstische diversiteit te vieren en te prijzen van een land als Engeland. En God was tevreden met de toren van Babel.

Het is heel goed mogelijk, zelfs waarschijnlijk, dat de diverse mensen buiten de wachtkamer nog minder contact hadden dan tijdens de bezoekuren en de vraag die gesteld zou moeten worden is: dicht men hier de poëzie een gave tot maatschappelijke adsorptie toe of is dit een naïeve kijk op poëzie? Waar samenleving niet tot maatschappelijk contact van diverse groepen leidt, waarom zou een gedicht, geschreven in een taal die men niet kent en vertaald in een taal die men misschien maar gebrekkig kent, dat wel kunnen? Als de poëzie iets opent, dan wel de geest en de verbeelding; hadden die mensen in die wachtkamers nou werkelijk achtenveertig gedichten nodig in achtenveertig verschillende talen om te weten te komen dat er een waar krakeel bestond van verschillende tongen in hun stad met haar verschillende wijken en straten en stegen? Achtenveertig talen die voor onbegrijpende oren als ongetwijfeld een pruttelend geroezemoes klinkt (hoeveel mensen in Nederland horen, bijvoorbeeld, het verschil tussen Turks en Marokkaans?)

Nee, het was geen eerbetoon aan 'het menselijke trekje' van de poëzie, noch aan de koppelwaarde ervan: op mij komt het over als een daad van wanhoop. Het was een daad van wanhoop en de poëzie werd er niet mee gediend en de enigen die de diversiteit wilden loven en ongetwijfeld trots waren op het project, moeten de maatschappelijk werkers zijn en de gelauwerde poëet die ook ongetwijfeld hoopte op een schone godenvonk van de verbroedering van alle mensen onder de heersende vleugel van diversiteit, om Beethoven en Schiller te parafraseren. Maar dan wel door poëzie. Niemand laat zich lauweren zonder te denken de mensheid te dienen of een eer te hebben bewezen.

Alles was natuurlijk goed bedoeld, maar wat heb je aan goede bedoelingen als ze niks opleveren? Ze zijn als opgestapelde straatklinkers, die wachten op stakende plaveiers. De beoogde weg wordt niet gelegd, laat staan dat het idealistische verschiet van interculturele en interreligieuze begrip en verbroedering dichterbij komt (want religieus begrip komt pas bij relativering van de eigen levensbeschouwing en zeker de islam is daar niet een kampioen in). Zulke projecten maken mij, zachtjes uitgedrukt, wat kriegelig, ze geven me huiduitslag. En niet alleen vanwege het totale onbegrip van de mensheid in het algemeen en van mensen in den vreemde in het bijzonder, die een overdreven en hardnekkige neiging vertonen zich tot archetypes van hun cultuur te vormen, hetgeen een vorm van folklore is, en met het complexe fenomeen cultuur niets van doen heeft, maar vooral vanwege de aanmatigende en paternalistische aard van zulke pogingen – altijd futiel – tot, in Gorters woorden,

een groote reidans
aan de oceaan der wereld, zooals kindren
die men 's avonds op strandmuur bij de zee,
bij het geel der lantarens en 't licht
der zon, ziet huppelen op muziek.

Men ziet dat het idealisme Gorters poëzie geen goed heeft gedaan. Grote mensen die dansen zoals kinderen huppelen op muziek... wat is dat voor een vergelijking? Dansers vergelijken met kleinere dansers? Wat een flets beeld! Zelfs de zon is flets. De kleur geel is hier juist gekozen.

Om apodictisch te spreken: op gastronomie na en zelfs dat niet altijd, zijn mensen bang voor diversiteit, ze vrezen de teloorgang van wat gewoonlijk identiteit wordt genoemd, zonder te beseffen dat identiteit niet statisch is, maar organisch en vloeibaar. De irrationele angst van immigranten om op te gaan in een nieuwe wereld is iets wat onbegrijpelijk zou zijn, ware het niet dat de mens een behoudend wezen is en niets wenst hij zo te behouden als folklore, zoals ik hierboven noemde. Denk aan hoofddoek; denk aan djellaba en specifieke baarddracht; denk aan geslachtsapartheid, niet alleen tijdens sport, maar zelfs bij vervoer en in dienstcentra (gescheiden loketten voor vrouwen en mannen) en zelfs in theaters. Dat van het laatste geen gebruik is gemaakt door de meeste vrouwen, is niet van belang: de *mogelijkheid* tot deze vorm van apartheid is al een gruwel. Het moge duidelijk zijn dat ik hier doel op de islam, omdat het juist de islam is die ons in deze tijden herinnert aan de angst voor diversiteit.

En laat niemand zich zand in de ogen strooien door een evenement als 'In vrijheid verbonden', waarbij stichtingen van zes religieuze, nee, sorry 'levensbeschouwelijke' stromingen elkaars verbondenheid gingen vieren, een reidans uitvoeren onder het geel van spotlichten (en natuurlijk met muziek en 'hapjes') en waarbij Hare Majesteit eregast was (over folklore gesproken!). Er waren twintig uitgenodigde organisaties, waarvan er tien islamitisch! Tien (10)! En een Joodse: Centraal Joods Overleg. O verscheidenheid, uw naam is zwendel. Dit is geen diversiteit, dit is een vertoon van overmacht.

En wat stelt het nu allemaal voor? Niks meer dan het equivalent van de lege glimlach voor een fotograaf in ontwikkelingslanden om daarna weer verder te gaan zonder enige inclinatie tot verandering. Maar het was allemaal goed bedoeld, dat wel, en bijkomend voordeel is dat, anders dan met de gedichten in de wachtkamer van de tandarts, men dat ijzig gezoem van de boor uit de behandelkamer niet hoefde aan te horen. Want er is geen poëzie die dát kan overstemmen.

V

HELLEVLAMMEN

Bad Lieutenant *en* Bram Stoker's Dracula

Bad Lieutenant van Abel Ferrara en *Bram Stoker's Dracula* van Francis Ford Coppola hebben hetzelfde geboortejaar: 1992. En het is in dat jaar dat ik beide films voor het eerst zag. Sindsdien heb ik ze menige keren gezien en de indruk die eerstgenoemde op mij maakte bleef onveranderd; bij *Dracula* ontdekte ik, na de aanvankelijke betovering door de visuele pracht en sprookjesachtige allure, steeds andere lagen. Sterker nog: ik ben nu zelfs in staat om naar de film te kijken zonder optisch te struikelen over het beroerde acteren van Keanu Reeves. De intellectuele inslag van de film is wat mij er zo aan fascineert.

De films vertegenwoordigen twee tegenovergestelde manieren van filmen: de realistische (meestal wordt dit woord voorafgegaan door 'rauw') en serene aanpak van Ferrara tegenover de weldadige (voor sommigen ongetwijfeld overdadige) stijl van Coppola. Nu is 'sereen' misschien niet het woord dat men verwacht bij de films van de rouwdouwer en enfant terrible Ferrara, maar ik doel op het ritme van zijn films, ze zijn niet gehaast en nemen de tijd om elk shot tot zijn recht te doen komen. Zijn films lijken langer te duren dan de 90 en soms 80 minuten die ze in beslag nemen. Het contrast tussen de 'gemoedelijke' camera en de confronterende inhoud is zeer effectief en nergens zo effectief als in deze film.

In *Bad Lieutenant* zijn er lang aangehouden camerastandpunten die pijnlijk lang duren (de masturbatiescène, die ook hilarisch is), waarbij de kijker een nerveus gegrinnik laat horen of gaat verzitten, afgewisseld met shots vanuit een rijdende auto en twee opvallende scènes met een *handheld* camera – geen *steadicam*. De tweede scène geeft de paranoia van een doorgesnoven Harvey Keitel (die naamloos is in de film) indringend weer, wanneer hij met een kistje vol geld de trap afdaalt, slechts belicht of gevolgd door één spotlicht.

Naast de immer aantrekkelijke katholieke iconografie, de intimiteit van het biechthok en de kerk, is de film ook vol van de poëzie van de straat en vervallen achterbuurten. Hierin doet de film denken aan *Mean Streets* (1973) van Martin Scorsese en ik meen dat de film tevens een hommage is aan deze film. Dit wordt expliciet aan het begin van de film wanneer de smeris aan het dansen is met een naakte vrouw, op het nummer *Pledging my Love* van Johnny Ace. Dit lied wordt tevens gebruikt in de film van Scorsese in precies dezelfde omstandigheid: Keitel die met een beschonken vrouw danst. Er zit melancholie in de scène, in de Caravaggio-chiaroscuro, de slow motion: misschien zelfs iets van nostalgie, alsof Keitel, op filmisch niveau, teruggevoerd wordt naar zijn jongere versie uit 1973.

Over chiaroscuro gesproken: merk op hoe opvallend schilderachtig het bloot in de film wordt belicht. Zeker de non baadt in lyrisch licht, dit in contrast met Zoë Lund (een van de schrijvers) die de luitenant een shot heroïne geeft: een bijna religieus ritueel; zij vormt een parallel met de verkrachte non: beiden in het zwart gekleed en beiden hebben rood haar. En de monoloog van de non in het biechthok heeft een parallel in de verkillende monoloog die Zoë uitspreekt. Ik geloof dat het deze monoloog is geweest die de inspiratiebron heeft gevormd voor de film die Ferrara na *Bad Lieutenant* maakte, *The Addiction* (1995, in zwart-wit). Deze vrouw rooft van zichzelf om in leven te blijven, terwijl de non beroofd wordt: 'Deze jongens kwamen behoeftig naar mij toe en zoals alle behoeftigen namen zij.'

Dat de film zo'n indruk maakte kwam zeker ook door de acteerprestatie van Harvey Keitel. Ik denk niet dat een andere acteur zo'n rol had durven spelen of zo memorabel had kunnen spelen. Ik moet altijd denken aan Robert de Niro die weigerde in *Raging Bull* (1980) in de gevangenis een masturbatiescène te spelen, hoewel hij in *Novecento* (1976) van Bertolucci minder preuts was, maar ook minder bekend.

Dat *bad* in de titel is nogal een understatement voor een corrupte, drugs- en gokverslaafde, geperverteerde smeris, hoewel hij ook katholiek is ('*I'm blessed*', spreekt hij met dubbele tong). Vreemd genoeg komt zijn personage nooit als afstotend op mij over, zijn performance is te indrukwekkend om weerzinwekkend te zijn. Hij is eerder meelijwekkend. Als er ooit een verloren ziel bestond, dan is hij het wel. En de film is de claustrofobische hel die zijn geest is. Ik ken weinig andere films waarbij het klassiek Griekse begrip *catharsis* plaatsvindt, al was het alleen maar omdat de kijker na afloop blij zal zijn de duisternis van de filmzaal te kunnen verlaten.

Coppola heeft gezegd dat hij er eer in stelde in zijn filmtitels schrijvers te noemen, zoals in *Mario Puzo's The Godfather* en hier *Bram Stoker's Dracula*. (naast het geven van een recept in de films zelf, zie deel I van de peetvadertrilogie) . Dit klinkt niet geheel oprecht, vooral omdat hij zich vaak erover beklaagde dat zijn aanvankelijke ambitie was om zowel een regisseur als *auteur* te zijn, een regisseur die zijn eigen scripts schrijft; hij vermeldde dan altijd dat hij zo'n bewondering en respect had voor iemand als Woody Allen. Ik vermoed dat Mari Puzo's naam vermeld werd vanwege de bestsellerstatus van diens boek – Coppola was toen relatief onbekend als regisseur – en het noemen van Bram Stoker is een aanwijzing dat hij dicht bij het boek is gebleven.

Nu zullen Stoker-puristen tegenwerpen dat hij wel het een en ander heeft toegevoegd, voornamelijk het liefdesverhaal, de *love interest*, en de idee van Mina Harker als reïncarnatie van Prins Vlads prinses die zelfmoord pleegde (het reïncarnatiethema keert terug in zijn voorlaatste film *Youth without Youth*, 2007), maar dat zijn verbeteringen op het boek, dat vooral interessant is (Stoker was een middelmatige schrijver: hij geeft Lucy steeds andere kleur ogen) vanwege de gigantische invloed die het heeft gehad op het horrorgenre. Echter, de meeste films, die van Tod Browning met *Bela Lugosi* (1931) incluis, waren niet op het boek gebaseerd, maar op een verschillende keren bewerkt toneelstuk. Sommige verfilmingen baseerden zich niet eens op een tekst en hadden aan de naam Dracula al genoeg.

Daarbij benadrukken de regisseur en scenarioschrijver James V. Hart de erotiek die node wordt gemist in het boek.

Bij Coppola komen alle belangrijke personages voor en het grootste gedeelte van de dialogen en voice-over komt rechtstreeks uit de gothic roman. Wel is de opvatting dat Dracula gebaseerd zou zijn op de historische Prins Vlad al enige tijd geleden verworpen: het is bekend welke boeken Stoker gebruikte (de passages die het landschap van Transylvanië beschrijven zijn letterlijk overgeschreven) en geen daarvan handelt over deze Spietser en bloeddrinker.

Het moet geen sinecure zijn geweest om een figuur die tot de folklore is gaan behoren en bij wie iedereen een beeld heeft (ik gok meestal het gezicht van Christopher Lee) nieuw leven in te blazen, maar Coppola lukt het wonderwel. Niet alleen dankzij de kostuums, het decor, de belichting, maar ook door de acteerprestatie van Gary Oldman. Een oude man, enige eeuwen oud, nog steeds geplaagd door de pijn van een verloren geliefde: dit is een romantische, gekrenkte Dracula. En dat er Roemeens wordt gesproken geeft de film op zulke momenten, ja, hoe zal ik het zeggen, iets sexy's.

Vermeldenswaardig is ook Anthony Hopkins in de rol van de Nederlandse arts Abraham van Helsing: de acteur gaat geheel over the top, maar aantrekkelijk aan zijn rol is dat hij de archetypische onbehouwenheid van de Hollander poogt te portretteren. Hij heeft geen tafelmanieren en de *'ja's'* zijn niet van de lucht. De goede Nederlandse kijkers zullen zich, denk ik, niet beledigd voelen, eerder geamuseerd.

Behalve door natuurlijk het meesterwerk *Nosferatu* (1922) van F.W. Murnau is Coppola door *La Belle et la Bête* (1946) van Jean Cocteau geïnspireerd: hij citeert soms bijna letterlijk. Verder maakt hij geen gebruik van computergegenereerde trucages, maar van ouderwetse goochelarij.

Ondanks de weelderigheid van het beeld is het een intellectuele film, ik zou zelfs zeggen dat hij een essayistische inslag heeft. Er wordt gebruikgemaakt van de eerste camera, typemachines komen langs, telegrammen, dictafoons, morfine, laudanum (wanneer Mina een pipetflesje voor de apotheek uit haar handen laat vallen: goed kijken!), absint, de eerste tabloids (dit was ook de tijd van Jack the Ripper), de *Arabian Nights Entertainment* van Sir Richard F. Burton, de ongecensureerde en zwaar geannoteerde vertaling van de *Duizend-en-een-Nacht*, in de film verfraaid met Indiase erotische miniaturen, bloedtransfusie. Dit is zowel een verbeelding van een nieuwe wereld, als het verval van een oude. Met deze modernisering begint God te zieltogen. En al dit wordt belichaamd door de graaf Dracula, die zijn verbond met God heeft verbroken, nee hem zelfs heeft afgezworen: hij drinkt Jezus' bloed niet meer.

Dit is het Victoriaanse tijdperk van de industrialisatie en kolonisatie; van onderdrukte seksualiteit, die in de onderwereld van het puriteinse rijk verlossing vond.

Opvallend in dit verband is de scène waarin het schip de *Demeter* (Moeder Aarde, ja ja, want het schip vervoert aarde uit Dracula's vaderland) met Dracula aan boord Londen nadert en de camera, dieren en personages op hol slaan. Let op de weerspiegeling van dokter Seward als hij zich injecteert met morfine en het beeld 'uiteensmelt' alsof de film en de toeschouwers in een hallucinatie terechtkomen. En nu ik u toch aan het vertellen ben waar u op moet letten, let op de kleine rol van Monica Belucci als een van de drie bruiden van Dracula (*'I'm not gonna tel them to take their clothes off.'* riep Coppola's zoon, die ook verantwoordelijk was voor de trucages).

De hele film oogt als een *trip*, in die zin is het een voortzetting van de stijl van *Apocalypse Now* (1979). Dat de film niet ontspoort, in elk geval in mijn ogen (en ik zou het niet bezwaarlijk hebben gevonden als dat wel was gebeurd), komt door de consequente aanpak van de regisseur. Bijna elk frame staat op barsten door de details en de beelden op beelden, shots die achterstevoren worden afgedraaid, maar die zijn consequent uitgevoerd en elke laag sluit aan op de volgende. Het is begrijpelijk dat de *director of photography* Michael Ballhaus (die zestien films voor Fassbinder draaide) soms verward was en geen oog had op het eindresultaat.

Alle intellectualisme terzijde, is het uiteindelijk een film die draait om de verlossende kracht van liefde, dat deze liefde perverse kanten heeft (de scène waarin Mina bloed zuigt uit de borst van Gary Oldman is gewoon geil: de camera deint langzaam en suggestief heen en weer op de klanken van de muziek), is des te beter.

Dracula mag God dan wel hebben afgezworen, maar op het einde wordt hij vereenzelvigd met Jezus: *It is finished. My God has forsaken me*, zijn zijn laatste woorden. Stukken beter dan het 'Amen' dat de personages in het boek uitslaken, waarna ze in de sneeuw knielen.

Een en al rubber

Plotseling – ik werd me er nu pas bewust van dat het stil was in de zaal – weerklonk een eenzame hese stem: 'Ben ik nou in *the weekend of terror* of niet? Krijg ik nog respons?' Van alle kanten klonken weer, maar nu enigszins vermoeid, de roepen en ronkende strijdkreten die al lang tot traditie zijn verworden.

De strijdkreet (ondertussen zo bekend dat ik die niet zal herhalen) hoor je al als het jonge publiek het Amsterdamse bioscoopcomplex Tuschinski via de achteringang binnenrent. Het Weekend of Terror (WOT voor intimi) moet een goudmijn zijn voor antropologen die het groepsgedrag van jongeren willen onderzoeken en de rituelen die daarmee gepaard gaan, los van de gedeelde voorkeur voor het genre ('als er maar bloed in voorkomt').

Mannen staan er om bekend hun angst te overschreeuwen: als een man en vrouw naar een griezelfilm kijken, probeert de man zijn eigen schrik te verdrijven door de partner te laten schrikken. Niemand gaat naar de horrornachten voor een psychoanalyse, maar wanneer het publiek allesoverheersend is, is het bijna onmogelijk dat je gedachten niet afdwalen.

Dat publiek heeft een opmerkelijk beoordelingsvermogen. Flutproducten, zoals *Wishmaster II*, worden ongenadig uitgefloten, wanneer de film, na een beloftevol begin, onherroepelijk inzakt. De bezoekers weten waarvoor ze komen en ze verwachten dat te krijgen. De vijftiende editie van het Weekend of Terror, met als titel *De Profundis* (vanuit de diepte) trok veel minder bezoekers dan vorig jaar, beide nachten waren niet eens uitverkocht. Tussen de vele lege plaatsen zag ik een muis verdwaald rondsnuffelen en ik vroeg me af of dat een grapje was van de organisatie, maar niemand leek het diertje op te merken.

Eregast was de Amerikaan Lloyd Kaufman, het brein achter de productiemaatschappij Troma. Aan de cultpulp van deze firma werd een retrospectief gewijd, ingeleid door Kaufman zelf. Want, geloof het of niet, aan films als *Tromeo & Juliet*, *Bloodsucking Freaks* en *The Toxic Avenger* ligt maatschappijkritiek ten grondslag. Alsof dat de echte liefhebbers wat uitmaakt – mijn kijkplezier wordt er in elk geval door vergald. Deze films werden vertoond in zaal 3 van Tuschinski. Zaal 1 was gereserveerd voor de grotere producties. Waarom de verrassingsfilm *ExistenZ*, de nieuwe van David Cronenberg (die binnenkort in de bioscoop komt), in de kleine zaal werd gedraaid, in plaats van die tenenkrommende *Wishmaster II* van Jack Sholder, is een raadsel. Waar *Wishmaster I* van Robert Kurtzman (die, vooral in het begin, zwaar leunde op Coppola's versie van Dracula) een behoorlijke vaart, goede special effects en een uitgewerkt gegeven had, is het vervolg een niemendalletje. Het is begrijpelijk dat Wes Craven zich terugtrok uit de productie. En de rode steen waarin de djinn gevangenzit is werkelijk geen opaal – een opaal is nooit rood.

Een ander vervolg was *The Dentist II* van Brian Yuzna (dezelfde die, volgens de laatste berichten, een film aan het draaien is in Amsterdam), die een ovatie kreeg van het kennerspubliek. Grappig waren de verongelijkte uitspraken van de snode tandarts ('het zijn artsen als jij die de tandarts een slechte naam geven!'), en herkenbaar de eindscènes (een vrouw die achtervolgd wordt – wat anders?) waarin hoofdrolspeler Corbin Bernsen een imitatie van Jack Nicholson in *The Shining* ten beste gaf. En in het slotbeeld zag hij eruit als Spikehead (weer gejuich van het publiek).

Spikehead moest het ook ontgelden in *Bride of Chucky* (regie: Ronnie Yu), een humoristisch vervolg op *Childs Play III*. Dit deel is sterker dan eerdere afleveringen, vol toespelingen op *Natural Born Killers*. Chucky ontmoet een blonde vamp ('Barbie, eat your heart out!'), met wie hij trouwt. Memorabele uitspraak wanneer zij het huwelijk consumeren: 'Chucky, heb je 'n condoom?' 'Maar, schat, kijk dan naar me: ik ben een en al rubber!' Dat ze hem niet had moeten geloven bewijst het einde van de film, dat erop duidt dat deel 5 eraan komt.

Verrassingsfilm in zaal 1 was *Vampires* van John Carpenter, met in de hoofdrol James Woods. Een extravagante, moderne parodie op de vampierfilms. De langgerekte westernachtige beginscène is meesterlijk. De eerste dreun laat op zich wachten, en wanneer die komt wordt die niet veroorzaakt door bloederige effecten, maar door het besef dat je hier met een zwartgallige komedie te maken hebt. Naast *ExistenZ* was deze film een aangename verrassing.

Sommige bezoekers versliepen de dag in de bioscoop zelf. Na afloop van beide nachten was de zaal een slagveld van braaksel, snippers, geplette bekers, toiletpapier en ballonnen. Bij vertrek, zo omstreeks halfnegen 's morgens, kregen we beide ochtenden een zak drop (altijd goed als ontbijt).

Wat ik vergat te doen, was de organisatie waarschuwen dat er een muis in de zaal rondliep. Ik moet er niet aan denken dat dat arme beestje tussen logge schoenen een veilige weg naar zijn hol moest vinden. Weekend of Terror – inderdaad.

Hellevlammen op het witte doek

De film *Moulin Rouge!* draait om de jonge schrijver Christian (gespeeld door Ewan McGregor) die, na in aanraking te zijn gekomen met de schilder Henri de Toulouse-Lautrec (John Leguizamo) en zijn zotte bende van bohemiens, in de glamourwereld van de Parijse nachtclub Moulin Rouge verzeild raakt. Als auteur van een toneelstuk dat daar zal worden opgevoerd, wordt hij verliefd op Satine (Nicole Kidman), de vrouw die de hoofdrol zal spelen en die tevens de beroemdste courtisane van Parijs is. Deze liefde vol obstakels is een kort leven beschoren, want Satine overlijdt aan tbc, zoals cocottes aan het eind van de negentiende eeuw wel vaker plachten te doen. Christian en zijn groep vertegenwoordigen de bohemienwind, wat zeg ik, de bohemienstorm die door *Moulin Rouge!* zal razen onder de luidruchtige vaandels van schoonheid, waarheid, vrijheid en liefde. Al aan het begin van de film prijken deze kreten op affiches, hoewel het alleen de liefde is die in het verhaal en zegetocht houdt. Het belangrijkste in het leven, is het motto, is iemand hebben van wie je houdt en die ook van jou houdt. Deze hartverwarmende boodschap mocht ik u niet onthouden.

Het is niet moeilijk om de vier leuzen te beschouwen als het program van Baz Luhrmann, de regisseur van deze film, die eerder het indrukwekkende *William Shakespeare's Romeo + Juliet* maakte. En dan vooral vrijheid en schoonheid. De film is een visueel en auditief bombardement (vooral het eerste halfuur is adembenemend). Luhrmann veroorlooft zich vrijheden met filmische conventies en graait her en der uit de filmgeschiedenis. Het was een gouden vondst de soundtrack te laten verzorgen door hedendaagse artiesten en niet te vervallen in historische muziek. (Nicole Kidman en Ewan McGregor maken hun zangdebuut, nou zeg ik u!) De vormgeving en kostuums zijn oogstrelend. En dan hebben we het nog niet eens over de werkelijke hoofdpersoon van deze film: de camera. Het is begrijpelijk en zelfs noodzakelijk dat verhaal en personages derhalve eenvoudig en zelfs oppervlakkig zijn. Leve de vrijheid en leve de schoonheid. Dat onder deze dekmantel belangrijke aspecten als acteerprestaties en architectuur overboord worden gegooid is iets wat echter moeilijk te verteren valt. Het gebrek aan humor is ook stuitend. Toegegeven, er zijn scènes en personages die kolderiek lijken, maar ze zijn enkel koddig. Slapstick is vooral een kwestie van timing en het is verbazingwekkend dat een regisseur met zo'n groot gevoel voor ritmiek en dynamiek hierin faalt. Hoed u voor de lach van de humorloze. Het is alsof een grijze wolk probeert te glimlachen. En ondanks het droeve einde is de film van een afgrijselijk optimisme. *Moulin Rouge!*, in het kort, is een onvervalste musical.

Er zijn mensen, schijnt, die van musicals houden. Musical is een inferieure vorm van theater, bestemd voor montere figuren die fluitend over straat lopen. Musical is voor mensen die liever bij een parfumetalage stilstaan dan een blik werpen in vervallen steegjes; musical is voor mensen die liever struinen in winkelstraten die overal op de wereld hetzelfde eruitzien dan het leven te ruiken in krottenwijken. Wie een musical bezoekt, wil zich behaaglijk laten meesleuren in een kunstmatige droomwereld. Musical is uitermate geschikt voor mensen zonder nachtmerries. Opera, daarentegen, is een opiumkot. En hoewel *Moulin Rouge!* af en toe moeite doet op een opera te lijken, mist hij daar de geconcentreerde vorm voor. Musical is van alles wat, maar van niks alles.

Opera en film kunnen als chronische kunstvormen opgevat worden, dat wil zeggen dat ze tot de onderwereld behoren. Beide zijn sadistische media en zij zullen ons, zonder blinddoek, van de luie stoel naar het schavot begeleiden en de executie eigenhandig voltrekken. Dit hoeft niet noodzakelijkerwijs op het einde te gebeuren. In *Psycho* van Hitchcock gebeurt dit na ongeveer een halfuur als de camera in de afvoergoot van de douche wentelt en in *Casino* van Scorsese worden we al bij aanvang de hel in geslingerd. En in de opera *Tosca* van Puccini vindt onze hellegang al in de tweede akte plaats, wanneer we meegesleurd worden in de geesteskrochten van de aantrekkelijkste schurk aller opera's, Scarpia. In de wereld van opera en film heerst Pluto, god van de onderwereld, de argeloze toeschouwer is Persephone, die lustig bloemen plukkend naar zijn rijk wordt ontvoerd, zijn schimmenrijk.

Het is niet om nobele redenen dat er in opera's gezongen wordt, omdat subtiele menselijke emoties alleen via zang uitgedrukt zouden kunnen worden of meer van zulk fraais. Het is omdat het kwaad uiteindelijk onuitspreekbaar is. Muziek is in dit geval een pleister met zwarte, gerafelde randen, die slechts ten dele de etterende en bloedende wonden bedekt. En de werkelijke reden waarom film op video niet dezelfde impact heeft als op het witte doek, hangt niet eens samen met de omvang van het scherm en het geluid, maar met de afdaling in de donkere zaal waar je nachtblind graait naar stoelen, maar knokige lichaamsdelen grijpt. En het witte doek licht op als hellevlammen. In de bioscoop veranderen we allen in geesten, in ontzielde lichamen. Let maar op de zithouding van de toeschouwers, onderuitgezakt of voorovergebogen, het maakt niet uit, uit elke houding blijkt dat het lichaam nutteloos is geworden.

Naar een musical gaan we voor een 'avondje uit', waar we verfrist als van een barbier terugkomen. Maar een goede film verlaten we met het gevoel alsof onze geest onzedelijk is betast en onze zintuigen gekraakt zijn anders heeft de gang naar de bioscoop geen zin. *Moulin Rouge!* schudt onze zintuigen danig door elkaar en weet ze bij vlagen zelfs te ontregelen. Hij is het filmisch equivalent van een LSD-trip en daarmee is ook de zwakte van de film aangeduid: een trip heeft geen structuur, het is ons brein dat op hol geslagen is, het is een kermis van indrukken, terwijl film, hoe onconventioneel ook, een architectuur behoeft, een innerlijke logica die zichzelf tijdens de film aan ons openbaart of ontvouwt. Het gebrek van *Moulin Rouge!* aan een bouwstructuur is een noodlottig gebrek. Ergens in de film zegt een personage: 'Wij zijn schepsels van de onderwereld, we kunnen het ons niet veroorloven lief te hebben.' Maar die onderwereld tonen ging de krachten van Luhrmann helaas te boven. Misschien dat de kleur rood, die de film overheerst, behalve liefde en een bloedend hart, ook iets infernaals moet suggereren, maar de onderwereld is niet een kwestie van kleur.

Dat de musical op grote regisseurs af en toe een aantrekkingskracht uitoefent, is begrijpelijk: de vorm dient als kapstok voor visuele en andere technische hoogstandjes en om het verhaal hoef je je niet echt te bekommeren: hoe dunner het verhaal, hoe gespierder de aankleding. Het is niet verbazingwekkend dat John Woo, regisseur van overgekookte actiefilms (wat wil je, hij is Chinees) met een gênant sentimentele strekking ervan droomt (daar heb je het weer) een musical te maken: hij weet dat de balletschoenen van een musical volmaakt zijn voor de pirouettes van zijn camera. Regisseurs als Coppola, Scorsese en recentelijk Lars von Trier (*Dancer in the Dark*) hebben de musical gebruikt als parodie. Ik bedoel niet dat zij de musical persifleerden of dat zij geen oprechte liefde voor de musical koesteren (een liefde die uiteraard nostalgisch is), maar dat zij de vorm als springplank gebruikten om tot wijdere vergezichten te komen. Zo heeft een aantal schrijvers met verbluffende resultaten de detective en de sciencefiction gebruikt voor literaire doeleinden. Er bestaat voor de goede kunstenaar geen lage en hoge cultuur, er bestaat alleen bruikbare cultuur.

En Baz Luhrmann is een visueel danser die zelfs de balletschoenen is ontgroeid en skeelers heeft aangetrokken. De film verspringt constant van snelheid, bevriest en vertraagt, al komt dat de 'melodie' van de montage niet altijd ten goede. Het gebruik van slow motion is soms potsierlijk. Het camerawerk van de meester Scorsese is kreupel en reumatisch vergeleken met de waaghalzerij en wervelende toeren van Luhrmann. Zijn camera lijkt zich te hebben bevrijd van statief en andere belemmerende onderdelen: hij wervelt en zweeft als een waar trapezeartiest. De camera is hier mens geworden en speelt de sterkste rol. Luhrmann is een virtuoos op zoek naar een geschikt instrument en gedurende de film stapelen de mishandelde en gebroken instrumenten zich zienderogen op. Ik denk dat Luhrmann ons toont welke richting de film op moet gaan, wil hij niet tot een fossiel verworden. Alleen zet hij een verkeerde stap in de goede richting. En het is een verontrustende film.

Het is waar, zoals een regisseur zei, dat de film als medium veel te belangrijk is om aan verhalenvertellers overgelaten te worden. Orale verhalenvertellers, wel te verstaan. De film heeft verschillende dingen voor op de literatuur en synchroniteit is er slechts een van. Enkele regisseurs hebben al aangetoond dat de metaforiek, die voorbehouden leek aan de literatuur, een filmische equivalent heeft, mits in vaardige handen uiteraard. Zo snijdt Fellini in een van zijn films beelden van spartelende vrouwenbenen tijdens seksuele bezigheden door die van de wielen van een locomotief die langzaam op gang komt. De montage, uitgevonden door Shakespeare (*King Lear*), heeft in de film adembenemende hoogten bereikt. De invloed van de videoclip hierop laten we buiten beschouwing, want ik denk dat de goede videoclip zich verhoudt tot de speelfilm als een gelegenheidsgedicht tot een meesterlijk sonnet: ze leven in symbiose.

Ik heb Luhrmann een virtuoos genoemd, maar hierbij wil ik wel aantekenen dat door de eindeloze mogelijkheden die de computer biedt, die virtuositeit niet meer zit in de uitvoering. Het is een computergeanimeerde camera die in *Moulin Rouge!* over Parijs heen en weer zwiept, een Parijs dat eveneens aan de computer is ontsproten. Hier is niks op tegen, film staan nu eenmaal verschillende technieken ter beschikking en armoedig is de regisseur die ze niet wil gebruiken of zich ertegen verzet. Natuurlijk, er worden nog steeds Franse en Poolse praatfilms gemaakt en er zijn ook wat Iraanse regisseurs die ons van verrukking de handen doen ineenslaan en vol begrip en toeristische impressies dankbaar naar huis sturen. Er zijn, geloof het of niet, ook films die handelen over mensen en intieme beslommeringen van mensen en de kleine emoties van de gewone mens. Heerlijk. Maar in hoeverre is film menselijk? In zoverre dat hij in de menselijke behoefte aan mythen voorziet, maar wanneer deze mythen dicht bij huis blijven, dan is mijn buurman ook een mythe. Mythe is uitvergroting, vervorming, ordening en verklaring. Dat is wat anders dan de schoonheid, waarheid, liefde en vrijheid waaronder *Moulin Rouge!*, als een stoet gebochelden en narren, langs ons voorbijtrekt. Inderdaad, voorbijtrekken, want meezuigen doet hij ons niet.

Moulin Rouge! toont aan dat de filmanimatie haar eigen plaats heeft verworven in de film en als de maniakale Luhrmann op deze weg verdergaat dan is onze nieuwsgierigheid naar zijn volgende producties bijzonder groot. Maar wat mij verontrust, is dat ik bij sommige zangscènes uit *Moulin Rouge!* moest denken aan de tekenfilms van Walt Disney, dat Tsjernobyl van de mythen.

Wil de filmkunst haar bestaansrecht behouden dan zullen er tevens goede acteurs in de frontlinie moeten worden opgesteld. Film is een complex medium, dat zich niet kan veroorloven de techniek exclusief te begunstigen. En dat is niet te verhelpen met het inschakelen van acteurs met het talent van tekenfilmfiguren.

Anders vrees ik het ergste. Dan moeten we ons heil zoeken bij praatfilms. Terwijl de grandioze mislukking die *Moulin Rouge!*, bewijst dat de film een grootse toekomst te wachten staat.

Moderne engel

Engelen laten zich moeilijk vangen, zo blijkt op een expositie die in Bergen op Zoom aan de hemelse boodschappers is gewijd. Op gravures, tekeningen, en familiewapens is te zien hoe de mens zich engelen voorstelt. Engelen terug van weggeweest? Dat klinkt vreemd in verband met wezens die hun bestaan danken aan hun onzichtbaarheid. Onzichtbaar voor ons stervelingen, niet voor kunstenaars en kinderen. Een bakerbijgeloof wil namelijk dat baby's die langs je heen lachen, dat doen naar de engelen die hun wieg omringen.

Het gezaghebbende boek *Van de Hemelse Hiërarchie* van Pseudo-Dionysius de Areopagiet (ca. 500 n.Chr.) verdeelde de hemelscharen in triaden – naar de heilige drie-eenheid. Je had – hebt – de serafijen (wiens vleugelaantal varieert van drie tot zes en die de kleuren rood en blauw droegen, respectievelijk voor de hel en hemel) cherubijnen en de tronen; de heerschappijen, machten, krachten; de vorstendommen, aartsengelen en de engelen. Ook de hele wereld (inclusief het hiernamaals) is drievoudig: hemel, aarde, onderwereld (hel). Voor de Areopagiet vormden de engelen (uit het Grieks voor 'boodschapper') een soort missing link tussen de stoffelijke mens en de onstoffelijke hemel. Vandaar de brandende vraag voor vele theologen of engelen uit substantie bestonden of niet. Volgens St. Augustinus waren ze etherisch, maar konden ze materialiseren. Een substantie is ondeelbaar, materie deelbaar.

Freud verklaarde de driedeling van hemel-aarde-onderwereld als de superego-ego-id. Demonen, gevallen engelen, hebben de mens dan ook altijd meer aangesproken omdat ze dus in die hellekrocht van de id zitten, het libido dat de werkelijke drijfveer van de mens zou zijn.

Aan de engel Israfil, de islamitische engel die op de dag des oordeels de bazuin zal schallen, heeft Edgar A. Poe nog een gedicht gewijd. En de Tsjechische componist Suk heeft een aangrijpende symfonie geschreven met de titel Azrael, verbastering van het Arabische Izra'il, de engel van de dood.

Ik bedoel: engelen zijn van ons allemaal, afkomst en topografie zijn niet van belang.

Visioenen van engelen zoals verhaald in heilige boeken zijn misschien te verklaren uit de honger en dorst waaraan woestijnmensen leden en die hallucinaties veroorzaken. Mohammed, na veertig dagen eenzaamheid en vasten op de berg Hira, wilde zelfmoord plegen na een visioen van Gabriel die de hele horizon vulde: hij dacht dat hij krankzinnig werd. Maar ik vraag me af of niet Icarus de vader van alle engelen is: de oude Grieken hadden een obsessie met vliegen, zelfs hun alfabet schijnt op de vlucht van de kraanvogels gebaseerd te zijn. Er was het verlangen om als mens te kunnen vliegen, de felle zonnestralen zorgden voor de visioenen.

Engelen in alle variaties zijn nog steeds prikkelende wezens. Vorig jaar was er in de Kunsthalle Wien een tentoonstelling over engelen. Nu is er een te bezichtigen in Het Markiezenhof te Bergen op Zoom: *Engelen, gevleugelde schoonheid door de eeuwen heen*. De tentoonstelling is georganiseerd door de kunstenaar Frans van der Boom (tevens restaurateur, maar oorspronkelijk advocaat – zijn carrière heeft een vlucht genomen), in samenwerking met kunsthistoricus drs. Johanna Jacobs en drs. Vincent Schoenmakers, vicaris van het bisdom Breda.

Bij het betreden van de binnenplaats van Het Markiezenhof, een stadspaleis dat zijn grandeur van voorheen niet verloren heeft, waren we getuige van een huwelijk: de bruid, zeer smaakvol gekleed, had voor deze gelegenheid haar vleugels thuisgelaten. En we noemen dierbaren engel, zonder te beseffen dat engelen ook kunnen vallen.

Lucifer wordt ook tentoongesteld. Er hangt een kleine tekening van Lucebert, Beëlzebub (Hebreeuws voor Heer van de vliegen), een kleurig portret met insectenogen. En een gravure uit de zestiende eeuw van Cornelis Galle i naar Lodovico Cigoli: Lucifer met vleermuisvleugels die mensen verorbert; zijn lijf gaat door een bol heen, zijn voeten staan in de grot van de onderwereld en zijn hoofd reikt tot in de hemel. Bij zijn kruis staat 'centrum mundia'. Het is misschien wel de beste definitie voor de betekenis van engel.

Het is een kleine tentoonstelling, een vriendententoonstelling zoals Van der Boom haar noemt: het budget was klein (geen geld, helaas, voor een catalogus bijvoorbeeld) en hij was aangewezen op vrijwilligers en de bereidheid van zijn vriendenkring die nogal uitgebreid lijkt te zijn.

Oorspronkelijk zou het thema van de tentoonstelling het lijden van Christus zijn, maar daar werd al snel van afgezien. Wel is Christus te zien op een schilderij van eind zeventiende eeuw. Jezus wordt in de Hof van Getsemane door engelen getroost. Hij ligt in de klassieke houding van uitputting en wanhoop, de ogen nauwelijks geopend, een gedrogeerde blik in de ogen, en voor hem staat de beker. Die blik – half verzaligdheid, half zwijm – lijkt ook op een ander schilderij, *Een engel musiceert voor St. Franciscus* (18de eeuw, hoogstwaarschijnlijk van Jacob de Wit), een vereiste voor het aanschouwen van engelen – in dit geval een musicerende engel, die veel weg heeft van een cupido. En hij speelt geen harp of zonnestralen, maar een wereldse viool.

De tentoonstelling is aangevuld ('een kinderlijke noot', aldus Van der Boom) met kinderlectuur, schattige tekeningetjes en eenvoudige teksten voor het zielenheil van kinderen:

's Avonds als ik slapen ga
Volgen mij 14 engelen na
Twee aan mijn hoofdeind
Twee aan mijn voeteind
Twee aan mijn rechterzij
Twee aan mijn linkerzij

Enzovoort. Ook hangen er vaandels met gemeente- en familiewapens waarop engelen figureren. Een gravure van de onvermijdelijke Gustave Doré: *De val der Engelen*. Onvermijdelijk zeg ik, omdat zijn liefde voor gevleugelde wezens veel van zijn illustraties doortrekt. Zijn gravures voor de Bijbel en *La Divina Commedia*, natuurlijk, maar ook de illustraties voor 'Orlando Furioso' worden dichtbevolkt door cupido's met een engelachtige allure.

Een moderne visie op de engel is *Engel* van H. Beers (1985), een borduurwerk met iets van het kinderlijke erin (de engel draagt een broek!) en iets sexy's (de engel is in kant gehuld!).

Onder de tentoongestelde werken staat een toelichting in de vorm van een Bijbelcitaat. Verder zijn er miniaturen uit getijdenboeken en enkele beelden. Het zijn veren her en der opgeraapt aan het strand van de oceaan der engelenschaar. Het is misschien wel toepasselijk, alsof engelen moeilijk te vangen zijn. Ze worden niet in een brede culturele of spirituele context geplaatst. De visie van Freud blijft tot de verbeelding spreken: de mens vult het ongeziene met wezens die uit zijn eigen drie-eenheid vliegen. En die engelen zien er al te menselijk uit, hoewel niets bovenmenselijks de mens vreemd is.

Amsterdam

Amsterdam is een stad voor de jeugd en een mnemonische dwaalhof voor de volwassen mens. De jonge geest verspreidt zich, in zijn tijdelijke onbeperktheid, over de stad en overziet later de scherven in zijn geheugen, opgewekt door een herkenningsplaats her en der.

Ik heb ooit een plan opgevat, maar nooit verwezenlijkt, om een personage in een roman te laten opdraven die, aan de hand van de toiletten in kroegen en cafés, de baan van zijn cocaïnegebruik memoriseert en daarmee een periode uit zijn leven. De plaats van fysieke lediging voedt aldus de geest met herinneringen. (Prettige bijkomst is dat cocaïne laxerend werkt.) Maar ja: schijnbaar goede ideeën hebben al heel wat slechte romans opgeleverd.

Twintig jaar geleden kwam ik, op zeventienjarige leeftijd, naar Amsterdam. Ik herinner mij het gevoel van herkenning en thuiskomst dat, bij mijn eerste ontwaken, door mijn ruggengraat voer, nogal letterlijk, maar dat kan natuurlijk ook aan mijn matras hebben gelegen, die niet dikker was dan een pitabroodje en die ik, opgerold en bij elkaar gehouden door een oranje touw, in de bus uit mijn ouderlijk huis had meegevoerd. Ik kan die sensatie niet anders omschrijven dan een sensatie van vrijheid: weg van de afgekloven rieten mand, waarin ik opgekruld lag, wereldvreemd, wat zeg ik, stadvreemd, maar dorpwijs. Om een voorbeeld te geven: het heeft lang geduurd voordat ik de concentrische logica begreep van de grachten en de vertakkingen van de stadsplattegrond. Ik liep uren om, maar te schuchter als ik was om de weg te vragen en duizelig van de panden die boven mij uittorenden (in mijn geheugen word ik met de stap kleiner), hield ik vast aan mijn peripatetische route, want ik bereikte uiteindelijk toch mijn bestemming, uitgeput, dat wel en vol chagrijn, maar arriveren deed ik toch. Een tram nemen? Deed ik niet, uit sociale smetvrees, maar ook uit wantrouwen voor vehikels die een bepaalde lijn volgen en waarvan ik niet wist waar ze mij zouden uitbraken. Dat, gelukkig, is allemaal voorbij. Nog steeds loop ik het liefst, maar ik heb ook de taxi ontdekt. Wat een uitvinding – tot op zekere hoogte dan!

Waar ontwaakte ik? Op de Hoofdweg, net om de hoek met het intussen beruchte Mercatorplein. Ik hoorde er meer Berbers dan Nederlands, het meest Nederlandse was nog wel Aladinns Notenparadijs (of een naam van dergelijke strekking), want hoe oosters de noten daar ook geweest moge zijn, de bereiding ervan was niet oosters; veel gezouten en weinig verzoet, namelijk. Maar het deerde niet. Ik bewaar goede herinneringen aan een shoarmazaak in de Jan Evertsenstraat die de naam Charles Bronson droeg en waar ik menigmaal mijn gezicht volpropte met gratis aangeboden broodjes. Geen enkele bediende daar die, na het horen van mijn status als student, niet een gunst van mij wilde, want, het mag u ontgaan, maar de meeste werkers in zulke peuzelhoeken, zijn oftewel *muhandis*, ingenieur, of *ustaaz*, professor. Dat beweren ze in elk geval.

Deze shoarmatent is later verkocht, zoals ik bemerkte toen ik een sentimentele wandeling terug naar mijn buurt maakte: de nieuwe eigenaar had de zaak herdoopt: hij heette nu Clint Eastwood. Men moet misschien wel tot de Egyptenaren behoren om iets begrijpen van de magische connotaties die voor hun van beroemde namen uitgaan. Wie wil er nou niet eten in een eethuisje dat genoemd is naar een spaghettiwesternheld? En over spaghetti gesproken: op het menu stond daar ook shoarma met macaroni, dus zo vreemd was de naam niet.

Nu, in de ochtend van mijn achtendertigste verjaardag, ben ik ouder en somber. Ben ik misschien ook intoleranter geworden? Ik heb geruid, daar heeft het ongetwijfeld ook mee te maken en ik laat niet meer over mij heen lopen als de stumper die ik ooit was. En ik overzie de scherven, andere scherven dan die van mijn ongeïnteresseerde jeugd. Al het tegengestelde stroomt naar de stad en al het goede, zoals Pericles zei. Maar een stroom suggereert een eenheid van rimpelingen en kabbelingen – maar zie, wat een eenheid leek, blijkt totaal versplinterd.

De toren van Babel in sommige wijken kon mij nooit deren en nu ook niet. Wie er oor voor heeft zal er muziek in horen. Wie enige talen spreekt van die toren, zal met de neus op de feiten worden gedrukt: de onbeschrijfelijke onbeschoftheid en huichelachtigheid. Een gele lach in het Nederlands, en een vloek en fluim in de eigen taal.

Dit gezegd hebbende, wil ik u wijzen, wellicht ten overvloede, op de hellehonden van deze stad: de taxichauffeurs bij het Centraal Station. Ik hoop dat ze vandaag nog met pek en veren de stad worden uitgejaagd, terwijl ze hun eigen auto's moeten duwen, omdat deze acculoos zijn gemaakt. Dit gespuis zou moeten worden aangepakt en niet de schaars geklede meisjes van een uitbating als Teasers. Bloot is niet onbeschoft; gebrek aan service wel en oplichting is zelfs strafbaar.

Ik merk dat ik de actualiteit erbij betrek en dat is de reden van mijn somberheid: de actualiteit en daarmee de politiek sloop mijn leven binnen; terugverlangen naar juveniele onbezonnenheid maakt natuurlijk geen einde aan de actualiteit. En liever de doorn van somberte dan de blinddoek van desinteresse.

Laten we het hebben over ons eigen, geheel vernieuwde en verbeterde Milli Görüs. Weest u niet bang, de relevantie voor mijn persoonlijk verhaal zal straks blijken. De onverholen dreigende taal die de nieuwe voorman van deze stichting, Fatih Dag, uitsloeg in een interview met de krant *Trouw*, is u vast niet ontgaan, of u moet uw dagen slijten in een grot of binnenshuis, achter een balkon met een schotel zo groot als het oor van een kind dat een forse haberdoedas heeft ontvangen.

Ik heb nooit begrepen wat de meerwaarde is van zo'n gigantische moskee in de stad. Ik ben altijd wantrouwend geweest. Dat werd onder meer gevoed door de politieke correctheid: hoe vaak kregen we niet te horen dat de stichting een Frans-Joodse architect in de arm had genomen. De goede bedoelingen dropen ervan af. Weet u wel dat we een Frans-Joodse architect in de arm hebben genomen? U meent het? Jazeker, onze bedoeling is zo zuiver als het oogwit van een boreling. Tiens! Nu lijkt mij dat elke architect met een beetje aanleg een kopie van de Aya Sophia kan maken, of niet? Maar nee, ze hadden een Frans-Joodse architect gevonden. Hier paste alleen stilzwijgende eerbied. Nu is deze herhaalde blijk van judeofilie net zo weerzinwekkend als antisemitisme, maar dat doet er nu even niet toe.

Het gaat erom dat het Riva-terrein ook slechts na een demonstratie werd overgedragen. Een lange stoet moslims trok door Amsterdam, God verheerlijkend, om te eindigen op het Waterlooplein, waar een zegsman waarschuwde dat hij zijn achterban niet in de hand had en waarschuwde voor ernstige rellen. Wat dit betreft, zet Fatih Dag een traditie voort als hij waarschuwt zijn marine en leger, alsmede zijn familie en schoonfamilie uit heel Europa op te trommelen. Naar aanleiding van deze demonstratie schreef ik in 2002 in NRC dat zij van hysterie getuigde. In antwoord hierop schreef Haci Karacaer dat het echter ging om mediterrane hartstocht.

Mediterrane. Hartstocht. Het is maar dat we het weten. Laat mij u dreigen met hartstocht en geselen met passie, volgens goed mediterraan gebruik.

Veranderingen zijn gelukkig onherroepelijk – ze houden de geestelijke en sociale gezondheid in stand, tenminste als ze naar ieders tevredenheid worden doorgevoerd of, belangrijker nog, als ze organisch verlopen. Niet in dit geval. Er is, naar mijn idee, te weinig geluisterd naar protesten van omwonenden. Nostalgie maakt het accepteren van verandering niet makkelijk; men hecht aan de rietenmandengeur van de herinneringen aan huis, straat en wijk of men hecht zich aan herinneringen die hun oorsprong in overzeese, voor mijn part, mediterrane gebieden. Nu vertekent nostalgie altijd, maar etnischculturele nostalgie kan gevaarlijk zijn, omdat aan de basis hiervan de onwil ligt om te accepteren dat er andere oorden, andere gebieden zijn die radicaal afwijken van wat de zintuigen vertrouwd is geraakt en waarin tradities heersen die de mentaliteit hebben gevormd. Het is oppassen geblazen wanneer nostalgie ideologisch wordt, want dan krijgt zij iets tirannieks, totalitairs.

Waar is de liefde voor de stad gebleven? Zo'n moskee had opgenomen kunnen worden in een omhelzing van de buurt, maar hij eist zijn olek op en koestert zich in de grizzlybeeromarming van het eigen bestaansrecht. Het moge duidelijk zijn: dit is niet wat ik versta onder een organische verandering of ontwikkeling, zo u wilt.

Ik blijf erop hameren: endemische nostalgie is niet legitiemer dan ander heimwee. Men kan net zo goed terugverlangen naar de haringkar als naar het lemen theehuis.

Men ziet niet graag een vertrouwde omgeving bezet door onbekende elementen, zeker niet als men het gevoel heeft buitengesloten te worden. Daarom zijn de klachten van wat ik maar autochtone mensen zal noemen, zeer begrijpelijk: zij hebben het gevoel slachtoffer te zijn van een bezettingspolitiek. De starrigheid waarmee culturele en religieuze rechten worden opgeëist is een elleboogpor of nog erger voor wie niet gediend is van ongevraagde nieuwigheden. Elk nieuw gebouw doet ook de herinnering afbrokkelen.

Hier moest ik aan denken toen ik mij laatst probeerde voor te stellen hoe het Museumplein eruitzag voordat het een vrijplaats werd voor graszombies: halmen die niet willen sterven en ook niet tot leven komen. Slechts na lange inspanning en navraag bij anderen, kwam er een vaag beeld naar boven. Dit deed mij schrikken omdat een mens een geheel is van ervaringen en indrukken, of nauwkeuriger gezegd, van *herinnerde* ervaringen en indrukken en in het gunstigste geval van *gedeelde, herinnerde* prikkelingen en sensaties. Dat is wanneer men liefde heeft gevonden.

Vleziger ben ik geworden met eerst het rennen, toen klimmen en nu het kruipen van de tijd, maar mijn herinneringen dunnen uit; alsof ik skeletten in mijn geheugen heb hangen, ontvleesd, slechts grijnzend omdat ze geen andere optie hebben.

Is volwassen worden een kwestie van geestelijke vermagering? Of brengt ouderdom troost met scherpere herinneringen, feestelijk verkleurde beelden? Mijn hart gaat uit naar de bewoners van de Baarsjes die op een gegeven moment in de schaduw van die minaret moeten komen te wonen: uitgedund en beschaduwd, blijft er weinig van hun herinneringen over. Wat wel resteert is verbitterdheid – en dan heb je liever nostalgie.

Zo hoort het niet te gaan. Een leefruimte voor elke bevolkingsgroep is niet door urine afgebakend territorium. Er behoren geen grenzen te zijn, hoewel elke wijk zijn eigen gelaatstrekken vormt en behoudt. Amsterdam wordt het beste geëerd met een open hart en niet met obstinate zelfomarming.

Bij het ouder worden merkt men dat men een biotoop heeft gevonden: de grote stad wordt teruggebracht naar een route langs de meest en langst gekoesterde plekken; men vindt de wandel- en tramroutes waarbij de benen en het zitvlak zich het meest comfortabel voelen. Men leest de straatnamen en ontdekt dat er achter die namen een verhaal en een geschiedenis schuilgaan. De fysieke beperktheid, kan de geest met kennis en andere geneugten doen uitdijen.

Elke intimiteit zou idealiter tot een groter geheel moeten leiden; de mens als microkosmos is de stad als kosmos. En wat Amsterdam betreft: laten we haar niet nog kleiner maken, want zij is al klein genoeg.

Knekelhuis verklankt

Bij eerste beluistering ruist en knarst de muziek. Ze is onopdringerig. De zang klinkt nasaal als de berichtgeving in oudere tijden – en het zijn enkel slechte berichten die de stem brengt. Grijze en grimmige muziek waarin het zeldzame klokkenspel van de vreugde moe en mat klinkt. Wat er blijft hangen van de muziek zijn niet zozeer teksten of melodielijnen, maar het gevoel een ernstig ongeluk te hebben gezien: een schemering waarin de betekenis van alles niet meteen duidelijk is.

You don't have to be a rockstar to have fun
You don't have to be a soldier to carry a gun
You don't have to be a postman to mail a letter
Be content with your life it may not get any better

Zo zingt Johnny Dowd, een verhuizer uit New York die op zijn 49ste debuteerde met de in eigen kring opgenomen cd *Wrong Side of Memphis*. Gezien het succes van deze cd, zowel in Amerika als nu in Europa, kan hij zich misschien een rockstar noemen, maar veel fun lijkt Dowd niet te hebben. En de laatste regel zou als troost moeten klinken, maar klinkt bijzonder bitter uit de mond van deze zanger, voor wie niet het leven het onderwerp is, maar de dood. Een schaduw van zwartgallige berusting ligt over zijn muziek.

Hij schrijft zonder opsmuk, zonder bijvoeglijke naamwoorden, zonder metaforen, hetgeen hem, gezien zijn onderwerpen (moord, *death rows*, verscheurde gezinnen, outlaws) redt van de zeepkistenretoriek. Er ontbreekt ook een moraal. De muziek begint en eindigt, zonder werkelijke ontwikkeling, gewoon omdat het moet eindigen: er wordt je een zwartwit snapshot getoond dat dan weer opgeborgen wordt. Dat was het. Johnny Dowd de verhuizer houdt blijkbaar niet van uitpakken.

Ook de muziek is minimaal, en het lijkt soms alsof dat hem nog te veel is, waardoor elke noot schuchter en verontschuldigend klinkt. Wat dit betreft is het nummer 'Papa, Oh, Papa' (mijn favoriet) een wonder van economie: een simpele frase die steeds wordt herhaald: muziek die haar plaats kent, afgebakende melodieën, geen uitweiding, geen omwegen – het roept herinneringen op aan het latere werk van Janáček, met wie Dowd trouwens wel meer gemeen heeft.

Aan 'Idle Conversation' komen helemaal geen instrumenten te pas: het is een onduidelijk gesprek tussen de muzikanten, geprevel en al dan niet bedwelmd gebrabbel. Het klinkt als de oersoep waaruit Dowd zijn liedjes opschept – deze track staat niet voor niets in het midden.

Toch is het geen onverschillige muziek. Wat er blijft hangen is niet de gruwel van de beelden zelf (er is een moord gepleegd, bloedvlekken op de muur, een lijk in de slaapkamer, een ander op de gang), maar de gruwel van het detail: het gehuil van nabestaanden, het loeien van de sirenes, maar vooral het leven dat om de dood heenloopt en verdergaat.

In veel nummers klinkt ook een luguber geween door, meer gevoeld in de aderen dan gehoord met het oor. Geween van spoken of geesten misschien, of meer nog het geroezemoes van ongeziene, maar onherroepelijk levende menigten. Als er ooit een knekelhuis verklankt is, dan wel hier.

De countryblues wordt hier zo vervormd en misvormd, dat het lijkt alsof de muziek in chroom wordt weerspiegeld. Het is geen mooie muziek, het is bleke muziek met klauwen en slagtanden, uitgemergelde muziek, die je afspeelt als het licht je te veel wordt, als je geen kleuren meer wilt zien. Het brakke land onder de muziek. Het is daarom moedig dat Crossing Border Johnny Dowd op zo'n laat tijdstip programmeert. Het zal de bezoekers leren uit hun dak te willen gaan op zo'n festival en ik kan mij al een voorstelling maken van de grimassen waarmee zij het festival zullen verlaten.

Troost na sluitingstijd

Ik zal vast niet de enige zijn die, denkend aan de havens ooit bezocht, ze voor mijn geestesoog ziet alsof ze gesierd zijn met slingers en kleurig licht, waarnaar alle donkere stegen met een voorzichtige gang leiden ('De gelige grijns in het donker, het tikken van een houten poot', zoals de schrijver zegt.) Het zal ook wel iets synesthetisch hebben: beelden vervormen tot geluiden, die weer tot kleuren worden.

Hetzelfde gebeurt bij het beluisteren van de liedjes van Trio Bier: in 'Dans met mij', het meesterwerk van hun gelijknamige tweede cd, roept de saxofoon in een slingerende melodie een nachtelijke stad in de schitteringen van de naregen op. Een beeld van verlatenheid en troosteloosheid na bedwelmde uitbundigheid.

De muziek van Trio Bier (een formatie die, anders dan de naam doet vermoeden, uit zes mannen bestaat) is dan ook 'namuziek', gezang dat de afloop van de roes begeleidt. Geerten Gossaert zei ooit dat er twee dichters zijn: die van het verlangen en die van de herinnering. Trio Bier is de muziek van het verlangen naar de herinnering, die vreemd is aan de triomfantelijke bedwelming – zoals elke bedwelming zou moeten zijn:

ik kan hier nog niet weg, haar geest laat mij niet gaan
ze fluistert dat ze eens zal wederkeren
maar de dagen duren lang, de eeuwen zijn op stap

Die 'eeuwen op stap' is een toepasselijke metafoor: voor muziek die eigenlijk begonnen is voordat zij daadwerkelijk weerklinkt. 'Waterval' bijvoorbeeld begint met het kantekleergekukel van een nieuw oord, voordat de rest van het orkest als een cascade zijn roep onderdompelt: 'Wijs me de weg waar het stromen van de waterval begint.'

Die waterval stroomt oneindig en er is een lange weg te gaan naar zijn bron, maar niet getreurd: er zijn vele oevers en havens – vooral havens! – in het vooruitzicht en de melos van Trio Bier zal ons begeleiden. Het zal ons begeleiden langs en door de fadoachtige treurnis van balorige nachten, bakstenige straten, betreurde éénnachters en korenvelden gekamd door de wind. We eindigen ook bij dat korenveld, want – onnodig om het te zeggen – we komen nooit bij het begin van de watervalstroom. We moeten het doen met visioenen.

Ik spreek uiteraard over de muziek van Trio Bier als een geheel. Ik kan de tweede cd niet anders zien dan als het logische en gelukkige vervolg op hun eerste, *Verspilde tranen*. De etstinten van de eerste zijn in de tweede kleuren geworden. Het klompgedans af en toe, de kwajongensachtigheid en zelfs meligheid van de eerste leiden in de tweede tot een volwassen, verbeeldingrijke berusting.

Verspilde tranen begint met 'De Bert Blues' en *Dans met mij* eindigt met 'Drinken Dronken'. Bert, die de lipstick van zijn vrouw gebruikt als bottleneck, ongetalenteerde, optimistische Bert zit aan het einde van de tweede cd ergens in een kroeg, drinkendronken te worden, 'weggezonken/ niets meer te weten/ drinken, dronken/ om alles te vergeten'.

De kroeg is de haven waar alle levenbreukelingen stranden en alleen wie het talent heeft van Trio Bier weet zijn have en goed (meer have dan goed) te redden. Ik wil hiermee absoluut niet zeggen dat ik deze band beschouw als kroegmuzikanten: hun muziek ontstaat, zoals eerder gezegd, als men uit de kroeg komt en de stad zonder zorgzaamheid is, liefdeloos en verloochenend.

Het is niet voor niets, denk ik, dat de wals en de tango zo uitmuntend gebruikt worden door deze troubadours. Aldous Huxley noemde 'O du meine liebe Augustine' de eerste wals en het kan zijn dat dit ritme (ik spreek niet over de dans) zo aanspreekt omdat het terugvoert naar het moederlijk dodelen. Ik denk eerder dat het meer het zwalken van dronkenschap is, dat het beste verklankt wordt door de accordeon. Die is in goede handen bij Rini Dobbelaar, die als componist en tekstschrijver de drijvende kracht lijkt achter Trio Bier. En de accordeon is natuurlijk het instrument van de dronkenschap bij uitstek: het spreekt met dubbele tong.

De tango, tot mijn vreugde, is bij Trio Bier, precies wat hij moet zijn: een combinatie van een wilde dans en een mars. In 'Adinda' is deze dans een wanhopig, onmachtig gestampvoet: een venijnig en humoristisch lied over de onmogelijkheid van 'gemengde relaties', in dit geval een tijgerachtige schone met 'Soerabaja ogen':

Op jouw verzoek ging ik op Indisch dansen
Dan kwam ik thuis met knie- en heupkwetsuur
Ik stortte geld op de Wilde Ganzen
Want jij hield zo van de natuur

Urenlang hoorde ik verhalen
Over mystiek, de oosterse pracht
Maar ik zit hier in Oud West te balen

In 'Dans met mij' heeft de tango de mahleriaanse onafwendbaarheid van de mars: de mars, in dit geval, van de 'stoet der troostelozen' die de verteller wil eren. Hij smeekt de geest van de afwezige geliefde met hem te dansen 'in de hitte van de nacht'. Dansen is een versleten gemeenplaats in de popmuziek, maar hier krijgt het een andere lading, een tegendans van het marcheren van de soldaten. Dat marcheren is een mooi beeld, niet alleen voor het dreunen van het koortsig hoofd, maar ook van de dronken ogen die ijle, onafgestemde tv-beelden voor zich zien:

Want de waanzin in de koorts en totale dronkenschap
Bezorgen mij Van Goghse visioenen

Wie de alcoholische visioenen kent (samen met die van lsd) zal kunnen beamen dat zulke beelden Van Goghse kleuren en kronkels hebben, anders dan de rembrandteske schermers van hasj of opium. Het is dan ook een koortsachtig lied, waarin op het einde in een crescendo alle instrumenten samenwerken om de processie van pianotoetsen onder te dompelen. Het is niet een werkelijk einde, want 'Deinend refrein' is het vervolg van dit delirium.

Hier is een mooi toongedicht van die Van Goghse visioenen: een bucolisch, zonovergoten schouwspel vol dansend koren en 'hemel als blauwknisperend glas'. Maar ook hier houdt het visioen niet op: de zeis, de hemel, de zweetdruppels en het gras voeren tot weer andere dromen:

's nachts droom ik van paarlwitte paarden
hun manen als een korenveld
al ben ik een kind van de aarde
ik ben niet geketend mijn droom is wat telt

Rini Dobbelaar is in staat oorspronkelijke flarden van poëzie te produceren, zoals 'oude wolf': een metafoor voor Amsterdam. Amsterdam is een wolf omdat een wolf in een roedel leeft of alleen; en oud omdat hij verlaten is door zijn gevolg – wat dit betreft heeft Vinkenoog gelijk als hij zegt dat Amsterdam een stad is zonder geheugen.

Maar Dobbelaar grijpt ook naar gemeenplaatsen, als een hendel, neem ik aan, voor het luisterend publiek dat misschien eerder herkenning dan verrassing zoekt. Het zijn de onvermijdelijke oorvangers van de popmuziek en zo hoort het misschien ook (behalve dan als je de schrijver bent van 'The Sound of Silence'); die pretentieloosheid is charmerend. In 'Regentijd' wordt een oude orgelman bezongen (merk hoe de muziek rolt en tolt!), die met weemoed terugkijkt op betere tijden. Het refrein luidt:

Waar blijft de tijd van de regen
Dat alles nat wordt van geluk
En hij weet eens scheiden zijn wegen
Zolang hij draait
Maakt hij zich niet druk
Danst hij van geluk

Er gaat inderdaad een bepaald geluk uit van een beregende stad (als de regen niet lang aanhoudt natuurlijk), maar dat 'dansen van geluk' is minder goed getroffen. Het had 'malen van geluk' moeten zijn: het malen van de draaiende orgelman en het vergrijsde gemompel van de nostalgie. Maar ik klaag niet: ik ben de verwende liefhebber die hoopt dat zelfs de haarwortels van de aanbedene een wereld van tovenarij zijn, die geen genoegen neemt met de beperkingen van het menselijke. Dat is mijn fout.

De teksten van Jan Eilander, wiens stem nu eens een Hollywoodstuk van tederheid en mannelijkheid is, dan weer een verweerde schorheid, hebben niet de stroom van Dobbelaars volzinnen. Hij is de man van het staccato, van de opsomming. Zie het klezmerachtige 'Drinken dronken':

De morgen is kil, de lakens besmeurd
Het bed weent stil, de misdaad betreurd

Dit lied combineert opgewekte melodieën met een droefnaargeestige tekst en dat werkt wonderwel. Zoals in 'Samen' het koor uit Beethovens *Negende symfonie*, de ode aan de vreugde, gebruikt wordt om een zwaarmoedige tekst te begeleiden.

De persiflages van de eerste cd (zoals 'De kopstoot' en 'Betraande glaasjes' op muziek van Lou Reed en Roky Erickson) komen op de tweede niet voor, behalve in 'Laat me gaan' waarin de saxofoon de melodie uit 'No Woman, No Cry' snikt en de tekst mij niet ernstig te nemen lijkt:

En de tranen die jij plengt
Worden stevig onderbouwd

Met zinnen vol verdriet
Dat je zoveel van me houdt
Als we willen zwoelen, dan uitbundig graag.

Bij het verschijnen van hun eerste cd (bij de firma Columns Disc, die dro-
gisterijen van cd's voorzag en algauw failliet ging) werd Trio Bier de beste
Nederlandse groep genoemd, een verdiende waardering wat mij betreft.
Begonnen als een driemanschap dat in Antwerpen zong om bier te bekos-
tigen (vandaar die naam, ziet u) groeiden zij, en niet alleen in aantal –
vooral de instrumentatie op de tweede cd is heel mooi.

Ze zijn kosmopoliet geworden. Wat ze in Antwerpen leerden hebben
ze ongetwijfeld meegenomen. Hun muziek, alle seizoenen doorlopen,
koos voor het zomergetijde met het zweet, de koorts, het verlangen, het
zuchten en de genotzucht. Er is te weinig zon in de Nederlandse kunsten,
maar in Trio Bier hoor ik de viering van de zomerse roes.

Escher in ieders oog

Escher, de man van schijnbewegingen, is weer van het publiek, honderd jaar na zijn geboorte.

Escher was verrukt toen hij in de jaren zestig een aantal T-shirts onder ogen kreeg met enkele van zijn grafische prints erop. Deze kledingstukken waren buiten zijn medeweten gemaakt, ongetwijfeld door hippies. Het is ook niet moeilijk voorstelbaar dat Escher in het psychedelische tijdvak werd herontdekt: zijn combinatie van nauwkeurig realisme en paradoxale visuele effecten was, is, een lust voor het gedrogeerde oog. Zijn misleidende, mathematische ordening leidt naar een bizarre optische wereld: de wetmatigheid dient een herschikking van de tastbare werkelijkheid.

De natuurlijke wetten van onze wereld zijn niet finaal, niet onaantastbaar, de wereld zelf hangt geheel van onze perceptie af. Het is niet zozeer deze vrijblijvendheid die het angstaanjagende element in Eschers werk vormt, maar de onuitputtelijke formule. Escher bespeelt de wereld met zijn eigen regels en die wereld blijkt wankel.

Hij was wat Johan Huizinga de homo ludens noemt – de spelende mens. Spel draait niet om ethiek, niet om goed en kwaad, maar om ordening, herordening en herherordening. Misschien dat daarom erkenning van Escher door de kunsthistorici in Nederland uitblijft. Of misschien komt het doordat Escher geen schilder was, in een land dat grote schilders heeft voortgebracht. Nederland is verwend.

Buiten Nederland geniet hij wel grote faam. Een tentoonstelling in de National Gallery of Art in Washington trok vierhonderdduizend bezoekers; een andere in Brazilië tweehonderdduizend. In Japan is hij al lang geliefd.

Maurits Cornelis Escher werd 17 juni 1898 in Leeuwarden geboren. Na zijn studie bouwkunde in Haarlem reisde hij enige jaren door Europa. Hij maakte werk dat indertijd al grote lof ontving – ook in Nederland. Hij werkte en woonde in Italië, Zwitserland en België. In 1941 vestigde hij zich met vrouw en kinderen (hij trouwde in 1924) in Baarn, waar hij op 27 maart 1972 overleed.

En dit brengt ons naar Baarn, waar niet alleen zijn honderdste geboortedag gevierd zal worden, maar waar ook de bv Cordon Art zetelt. Wat die viering betreft: in een rotonde aldaar zal het ontwerp *Concentrische schillen* verrijzen: een negen meter hoog beeld naar een grafiek van de meester zelf.

Cordon Art bv (exclusive worldwide representative of the M.C. Escher copyrights) is in 1984 opgericht. Het bedrijf beheert de rechten van Escher en houdt het overzicht op de Escher-voorwerpen die op de markt worden gebracht. Escher is (weer) van het publiek en voor wie geen genoegen neemt met reproducties, zijn er onder andere horloges, stropdassen, T-shirts, pakpapier, bladwijzers, puzzels, rugzakken en kleurpotloden – alles met Escher-motieven en prints.

Mark Veldhuysen (zoon van oprichter Wim Veldhuysen) van deze bv controleert vooral de kwaliteit van de voorwerpen en kledingstukken, en probeert de wansmaak buiten de deur te houden. Daarom worden sokken niet meer gemaakt: zij werden ooit illegaal door een Fransman op de markt gebracht (al liggen ze nog wel uitgestald in de etalage van de winkel in Baarn). Een escheriaanse caleidoscoop en een spaarpot zijn de nieuwste items in de catalogus.

In het kantoor van Cordon Art regeert Escher. Veel van wat niet in de handel komt, staat daar, zoals een asbak met Escher-motief; ook een mooi bronzen beeld, gebaseerd op het bekende slingerende portret van Eschers vrouw (de houtgravure *Omhulsel*). Veldhuysen zal de fabricatie van tegels al dan niet voor toilet en badkamer tegengaan. Voor hem is dat platvloers – vergeef mij de woordspeling. Dit lijkt een beetje vreemd, omdat Escher een reeks patronen heeft ontworpen die ontegenzeglijk geïnspireerd zijn door de arabesk – Escher was onder de indruk van het Alhambra in Spanje.

De arabesk is ontstaan door het verbod van de islam op het uitbeelden van levende wezens, in combinatie met de grote liefde van de vroege Arabieren voor de wiskunde. De arabesk verbeeldt de eenheid en oneindigheid van God, een herhaling zonder begin of eind. Dit is duidelijk terug te vinden in Eschers werk: het gevoel dat je zijn werk in medias res binnendringt, midden in de handeling, een labyrint van zelfverwijzing en hermetisme. De muziek van John Cage is de auditieve equivalent van deze arabesken.

Natuurlijk, een moskee, een plaats van aanbidding, is geen plaats van darmontspanning en ik ben ook geen pleitbezorger van escheriaanse bedwelming in de kleine ruimte. Maar waar Eschers werk duidelijk ornamentiek is, lijkt verontwaardiging mij misplaatst. Escher is veelzijdiger dan hij lijkt. En dat zijn werk grote interesse geniet bij wiskundigen en cognitieve psychologen is geen bewijs van zijn artistieke onmacht: het zijn ook vooral wetenschappers die weglopen met *Alice in Wonderland.* Om over Bach nog maar te zwijgen.

De verrassing, de beroering die Eschers beste werk teweegbrengt, is niet het eureka van oplossingen, maar de vervreemding van de zinnelijke ervaring. Escher is uitgekiend, vernuftig, zijn werk een damspel van de berekenende geest – ergens maakt hij wat valse bewegingen, hij sjoemelt, maar het is moeilijk de vinger te leggen op zijn schijnbewegingen.

De man van de metamorfose heeft nu, denk ik, de grootste verandering meegemaakt. Zijn werk is niet meer de speel- en rustkamer voor optische wetten, maar onderdeel van ons dagelijkse, geordende en vooral geklede bestaan. Voor de saletjonker zijn er stropdassen als blikvangers en wie de kleurpotloden ter hand neemt zal, hopelijk, eerst de deksel met Escher-print liefdevol aaien en, dromerig starend, proberen Escher vooral niet te imiteren.

De merchandising lijkt mij geen reden tot grote ongerustheid. Hoevelen zijn hem al niet voorgegaan? Van Shakespeare tot Mondriaan – zij liggen op ieders lip en vangen ieders blik, buiten het museum dat velen afschrikt, buiten de boeken die al te omvangrijk zijn.

Theater van de lach

Shakespeare is van iedereen. Hij die het menselijk heelal knechtte, is nu knecht van de mens wiens zwakheden hij bezong. Arabieren hebben willen bewijzen dat William van Arabische origine is, Nederlandse toneelgroepen maken hem zo eigen dat je vergeet dat het hier om een Engelse schrijver draait. Humor op klompen, en Shakespeare voelt zich hierbij wel. Was hij dan toch een Hollander?

De taak van God is dingen te verbergen en de taak van de mens ze te openbaren. Wij, die Shakespeare hebben, hoeven dat niet meer te doen, want hij heeft dat al voor ons gedaan. Gebonden tussen twee kaften ligt het oneindig universum voor ons verklaard in heilig schrift, of – voor wie liever kijkt dan leest – op het toneel, maar dan staan acteurs en regisseurs en decors tussen ons en de mare in.

Persoonlijk ben ik een liefhebber van Shakespeares stem zoals die ondefinieerbaar en vormeloos in mijn lezend brein doedelt en zingt. Ik ben een liefhebber van Shakespeare de dichter, geen kenner van Shakespeare de dramaturg; als ik de keuze had tussen een voorstelling en een boek (al dan niet goed geannoteerd) dan kies ik voor het tweede.

Dit komt erop neer dat ik zijn stijl en woorden laat acteren. Dit hoeft niet bezwaarlijk te zijn, want als een toneelgroep de mogelijkheid heeft Shakespeare te bewerken en op de operatietafel te leggen, dan mag ik mij als lezer dat recht ook toe-eigenen. Hij is immers van iedereen: hij die het menselijk heelal knechtte, is nu knecht van de mens wiens zwakheden hij bezong.

Deze gedachten gingen door mij heen tijdens de voorstellingen die ik zag op het theaterfestival: *Henry iv*, *Titus* en *Hamlet*. Ik zal maar gelijk zeggen dat ik de eerste twee voorstellingen vroegtijdig heb verlaten. Doet er niet toe, want ik hoef ze niet te recenseren: er zijn mensen die dat beter kunnen en met meer verantwoordelijkheidsgevoel. Maar ik heb wel genoeg van de voorstellingen gezien om me ervan te laten doordringen dat er niets mysterieus aan Shakespeare is. Gelukkig maar.

Anthony Burgess in zijn meesterlijke *Nothing Like The Sun,* een roman over het liefdesleven van Shakespeare geschreven in het idioom van zijn tijd, maakt van William (voor intimi) een bedeesde, schuchtere man die niet zo goed raad weet met zijn genie; de rebellie van zijn geest wordt alleen in zijn poëzie geuit, zijn gemoedsroerselen (die de roerselen zijn van de hele mensheid, wist hij) zijn vooral het oproer van het woord.

En dat zijn woorden kameleontische kwaliteiten hebben, werd bewezen door de voorstellingen. Geen moment had ik het idee naar een oude Engelse schrijver te luisteren. Zo eigen hadden de toneelgroepen hem gemaakt, zo Néderlands eigen gemaakt. Zoals al gezegd is daar niets op tegen, zo hoort het zelfs.

Zelfs Arabieren hebben proberen te bewijzen dat Shakespeare van Arabische afkomst was. Daar zijn natuurlijk de moren door wie hij gefascineerd leek, de Arabische boom en vogel waarover hij schrijft. En Sonnet 147 ('My love is as a fever') bevat het volgende acrostichon:

longing still
For that which longer nurseth the disease
Th'uncertain sickly appetite to
please.
My reason, the physician to my love,
Angry that his prescriptions are not kept

Een toevoeging van een a na de f zou de naam F(A)TMA opleveren, misschien wel de naam van zijn Dark Lady. En zijn naam zelf? Sheik Zubayr.

Belachelijk, maar wel amusant. Laten wij de Arabieren ook hun plezier gunnen. En de meester leent zich daar bij uitstek voor, verspreid als hij is over onze werelden en levens: zijn fosforsporen lichten op de onwaarschijnlijkste en duisterste plaatsen op. Bijvoorbeeld in de King James Bible (waaraan hij *niet* heeft meegewerkt), in psalm 46 van David:

though the mountains shake
and cutteth the speare in sunder

Zelf ben ik er nu van overtuigd dat Shakespeare een Hollander was, is.

Bij Shakespeare zit de mens gevangen tussen woord en daad. Hamlet is iemand die ten onder gaat aan woorden, een vier uur lange twijfel (*What's Hamlet about? It's about four hours*) gevat in de grootste poëzie ooit geschreven, en voor Hamlet moet twijfel zelf een soort van daad zijn, wanneer hij in dat momentum terechtkomt – en daarbij, wat zijn vier uur in een mensenleven? Probeer dat de geest van zijn vader maar uit te leggen en als het klopt dat Shakespeare zelf de rol van Hamlets dode vader heeft gespeeld, dan zijn de symbolische implicaties niet van de lucht en tot in het oneindige door te trekken.

Bij Macbeth, die verslaafd raakt aan het doden, berooft de daadkracht hem van woorden en daarmee van zijn verstand. Alles wat Shakespeares marionetten doen, doen ze 'not wisely, but too well'.

Wat zowel Hamlet als Macbeth, King Lear of Othello gemeen hebben, is dat ze in een soort schemergebied terechtkomen waar natuurlijke wetten en menselijke rede beginnen te wankelen. Want tussen droom en daad staat de weemoedigheid die niemand kan verklaren en die des avonds komt, wanneer men slapen gaat.

Dit klinkt allemaal veel te ernstig gezien de aard van vooral de voorstellingen van 't Barre Land en Dood Paard, *Henry IV* en *Titus*. Hier was het de humor die regeerde, humor op klompen.

Bij *Henry IV* is die keuze te rechtvaardigen uit de humoristische en kolderieke toon die de figuur Falstaff aan het stuk toevoegt. Hoewel nadere lezing van zijn teksten aantoont dat Falstaff een vette parodie is op de retoriek van Shakespeares verhevener personages.

Het was gekkigheid wat de klok sloeg, carnavaleske jovialiteit – en carnavalesk zoals geassocieerd met Brabant en kielen, niet de felliniaanse bontheid van Venetië. Ik kon er niets aan doen, maar ik werd teruggevoerd naar mijn eerste jaren in Nederland toen *Op Volle Toeren, André van Duin* en *Zeg 'ns Aaa...* mijn culturele prilheid verrijkten met hun prachtige folklore.

En nu ben ik wel vertrouwd met Nederlandse humor, ik kan er zelfs om lachen, maar ik heb begrepen dat die humor vooral zit in het uitvergroten van de buurman en het jongetje dat mijn kind op school pest, niet in het uitlichten van de bizarre snaren van de Nederlandse ziel, daarmee de humor naar het niveau van een fijne triestheid verheffend. Nederlanders die normaal doen omdat ze zo al gek genoeg doen, weten noch wat gek is, noch wat normaal – en daar is dat schemergebied waar *Henry IV* zich had kunnen afspelen.

Zo'n aanpak is ook voor *Titus* te rechtvaardigen. Dit gewelddadige stuk, vol over-the-top-bloederigheid, kannibalisme, in- en inzwart kwaad (Aaron de Moor!) lijkt een persiflage van Shakespeare en het is ook vaak aan een ander toegeschreven. Zoiets kon Shakespeare niet geschreven hebben, of alleen als parodie.

De verschillende personages werden gespeeld door vijf acteurs zonder aanziens des geslachts en het leuke (hoor mij nu eens!) was dat de 'stage directions' ook werden uitgesproken. Het decor bestond uit een huiselijk tafereel met fauteuils, compleet met tv waarop etende mensen te zien waren – nog zo'n Nederlandse onhebbelijkheid, vooralsnog onverklaard, die voorkeur om mensen tijdens het eten te filmen. En het geweld werd direct verbonden met de *Nouvelle Violence* van Tarantino, toen de twee verkrachters uitbraken in citaten uit *Reservoir Dogs*.

Ook bij *Hamlet* van De Trust ontbrak de humor niet. Daar waren Polonius (altijd goed voor een glimlach) en Guildenstern en Rosencrantz, in deze voorstelling twee studentikoze leeghoofden ('Ha, van Denemarken').

Als reflectie op de Nederlandse humor waren de voorstellingen bijzonder geslaagd, hoewel een zweem van zelfspot nergens te bespeuren viel. Het was alsof Shakespeare op een kroegentocht door de lach was meegenomen. Want aan de lach kent men het volk – daarom beangstigt mij mijn vervreemding – en Shakespeares lach was niet te onderscheiden van een Nederlandse.

Gedachtestreep

Met een fotoboek, exposities en open dagen viert Rijkswaterstaat dit jaar zijn tweehonderdjarig bestaan. Een bijzondere attractie vormen tweehonderd geselecteerde 'kunstwerken': bruggen, dijken, sluizen en stuwen, die zijn opengesteld voor publiek. Hafid Bouazza reisde de Rijn af, en ontdekte dat de kunst niet in de bouwwerken schuilt, maar in wat ongemoeid is gelaten – de onbewerkte ruimte.

Je zou zacht willen treden, met eerbied en zorg, blootsvoets desnoods, als je erbij stilstaat dat geen druppel de Nederlandse bodem beroert die Rijkswaterstaat niet beheert: van de pareldrop op een buigende grashalm, tot regenplas, rivier en zee. Van elke druppel is levensroute en doel bepaald, niet als ziekelijke uitwas van de nationale spreekwoordelijke regeldrift, maar als strategie in wat met gevoel voor drama de constante strijd tegen het water wordt genoemd, die Nederland staande houdt. En nogal letterlijk 'staande', want onze bodem zakt elk jaar een centimeter, per eeuw een meter. U ziet dus: mijn pedische eerbied heeft ook praktische kanten.

We zijn er ons misschien niet zo bewust van, we leven misschien wel ondankbaar of onachtzaam. Het is alsof vanuit een pantheon (ongezien, maar ontegenzeglijk aanwezig) onze gangen zo makkelijk mogelijk worden gemaakt, zo veilig mogelijk. Vooral de veiligheid is belangrijk, en veiligheid staat hier gelijk aan droogheid. Er wordt niet in ons leven ingegrepen, niet in onze levensloop, alleen de omstandigheden en voorwaarden voor dat leven, in stad of dorp, worden optimaal gemaakt. Dat Nederland onder de zeespiegel ligt, doet menige buitenlander dan wel verwonderd opkijken (altijd omhoog alsof om te controleren dat er geen druppels over de rand naar beneden vallen) of schamperlachen. De volksheld is het knaapje dat met zijn vinger in de dijk een overstroming voorkwam – Hans Brinker, een Amerikaanse uitvinding. Het werk dat Rijkswaterstaat verricht is niet om te lachen, al was het alleen maar omdat deze organisatie ervoor zorgt dat als wij mopperen of honen wij dat in elk geval droog kunnen doen.

Rijkswaterstaat komt alle bewondering en eer toe.

Dat Nederland nu eenmaal een kikkerlandje is, hoor je natuurlijk vaak. De weerzin die zo'n onzin opwekt zit hem niet zozeer in het beeld (wat is er mis met kikkers?), als wel in dat 'nu eenmaal'. Nederland is niet nu eenmaal. De verrichtingen van Rijkswaterstaat zijn er om dat te weerleggen. Zo'n berusting past niet in de geschiedenis van Nederland.

Nederland is het land van water en wind, en dat laat zich ook merken in de taal: het Nederlands heeft een kabbelende kwaliteit, compleet met de zegeningen van bijzinvertakkingen, rimpels en reven (die komma's! die haakjes!), gedachtestreepjes als bruggen of sluizen van bezinning, en over dit alles blaast de wind de klinkers – de vaandels van de taal – scheef, vandaar de vele diftongen.

Rijkswaterstaat (een intrigerend woord: let op het dubbelzinnige 'rijk') bestaat tweehonderd jaar en wil de aandacht hierop en ander, veel meer fraais vestigen. Bij bepaalde punten in het landschap zijn tribunes neergezet die een uitzicht bieden op het werk dat deze instelling heeft gedaan, doet en zal blijven doen – want zolang er water is zijn er problemen, laten we dat niet vergeten. Daar heb je het weer: vreugdegolven worden meteen getemd door een wind van pragmatiek.

Het resultaat van twee eeuwen inzicht en inspanning wordt onder de aandacht gebracht. Er is het fotoboek *Nat & Droog. Nederland met andere ogen bekeken*. En er zijn routes uitgestippeld: wandel- en fietstochten en een ballonnenwedstrijd, waar kinderen een heuse tocht in een luchtballon mee kunnen winnen.

Het riekt naar poëzie: werken, van bruggen tot wegen, waaraan de dagelijkse blik van de sterveling achteloos voorbij gaat, worden nu in het zonnetje (onder voorbehoud) gezet. Het dagelijkse en praktische als monument. Als kunstwerk. Het is niet met andere ogen kijken, maar met bewuste ogen, met een blik die niets voor lief neemt.

Zie (zoals ik heb gedaan) bijvoorbeeld het sluis- en stuwcomplex in Driel, de hoofdkraan van Nederland, dat als een rij verstilde waterraderen uit de Nederrijn opdoemt. Via deze stuw wordt het water verspreid naar de Lek, de IJssel. De stuw regelt verder de doorspoeling van het IJsselmeer, de drinkwaterwinning en het scheepvaartverkeer. Met zo min mogelijke schending van de ecologie. Veiligheid staat voorop, niet alleen voor de mens, maar zeker voor de natuur.

Je kunt het complex al zien staan vanuit De Duno in Doornwerth, een stuk Neerlands schoon waaraan het hart, moe van multiculturele neuroses, zich kan laven. Een bos van grimmige allure waar, tijdens mijn bezoek, de regen nog natokkelde, zodat het leek alsof de droppende bomen je achtervolgden en waar de vogels ongezien toeterden en claxonneerden in de enige infrastructuur die Rijkswaterstaat niet regelt.

Een adembenemend uitzicht: de Rijn, de stuw en Driel zelf, met die kerktoren onder de grijsgewrochten hemel, waar je elk moment verwacht een schare heksen te zien vliegen, maar blijkbaar hebben de goede mannen van Rijkswaterstaat zelfs die bovennatuurlijke elementen bestreden. Zij zijn nooit moegestreden. Rijkswaterstaat begon dan ook als paramilitaire organisatie.

Alleen heeft die strijd nu een andere wending genomen. Het is een wending van compromissen. Het gaat niet meer om wat je tegenhoudt, maar om wat je de ruimte geeft. En hierin zit, denk ik, het werkelijk kunstzinnige: niet in de bouwwerken op zich (hoewel die een enkele keer ook hun visuele charme hebben), maar in wat ongemoeid is gelaten. In de onbewerkte ruimte. Niet in de horror, maar in de vacui. Opmerkelijk zijn de fabrieken die aan de Rijn in Driel achter bomen verscholen staan.

De Rijn op zich is beschouwenswaardig. 'Pure poëzie', zoals de persvoorlichter zei, 'zoals je die Rijn ziet stroomen.' Hij stond op de dubbele-o van stromen. Er zijn gelukkig nog dingen onaangetast door de moderne tijd. En door vreemde invloeden. Daar klinken niet de begintonen van *Das Rheingold*, maar een zwalpen en zoet zwatelen en suizende sluizen: al wat het Nederlands en Nederland een eigen zang geeft.

En het is dan ook de Rijn, die Nijl van het Noorden, die aanleiding is voor de enige wanklank die ik heb kunnen opvangen in wat een tentoonstelling van harmonie moet zijn. Want waar komt de Rijn nu Nederland binnenstromen?

Precies bij de grens tussen Lobith en Tolkamer heeft Rijkswaterstaat ('sinds 1798') een tribune (waarvan een vrouw – 'ik woon pas sinds 1995 in Lobith. Ik ben hier getrouwd' – en drie kinderen dankbaar gebruikmaakten) neergezet met de volgende tekst: 'Lobith is de poort van Nederland. De Rijn komt bij Lobith ons land binnenstromen.' Generaties Nederlandse kinderen zijn opgegroeid met deze mededeling.

Er zit iets afstandelijks in die mededeling, iets verontschuldigends, want voor Lobith ligt het dorpje Spijk en de bewoners zijn nogal ontstemd. Zij voelen zich benadeeld, want het is in Spijk, zeggen zij, dat de Rijn ons land binnenstroomt. Het gaat niet om de toeristen ('die komen toch'), maar om principes.

En waar hoort die tribune ('dat obstakel, wat u tribune noemt') nou thuis? Bij Lobith of bij Tolkamer? De boze uitbater van Mariëlle vindt dat toeristen het antwoord maar moeten geven en zal de bevindingen van zijn enquête onder hen dan ook naar het gemeentebestuur sturen.

En wat bracht ons eigenlijk daar op de Europakade? De Hollandse nieuwe? Zeg, uw vrouw lijkt wel op die Nederlandse vrouw die door haar Turkse echtgenoot is ontvoerd ('maar u bent toch geen Turk, he?'). Een twist om water! In een gebied waar de taal, die zijn oorsprong in de elementen van 'woater en wiend' meer dan elders verraadt, mijn gehoor betoverde met die geërodeerde g's en ruisende sibilanten. Een strijd tussen historische accuratesse en actuele aanpassing. Nee, de strijd is nog lang niet gestreden. Rijkswaterstaat zit er maar mooi mee. De Rijn niet. Die stroomt gewoon binnen, kuierend als elke pas aangekomen reiziger, langzaam en verwonderd, draagt nog de reflecties uit Duitsland met zich mee en betaalt zijn werkelijke tol bij de stuw van Driel.

Bij het haardvuur

I

Hoe goed weet ik wat ik van zins ben te doen
Wanneer de lange donkere herfstavonden komen,
En waar, mijn ziel, zal uw behaaglijke kleur zijn?
Samen met de muziek van al uw stemmen,
Ook stom en stil in levens novembergetij!

II

Bij het vuur, stel, zal ik te vinden zijn,
Achter een groot wijs boek zoals het ouderdom betaamt,
Terwijl de luiken klappen als de tegenwinden waaien
En ik een bladzij omsla, en ik een bladzij omsla,
Geen verzen meer nu, alleen letterenproza!

III

Totdat de jongens fluisteren, vinger op de lippen,
'Daar is hij weer bezig, diep in zijn Grieks:
Het is nu of nooit, om weg heen te glippen
Om van de hazelaars bij de kreek
Een hoofdmast voor ons schip te snijden!'

Robert Browning (1812-1889)